EDICIONES DE BOLSILLO

LA LITERATURA DEL DESASTRE

MIQUEL DELS SANTS OLIVER

LA LITERATURA DEL DESASTRE

INTRODUCCIÓN Y NOTAS
DE GREGORI MIR

Ediciones Península®
BARCELONA, 1974

Cubierta de
Jordi Fornas

Primera edición:
marzo de 1974.

Realización y propiedad de esta edición
(incluido el diseño de la cubierta):
EDICIONS 62, S|A.
Provenza 278, Barcelona-8.

Depósito legal: B. 9144-1974
ISBN: 84-297-0962-2

Impreso en Gráficas CAP, S. A., Corominas 28, Hospitalet

INTRODUCCIÓN

> «Oscuro nací, oscuro me hallo. Nada fui en los cinco o seis lustros que llevo consagrados a mi pobre pluma; nada he de ser en los pocos que el promedio de la existencia humana me pone por delante. Nada, más que un hombre que dice la verdad: que la dice en alta voz, sin componendas, flojedades, ni mixtificaciones, sobre asuntos y en momentos de tanta gravedad como los presentes.»
>
> M. S. Oliver, *La cuestión previa* (1915).

Razones por todos conocidas provocaron que con la guerra civil última las instituciones que organizaban lo que es conocido por Cultura Catalana desaparecieran o sucumbieran en un letargo, y sólo en esta última década han pugnado por cambiar de posición. De no haber ello ocurrido, entre otras cosas de mayor importancia, la figura de M. S. Oliver hoy estaría estudiada tal como su obra merece y, también, por lo que de testimonio histórico auténtico lleva consigo. La investigación que se lleva a cabo intenta superar la visión esquemática heredada que reduce a M. S. Oliver a un testimonio más o menos interesante de una época aún no del todo estudiada en sus complejas causas, interacciones y efectos. Si la obra de un escritor-ideólogo sólo tiene significación objetiva al relacionarla con la época en que se produjo, la de M. S. Oliver creemos que tiene un sentido determinante y explicativo precisamente al ser relacionada con el tiempo histórico que la justifica. Que sepamos, hasta hoy, un representante del sector liberal se ha interesado, en la posguerra, por la obra de Oliver, pero sin conectarla con la época en que fue escrita.[1] En cambio, desde el punto de vista literario, los especialistas de la literatura catalana han valorado muy positivamente la producción poética o narrativa, escrita toda ella en catalán.[2]

Tal vez una de las causas de la preterización de M. S. Oliver deba de buscarse en su bilingüismo, que viene justificado por necesidad imperiosa de su profesión, el periodismo. No entra dentro de estas notas el planteamiento del arduo problema del escritor bilingüe,[3] pero sí decir que la obra escrita en la lengua que no fuera la genuina queda en una tierra de nadie que a estas alturas nos parece inexplicable. Sus ensayos en lengua castellana, que sin duda pueden igualarse con cualesquiera de los grandes escritores castellanos de su tiempo, han sido olvidados en las historias literarias al uso.

No creemos que la investigación sobre la obra de M. S. Oliver sea un mero estudio erudito. A nuestro entender y con la debida modestia, sus planteamientos ideológicos representan uno de los intentos más coherentes de su tiempo para hacer posible en la Península el cambio hacia la Modernidad. Y en este sentido hay que decir, muy rápidamente, que su pensamiento se forma en la ideología liberal burguesa y, dentro de ella, en la tendencia moderada. No se trata a estas alturas de la historia de resucitar modelos, sino de demostrar como hace muchas décadas que soluciones y actitudes que hoy parecen «modernas y europeas» ya fueron plantea-

1. J. ESTELRICH, prólogo a *Obres completes,* Ed. Selecta, Barcelona, 1948. Del mismo autor, artículos en «Destino», *De Balmes a Oliver* (24-1V-48), y *El conservantismo de M. S. Oliver* (29-V-48).

2. J. M.ª LLOMPART, *La literatura moderna a les Balears,* Ed. Moll, Palma de Mallorca, 1964. También J. M.ª CASTELLET - J. MOLAS, *Ocho siglos de poesía catalana,* Alianza Editorial, Madrid, 1969.

3. F. VALLVERDÚ, *L'escriptor català i el problema de la llengua,* Ed. 62, Barcelona, 1968. Del mismo autor, *Sociología y lengua en la literatura catalana,* Edicusa, Madrid, 1971.

das por mentes como la de M. S. Oliver. Se trata, pues, de estudiar un pasado, una parcela humana del pasado, para que nos ayude a interpretar un poco mejor el presente, en definitiva aún en tantos aspectos fundamentales tan cercano a los años de existencia de nuestro personaje.

Los artículos que hoy se publican son una mínima parte de los que escribió y que no fueron recogidos en ninguno de sus catorce libros, que contienen parte de su extensa producción. Centenares de ellos han sido localizados y son numerosos los que tienen interés por cuanto son muy explicativos de determinadas tensiones de la Restauración. Los que el lector ahora va a leer tienen un factor genérico común: el hecho literario. Y otro más específico: las relaciones literarias entre Cataluña y el resto peninsular. Si bien su lectura es interesante para cualquiera preocupado por los problemas hispánicos, lo serán sin duda aún más para los especialistas de ambas literaturas, los cuales los podrán interpretar más ampliamente que lo que permite una introducción.

EL DESPERTAR DE UNA ISLA

A finales del siglo XVIII la Sociedad de Amigos del País, siguiendo el ambiente reformador del despotismo ilustrado, inició el estudio de la realidad económica mallorquina, a la vez que se aplicaba en la introducción de nuevas formas de cultivo en la agricultura y organización del comercio. Pocas décadas más tarde la invasión napoleónica hizo que Mallorca se convirtiera en un lugar privilegiado para los refugiados peninsulares, la mayoría de ellos procedentes de Cataluña. De 1808 y hasta el restablecimiento de la monarquía, la ciudad de Palma se convirtió, con la de Cádiz, en un lugar premonitorio de lo que sería el siglo XIX y parte del actual: liberales y serviles, unos contra otros, arreciaron en una intensa y prolongada polémica sobre las bases de la nueva sociedad. Los mallorquines, en su inmensa mayoría, no dejaban de ser meros espectadores del debate que, sin quererlo ni esperarlo, tuvieron que albergar. Pero aquellos hechos de alguna manera mellaron el espíritu de aquella comunidad, secularmente alejada de las grandes transformaciones que se habían sucedido en Europa. Mallorca era un microcosmo en el cual pasado y presente se confundían amablemente. La semilla que dejaron los emigrados y las subsiguientes alteraciones del orden constitucional en la Península fructificaron en unas minorías que iniciaron la apertura hacia las corrientes que se formaban en el Continente. La aparición del Romanticismo no hizo más que acelerar el proceso.

A partir de la recepción del Romanticismo puede decirse que Mallorca ha participado de todos los cambios estéticos y políticos, a veces como apéndice poco original del centro, otras con aportación genuina, pero con escasa influencia del intelectual dentro de su comunidad. La propia estructuración de la sociedad mallorquina, más estamental que clasista, sólo permitía minorías que actuaban en forma de élites cerradas. Una de éstas —la que prevalecería— siguió los principios del Romanticismo conservador o histórico, con el saldo a su favor de haber iniciado un serio trabajo de reflexión sobre el pasado histórico mallorquín, a la vez que aportaba, desde el punto de vista literario, obras de singular valor. Esta corriente tendría como principal orientador al historiador José M. Quadrado, y coincide con la «renaixença catalana», que actuaría como estímulo poderoso. La otra corriente de alguna manera encarnaría el romanticismo liberal, con la figura de Gerónimo Bibiloni, cura exclaustrado que en el año 1848 publicó un ensayo titulado *Cristianos socialistas*, siguiendo al socialismo utópico de moda en aquellos años. Si la corriente histórica alcanzó una toma de conciencia autóctona, la otra desembocó en el progresismo y federalismo. Las dos, dentro de los estrechos límites en que pudieron actuar, problematizaron el presente.[4]

Una vez expulsados los franceses de la Península, Mallorca intensificó las relaciones de todo tipo con Cataluña. Escribiendo sobre los tiempos de la dominación, M. S. Oliver dice que «podría fijarse en aquella época el comienzo de la tradición mercantil que señaló esta isla a los catalanes como excelente mercado para sus manufacturas. Mercado que monopolizan desde entonces para la provisión y para la venta al menudeo».[5] Además de las relaciones económicas, Mallorca fue visitada por escritores del Principado, atraídos por el paisaje y por la propia singularidad cultural mallorquina. El historiador y poeta Pablo Pifarrer colaboró con J. M. Quadrado, a la vez que éste lo había hecho con Jaime Balmes. En el año 1838 se implantó una línea regular marítima con Barcelona, ciudad que poco a poco recobraba su antigua capitalidad natural entre los Países Catalanes. Los escritores mallorquines, partiendo de la singularidad isleña, tenían muy presente que el reconocimiento de su valor tenía que ser refrendado por una Barcelona que ya vivía plenamente las transformaciones de la revolución industrial. Al nacer M. S. Oliver (Campanet, 24-V-1864), el movimiento *renaixentista* mallorquín estaba en vías de consolidación.

Sin recursos naturales y con una importante tradición marinera, los mallorquines iniciaron un intenso comercio con las Antillas, que duraría hasta 1868, año a partir del cual se repatriaron muchos capitales, que fueron invertidos en la agricultura. La abolición de los mayorazgos y la obra de la desa-

4. G. Mir, art. *El socialisme utòpic de Jeroni Bibiloni*, revista «Lluc», setiembre 1972, Palma de Mallorca.
5. M. S. Oliver, *Mallorca durante la primera revolución*, Palma de Mallorca, 1901.

mortización habían causado la desaparición de una buena parte de la estructura agraria que la aristocracia mallorquina, de especial configuración, había conservado casi intacta desde la Conquista. También se crearon industrias, textil y zapatera primordialmente, aunque de pocas dimensiones y ambiciones. A la reestructuración económica le sucedió una nueva clase social, que podemos denominar burguesa, que nunca llegó a ser lo suficientemente potente para hacerse con el control social y provocar el cambio. A finales del siglo XIX, Mallorca era la tercera provincia española en orden al número de emigrantes hacia América, y aún en el año 1900, en cifras absolutas, daba un 77,03 por ciento de analfabetos, al mismo nivel que las provincias más atrasadas del Estado español. En la isla se daba el hecho de una aristocracia local sin poder económico real pero que actuaba como élite de prestigio, con una decisiva influencia en la mayor parte de las poblaciones agrícolas, en las que el control de la cultura estaba en manos de la organización eclesiástica. Aquella incipiente burguesía no pudo hacer el cambio y, sin temor a equivocarse, puede decirse que hasta la posguerra, con la irrupción en masa del turismo, el esquema no se había alterado. De todas maneras, la nueva clase social hizo acto de presencia histórica con positivas obras a su favor, sin la ayuda del Estado, cuya capital, Madrid, se encontraba a muchas leguas e ignorancias de las «islas adyacentes».[6]

6. Hasta hace pocos años no se ha empezado a estudiar el siglo XIX mallorquín. Además de las obras de M. S. Oliver sobre Mallorca, que siguen siendo actuales, son especialmente interesantes los estudios socio-económicos del profesor B. BARCELÓ PONS publicados en *Un segle de vida catalana,* dos tomos, Ed. Alcides, Barcelona, 1961. En el aspecto cultural-literario, J. MASSOT I MUNTANER, *Els mallorquins i la llengua autòctona,* Ed. Curial, Barcelona, 1972. En determinados aspectos puede ser útil *La renaixença a Mallorca,* de J. MELIÀ, Ed. Daedalus, Palma de Mallorca, 1968. Por su lucidez, el prólogo-ensayo de

El padre de M. S. Oliver fue un intelectual orgánico de aquella nueva clase social. Periodista por vocación y maestro de escuela por necesidad, colaboró en movimientos radicales de su tiempo, evolucionando hacia un liberalismo templado y posibilista. Educó a su hijo dentro de aquellos principios, que significan individualismo y respeto a los contrarios. La infancia y la juventud de nuestro personaje, sin duda fuertemente marcadas por su padre, transcurrieron tranquilas en aquella ciudad de Palma, cuyo silencio pitagórico (hoy sacrificado, con otras muchas más cosas, a las exigencias de las clases medias europeas) años más tarde evocaría con amor. «No he oído contar de su infancia nada memorable, ni muestras de travesuras ni de aplicación ni de precocidad extraordinaria», dirá un contemporáneo amigo suyo.[7]

UNA VOCACIÓN INTELECTUAL

A los dieciséis años empezó a colaborar en la prensa local palmesana, a la vez que participaba en concursos literarios para gente joven. Terminado el bachillerato, en el año 1881 inició en Barcelona la carrera de Derecho, que terminaría once años después en esa misma ciudad. Su trabajo de licenciatura, hecho con la intención de doctorarse, versó sobre la «Generación del hecho punible. Análisis de los actos internos y externos; cuáles de éstos son punibles», consiguiendo un modesto aprobado, calificación que más abunda en su expediente escolar y universitario. Tantos años para terminar una carrera

G. ALOMAR a *Un invierno en Mallorca,* Palma de Mallorca, 1902. También la obra de J. M.ª LLOMPART citada.

7. J. ALCOVER, *Miquel dels Sants Oliver,* en *Obres completes,* Ed. Selecta, Barcelona, 1951.

sólo pueden interpretarse como duda o indecisión sobre el camino profesional a seguir. Pero no fueron años perdidos. En Barcelona, donde pasaba largas temporadas, «recibió la influencia de Mariano Aguiló. Allí intimó con J. Yxart, Narciso Oller y otros literatos ilustres».[8] También en Barcelona tendría ocasión de relacionarse con M. Milà i Fontanals, al cual siempre consideraría como norte y guía de su propio hacer intelectual: «Tuve la fortuna de conocerle todavía en su cátedra durante uno de los postreros cursos que explicó, en medio de la incomprensión y a veces irrespetuoso bullicio de aquellos doscientos estudiantes que el "preparatorio" de Derecho enviaba entonces a turbar las clases de la Facultad de Letras.»[9]

El contacto con la realidad político-cultural catalana maduraría en el joven Oliver las reflexiones que tendría que hacerse sobre su comunidad. Se alistó con entusiasmo, con un entusiasmo difícil de entender para nuestra época, al movimiento *renaixentista* mallorquín, colaborando en empresas culturales y políticas, dejando marginados los estudios universitarios. En el año 1887, con su padre como director, colaboró en la fundación del periódico «La Almudaina», proyectado por representantes de los nuevos grupos sociales que pugnaban por modernizar la sociedad isleña. El periódico, que nunca se comprometió con ninguna de las formaciones políticas de la Restauración, siguió una tendencia liberal y claramente regionalista. La actualidad catalana ocupaba igual o más espcio que la madrileña, y por el tratamiento de los asuntos y su enfoque doctrinal pronto se convirtió en la publicación más respetada de la isla. Al mismo tiempo que se ocupaba en el periodismo, frecuentó a José M. Quadrado, que le ayudó

8. *Ibid.*
9. M. S. Oliver, art. en «La Vanguardia», *El monumento a Milà* (31-VIII-1912).

en sus primeros pasos de historiador. Durante aquellos años trabajó intensamente en el tema de la Revolución en España, fruto de lo cual fue su libro, aún de obligada consulta, *Mallorca durante la primera revolución*, que narra al detalle —como mandaba la metodología positivista de la época— lo que aconteció en Mallorca durante los años de la invasión francesa en la Península. El estudio no es una mera relación de hechos, sino que incluye los presupuestos críticos que utilizaría para la formación de su ideología. Al morir su padre (1897), le sucedió en la dirección de «La Almudaina». Pocos años antes había ingresado como secretario en una institución bancaria local, llegando a ser más tarde director de la misma. En Mallorca no era fácil la profesionalización para un intelectual, ni tan siquiera siendo éste director de un periódico prestigioso y consolidado.

M. S. Oliver representa la tercera generación de escritores mallorquines que aceptan como propio el proceso *renaixentista* catalán. Toda su obra de estos años mallorquines sólo puede entenderse en razón de aquel entusiasmo ya mencionado. Pero si los intelectuales precedentes adoptaron una actitud meramente esteticista y/o historicista, la generación de M. S. Oliver, con él como guía, se planteó los problemas desde una óptica eminentemente política. Recobrada, al menos por parte del intelectual, una conciencia histórica nacional había que dar una alternativa política al proceso *renaixentista*. Alternativa que se desdoblaba en lo económico —realizar una tardía revolución burguesa— y en lo político —conseguir la autonomía política. En su primer libro, *Cosecha periodística*, ya hay implícitos los planteamientos que luego desarrollaría más profundamente, alcanzando en *La cuestión regional* y *Entre dos Españas* la plenitud de su pensamiento. Ni las campañas en «La Almudaina», ni los libros, ni las empresas culturales, llegaron a sensibilizar a la totalidad de los grupos dirigentes mallorquines. Indudablemente *La cues-*

tión regional es un libro que se mereció mejor suerte, y que aún hoy no ha sido valorado tal como es debido, desde el punto de vista de la historia de las ideas políticas en nuestro país.

La última década del siglo XIX fue para M. S. Oliver de intensa acción cívica, poco comprendida por sus conciudadanos, acostumbrados a los mínimos esfuerzos para el cambio o a los máximos para evitarlo. Su campaña regionalista cayó en saco roto y con perjuicios para su persona, que más tarde le llevaron a decir que fue «mortificado entonces por todas las espinas de la singularidad y el aislamiento».[10] Sintiéndose fracasado en sus proyectos empezó a plantearse la posibilidad de irse de aquella Mallorca por la cual tanto había trabajado. Sus contactos con Barcelona siguieron manteniéndose. En el año 1897 fue llamado por el Consistorio para hacer el discurso de mantenedor de los Juegos Florales. Allí conoció a Joan Maragall, con el cual siempre mantendría una íntima y devota amistad. J. Maragall dedicó al libro de Oliver sobre la revolución en Mallorca un elogioso artículo en el «Diario de Barcelona», a partir del cual las relaciones epistolares entre los dos escritores aumentarían. Buscando una salida a su vocación intelectual y a una incómoda gestión bancaria, escribió al poeta amigo solicitándole una conferencia o lectura de poemas en el Ateneo Barcelonés, de cuya institución Maragall era presidente. En el año 1904 M. S. Oliver, dentro de un ciclo en el que participaron otros cinco escritores mallorquines, daba la conferencia «Evolución y extensión del catalanismo». Por otra parte, a finales de 1903 había comenzado a colaborar asiduamente en el «Diario de Barcelona» con artículos referidos a literatura extranjera, demostrando el alto grado de información que tenía. Posteriormente a la referida conferencia, escribe a J. Ma-

10. M. S. OLIVER, prólogo a *La cuestión regional*, Palma de Mallorca, 1899.

ragall —dando a entender que entre los dos ya habían hablado sobre las posibilidades profesionales en Barcelona—, solicitándole le diga las condiciones de trabajo que Maragall le ofrecía en el Ateneo, y, también, si podría formar parte de la redacción del «Diario de Barcelona». Puestos de acuerdo, en julio de 1904, con su familia, se iba a vivir a Barcelona. A los cuarenta años de edad aquella ciudad le abría, aunque no totalmente, las puertas de la profesionalización.

Agustín Calvet, «Gaziel», único escritor catalán que trató con cierto detenimiento a M. S. Oliver y, a nuestro modo de ver, no siempre con la objetividad debida, dijo en relación al traslado del escritor mallorquín a Barcelona que fue un «hecho lamentable».[11] Gaziel, que a veces da la impresión de utilizar a su maestro *pro domo sua,* divide la biografía de Oliver entre sus años mallorquines y los barceloneses, dando a entender que la última parte de su vida fue una especie de error existencial, estando tal apreciación muy lejos de la verdad objetiva. M. S. Oliver en Barcelona desarrolló toda su potencialidad de intelectual, con amplitud y profundidad. Los apacibles, pero estrechos, límites de su isla no le hubiesen permitido influir y desarrollar la obra que realizó en Cataluña. Oliver amó tanto a Barcelona que en ella quiso ser enterrado, y por ella no dudó en renunciar a mejores prebendas en otros lugares más cercanos al poder. Para M. S. Oliver Barcelona era no sólo la capital de Cataluña, sino el centro urbano que aglutinaba historia y proyectos de los Países Catalanes. Era la Barcelona de los entusiasmos modernistas.

11. GAZIEL, *Vida de M. S. Oliver,* en «Vida de Periodistas Ilustres», «Anuario de la Asociación de la Prensa Diaria de Barcelona», año I, 1923. También ha tratado de Oliver en *Història de La Vanguardia* (1884-1936), Edicions Catalanes de París, 1971; *Tots els camins duen a Roma,* Ed. Aedos, 1a. ed., 1958, Barcelona.

Joan Maragall le introdujo como oficial de secretaría del Ateneo Barcelonés y como redactor del «Diario de Barcelona». El viejo «Brusi», desde la muerte de Manyé y Flaquer no había logrado encontrar a un director que lo encarrilara ideológicamente. En mayo de 1905, M. S. Oliver pasaba a ser director del periódico, hecho que se notó tanto por los nuevos colaboradores como por el enfoque de los asuntos. El problema regionalista fue tratado con mucha más valentía, saliéndose de la línea del tímido tradicionalismo historicista hasta entonces mantenido. M. S. Oliver inició una campaña de decidida defensa del autonomismo catalán a la vez que condicionaba al catalanismo hacia una participación hegemónica en el poder del Estado. El contexto histórico no podía ser más oportuno. La Solidaridad Catalana le daba todos los elementos en que apoyar su teoría; pero la propiedad del periódico no opinaba igual que el director. M. S. Oliver, que quiso ser siempre leal y sincero con sus propias convicciones, presentó la dimisión del cargo. A tal decisión seguramente habría influido una carta de Joan Maragall en la que éste le notificaba que, debido a los obstáculos que ponían a sus artículos, no quería colaborar más en el periódico. La marcha de Oliver provocó la de todos los colaboradores más significativos del «Diario», hecho que ocurría en junio de 1906. Semanas más tarde sería llamado a formar parte de la redacción de «La Vanguardia», para ocupar después una de las direcciones del periódico, aunque de hecho él siempre fuera la personalidad más sobresaliente del mismo.

En Barcelona se le requirió como miembro fundador del prestigioso Institut d'Estudis Catalans. Siguió investigando sobre temas históricos referidos a la Revolución Francesa en España, aún hoy de necesaria consulta. El año 1917 fue elegido presidente del Ateneo Barcelonés. Si su prestigio había alcanzado el respeto de la mayoría, su actitud de intelectual independiente no fue comprendida por las minorías políticas ni intelectuales que aquellos años protagonizaban un dinamismo histórico que él no podía compartir. Gaziel, y en eso acertó, dijo que «los partidistas de uno y otro bando le miraron siempre a distancia porque nunca se sometió a ninguno de ellos ni aceptó sus falaces ofertas».[12]

Intelectual formado dentro de las corrientes positivistas y neotradicionalistas de la última parte del siglo XIX, si bien lúcido al interpretar los fenómenos de nuestro siglo que vivió, no llegó a evolucionar, como otros intelectuales de su promoción, hacia nuevos planteamientos. Si el movimiento de la Solidaridad Catalana le pareció la realización de un sueño imposible, la Semana Trágica fue un despertar amargo. Del optimismo liberal fue derivando hacia el escepticismo personal y a un determinismo fatalista que presagia tragedias posteriores. Hombre sincero y de extrañas lealtades, se fue alejando del catalanismo político para convertirse en uno de los primeros y principales teóricos del maurismo, que quiso hacer compatible con su catalanismo cultural. «Fue durante varios años el mallorquín ilustre la fiura intelectual más fuerte del conservadurismo español»,[13] como se dirá a la hora de su muerte. Nos parece muy significativo que sea precisamente en Barcelona y a través del periódico más importante de Cataluña que M. S. Oliver exteriorizase su ideología, datos éstos hasta ahora no suficientemente valorados para interpretar adecuadamente la relación entre el movimiento nacionalista y la clase burguesa catalana, la cual no aparece como grupo políticamente compacto y sí con discrepancias ideológicas fundamentales —más evidentes a partir de la Sema-

12. En *Vida de M. S. Oliver, op. cit.*
13. Necrológica, sin firmar, en diario «La Publicidad», Barcelona (18-I-1920).

na Trágica— que hacen difícil la aceptación de las tesis que quieren identificar al catalanismo con la burguesía. La evolución del pensamiento político de Oliver, o si se prefiere, sus actitudes políticas, creemos que en este sentido tiene una significación objetiva muy determinante. Evolución que le llevó a entrar en crisis con los mismos dirigentes de la Lliga, a causa de lo cual de hecho dejaría de ser miembro del Institut d'Estudis Catalans.

A la vez que dirigía «La Vanguardia», colaboraba en otras publicaciones, siendo remarcable la que mantuvo en el diario «ABC» de Madrid, donde intentaba un diálogo franco y abierto entre Cataluña y el resto de España. Sus campañas tuvieron mucho de utópicas. En lo referente al maurismo fue más maurista que el mismo Maura, al proporcionar a éste ideas y soluciones que el político no podía practicar ni desde el poder ni desde la oposición. A través de esas campañas, M. S. Oliver trasluce la crisis del liberalismo moderado, entendido éste no como una mera defensa de unos intereses oligárquicos, sino como una acción de grupo que deseaba ser una alternativa al radicalismo revolucionario y que acercara a España a los modos y formas de la Europa anterior a 1914. Por otra parte, y porque tenía una especial visión integradora de toda la problemática hispánica, su obra deviene una rectificación ideológica del catalanismo político. Consideramos relevante que en el año 1911, frente a los teóricos de la Lliga y otros nacionalistas, insistiera en que «el libro de Almirall [*Lo catalanisme*] tiene que considerarse como el más fuerte aglutinante que hasta hoy en la esfera doctrinal haya tenido el espíritu político de Cataluña».[14]

A partir de la Semana Trágica, acentuándose cuando la crisis de los «idóneos», sus artículos en

14. M. S. Oliver, *A propòsit de l'Almirall*, en *Obres completes, op. cit.*

«ABC» y «La Vanguardia» se orientan cada vez más hacia un neutralismo beligerante frente al catalanismo político, que, de hecho, desaprobaba con sus teorizaciones mauristas. La influencia que pudiesen ejercer las propiedades de los periódicos en tal orientación nos parece de poca relevancia teniendo en cuenta el pasado ideológico de Oliver —maurista ya en sus años mallorquines— y su inflexibilidad ante las imposiciones contrarias a su conciencia. Lo dicho se comprueba una vez que abandona la dirección de «La Vanguardia». Si antes sus objeciones al nacionalismo organizado políticamente se traducían en la adopción de una actitud no comprometida pero de hecho de censura, una vez alejado del cargo de director, el periódico adoptará una posición de más firme crítica hacia los planteamientos tácticos o ideológicos de la Lliga por considerarlos radicales y contradictorios, hasta el punto de ser por un tiempo la plataforma de la Unión Monárquica Nacional de Alfonso Sala. En una época tan conflictiva, en que la política y lo político en sus manifestaciones extremas lo invadían todo, era en la práctica imposible mantener una actitud de neutralidad por parte de los medios de comunicación seculares y teóricamente independientes.

A finales de 1918, tal vez a causa de las muchas tensiones que tuvo que soportar y por una pertinaz vida sedentaria, enfermó gravemente, manifestándosele una enfermedad que arrastraba incubada desde hacía tiempo y de la que no lograría curarse. Con parálisis progresiva estuvo retenido en su domicilio hasta el día de su muerte, acaecida el 9 de enero de 1920. Durante aquel año de enfermo aún escribió algunos artículos, que dan la impresión de ser una regresión, atemporales y moralizantes, como si quisieran ser su testamento. En el que sería el último, pensando en aquella Cataluña ideal por la que tanto luchó, y refiriéndose a la responsabilidad del intelectual, dirá que «unos se hacen "satánicos" y destructores de todo porque todo lo hallan inicuo e irremediable; otros se declaran "impasibles" a la manera de los stendhalianos, manteniéndose insensibles ante la mayor atrocidad e incapaces de indignación ante la más enorme injusticia; otros, por último, ofician de "olímpicos" según el ejemplo de Goethe, que es decir el supremo egoísta de la edad moderna. Casi ninguno se atreve a declararse "humano" como el resto de sus semejantes sin reserva mental de ninguna especie, sin prurito de superioridad, sin alarde de diferenciación. Casi ninguno se resuelve a identificar el pensamiento con la vida, la conducta con la obra, ni a declararse solidario de los demás componentes de la nación, aun después de haber pasado a la historia el tiempo de los exquisitismos y de las torres de marfil». Frente a tales actitudes profetiza que «en Cataluña no puede prosperar la posición de los satánicos, de los impasibles, ni de los olímpicos. En Cataluña no hay otra actitud posible que la de los "humanos"... y ésta es la lección que en primer término debiera legar a la posteridad la inteligencia de Cataluña: los intelectuales no son una casta aparte de los demás hombres, sino los primeros de todos los hombres en todos los órdenes de la vida; el talento no se posee en beneficio propio sino en beneficio de la Humanidad y de la patria».[15] ¿Qué significaría para M. S. Oliver, después de la Primera Guerra Mundial —crisis del sistema burgués— y del triunfo de la Revolución rusa —ascensión de los socialismos—, el imperativo de tener que ser «humanos»? Lo «humano», para Oliver, significaba en este caso «autenticidad», lo que tenía que traducirse en una identificación entre vida y obra. Era la visión del intelectual moralista que en época de crisis quiere hacer de su obra un código para la convivencia, y que para mayor eficacia de su acción reclama el

15. M. S. OLIVER, art. en «La Vanguardia», *La responsabilidad del talento* (25-X-1919).

derecho a la independencia frente a las estructuras sociales que se desintegran. Es decir, un teórico no compromiso con los intereses en pugna, y en este sentido la mera autenticidad sin compromiso que trascienda civilmente, casi siempre margina al intelectual en áreas de lo profético, y la suya fue una época de profetismos secularizados que no lograron salvar la decadencia europea.

UNA CONCEPCIÓN DEL MUNDO

La obra total de M. S. Oliver es de una gran complejidad de intereses: historiador, ideólogo, poeta, narrador, ensayista, periodista. El poeta Joan Alcover dijo de ella que era «la monotonía de la excelencia»,[16] acertando en la adjetivación generalizadora. Ya desde muy joven forma y contenido son de una coherencia sorprendente, y ello se explica porque M. S. Oliver, a lo largo de su vida, sólo aceptó aquellas influencias que perfeccionaban la concepción del mundo que se había ido formando. Las contradicciones que presenta son reflejo de las cambiantes circunstancias históricas que tuvo que vivir y las derivadas de la clase social a la que se había adscrito. No fue M. S. Oliver un escritor tocado por la gracia de la genialidad. Sus prédicas, cuando lo son, tienen la solidez de un santo civil que practica el mandamiento consistente que obra y hombre deben coincidir. Su obra fue fruto de un trabajo hecho con método, orden y sin prisas, teniendo siempre muy presentes sus propias limitaciones y la brevedad de la vida.

16. J. Alcover, *op. cit.*

Si estéticamente, como se verá, M. S. Oliver se formó dentro de la amplia corriente del modernismo, ideológicamente lo hizo dentro del positivismo de finales del siglo XIX: «Se manifestaron fuertes inclinaciones positivistas en la juventud intelectual de 1875 a 1890, ayudadas en parte por la filosofía del *sentit comú*, y, sobre todo, por las propensiones intensamente realistas de la raza catalana en todas las épocas de la Historia, de las que salen a un tiempo sus aciertos y sus recaídas.» [17] De entre los muchos autores de moda de aquellos años uno especialmente le influiría: H. Taine, y con éste el pensamiento neopositivista inglés; influencias que explican su coincidencia con determinados planteamientos de intelectuales krausistas. Si recogiendo toda una tradición teórica liberal que se inicia con A. de Tocqueville fundamenta su crítica a la Revolución, Jaime Balmes le proporcionó el sentido de la conciliación, del posibilismo político, del sentido integrador de toda la problemática hispana. Este sentido integrador explica la defensa y exaltación que hizo de la obra de M. Menéndez y Pelayo, que entendía a la cultura española, dice Oliver, como un conjunto de lenguas y culturas diferentes ordenadas hacia un mutuo respeto y engrandecimiento. Ideológicamente en parte se consideraba discípulo del filósofo de Vic, del Balmes que «expresa el conservadurismo que no ha habido en España. Junto a él los demás conservadores del siglo XIX aparecen como conservadores inacabados, algo así como aspirantes a conservadores. Balmes y Argüelles son más conservadores, y, en este sentido, más modernos que cualquiera de las inquietas medianías del tiempo de Cánovas», [18] como explica el

17. M. S. OLIVER, *A propòsit de l'Almirall*, en *Obres completes*, *op. cit.*

18. E. TIERNO GALVÁN, *Tradición y modernismo*, Ed. Tecnos, S. A., Madrid, 1962.

profesor E. Tierno Galván. Claro está que su discurso argumental no es una mera repetición de aquellos autores mayores. M. S. Oliver aporta reflexiones derivadas de la observación de su presente histórico y acepta a aquellos autores más modernos que le ayuden a su cosmovisión, entre los cuales sobresale R. W. Emerson y otras filosofías voluntaristas que ambientan el final de siglo, inclusive Nietzsche.

Gaziel señaló que «dentro del cuadro general de la cultura catalana moderna, la figura de Oliver vino a cerrar un ciclo perfectamente delimitado e inconfundible, cuyo desarrollo abarcó poco menos de un siglo. Con Oliver desapareció el último representante de la serie de publicistas catalanes españolísimos que comenzó con Balmes durante el primer tercio del siglo XIX, y que, continuada sucesivamente por Quadrado, Mañé y Flaquer y Maragall, acaba de extinguirse, intachable y gloriosa, después de haber reñido grandes e ideales batallas en los confusos albores del siglo XX»,[19] es decir, una concepción del mundo que arranca con el auge del liberalismo y acaba con la crisis de la conciencia liberal. A. Ossorio y Gallardo, que dedicó la mejor y extensa necrológica a M. S. Oliver, diría de él que era «amplio de visión, sereno de juicio, bien arraigado en el clasicismo nacional, inquieto, comprensivo y despreocupado en el investigar, severo en la crítica, piadoso en la sanción, tan propicio a todas las asimilaciones como resistente a las improvisaciones caprichosas, devoto apasionado de la autoridad, que no es autoridad si no deriva de su fuerza moral; enemigo ardiente de la violencia, inspirado en un profundo sentido religioso, liberal por temperamento y por cultivo, desinteresado hasta el ascetismo, efusivo y alegre, optimista, animoso, Oliver encarnaba el sentido conservador, humanamente conservador, que España necesita en esta trágica pubertad del si-

19. GAZIEL, en *Vida de M. S. Oliver, op. cit.*

glo XX».[20] Y bajo la expresión *sentido conservador* «alientan opiniones diversas y aun antagónicas, en tan enrevesada maraña, que un cabo de la madeja toca con el atavismo cerril y otra punta con el socialismo».[21] No sólo por este sentido «amplio y moderno» del sentido conservador se diferenciará Oliver de sus parientes ideológicos citados por Gaziel, sino también por otro que consideramos importante. M. S. Oliver, al cual no debe negársele un talante religioso, nunca hace apologética, ni tan siquiera argumenta sus teorías a partir de una religiosidad manifiesta. M. S. Oliver, en este sentido representa al intelectual liberal e independiente, secularizado. «El creyente tiene sus dogmas, pero los guarda para su fe, para su religión, para sus verdades reveladas. No profana el concepto de dogma aplicándolo a las cosas entregadas a la opinión de los hombres, ni substrae al conocimiento científico los hechos y la realidad.»[22] Esta actitud frente a lo religioso era la que reclamaba como óptima para hacer posible en España la convivencia. Por eso, una de las objeciones que dirigirá a los hombres del partido liberal, y a las izquierdas en general, era la de sobrevalorar el problema religioso, el reiterado problema religioso hispánico, que él siempre consideraría de segundo orden, habiendo otros más urgentes por resolver, hasta el punto de considerarlo un «problema artificial», que le merecerá el siguiente diagnóstico: «Puede que vengan ahora esas medidas, esa supeditación al Poder Civil, esa franquicia de las conciencias, esa reducción o expulsión de Congregaciones. Dentro de veinte años nos veremos. Es decir, nos veremos tan decaídos y retrasados como ahora, porque se habrá

20. A. OSSORIO Y GALLARDO, *D. Miguel de los Santos Oliver*, art. en «El Debate» de Madrid (4-II-1920).
21. *Ibid.*
22. M. S. OLIVER, art. en «La Vanguardia», *Impulsivos y discursivos* (4-VIII-1906).

pedido la felicidad a algo que no la contiene ni puede darla.»[22 bis]

Intentó, a su manera, racionalizar una concepción del mundo que asumía con sinceridad, honestidad y exceso de modestia y que significaba respeto a los contrarios, pragmatismo y antidogmatismo. La contradicción en que incurría Oliver era evidente, como lo fue en otros intelectuales y políticos de su época: ¿Cómo se podía propugnar el reformismo burgués sin aceptar plenamente todas las condiciones que del mismo se derivaban? No rehúye, empero, la cuestión del cambio revolucionario y racionaliza el por qué no lo creía aceptable: «La redención futurista no puede significar más que la revolución permanente. Colocando el ideal fuera del tiempo que se vive y mirando la realidad presente como cosa abominable o, a lo sumo, como un instrumento y un medio para lo porvenir, la consecuencia es obvia.»[23] Ante tal disyuntiva se preguntará: «¿Es lícito sacrificar a los hombres de ahora en holocausto de los hombres de mañana? ¿Son aceptas a los númenes esas hecatombes ofrecidas al terrible Moloch de los tiempos venideros? ¿Qué suerte de feroz misticismo es éste de las esperanzas milenarias, nunca saciado de víctimas ni de sangre, para que a la postre no se vean agradecidas y sea la maldición de la posteridad el premio concedido a tanta demencia? Yo no creo que se pueda trabajar sólidamente para la sociedad futura de otra manera que mejorando la actual; ni existe, en la esfera de la historia, el derecho de atormentar a una edad y a unos hombres ciertos, vivientes y tangibles, en obsequio a la bruma lejana de una descendencia desconocida e incognoscible.»[24] La mala conciencia

22 bis. M. S. Oliver, art. en «ABC» de Madrid, *Problema artificial* (10-VIII-1910).

23. M. S. Oliver, art. en «ABC», *Redención y futurismo* (26-XII-1912).

24. M. S. Oliver, art. en «La Vanguardia», *La ráfaga futurista* (22-VI-1912).

de tal actitud, con toda su carga egoísta sólo compensada por un humanismo de viejo cuño, era resultado de una impotencia para llevar a término una teoría reformadora que no encontró su marco de acción en una España social y políticamente no homogénea y con unas instituciones políticas que no supieron integrar las fuerzas sociales auténticas —nacionalismos, movimientos obreros, reformismos de diversas tendencias— que pugnaban para la modernización global —no sólo económica— del país.

Modernismo

La obra de M. S. Oliver debe insertarse dentro del movimiento modernista catalán, entendido éste como «un proceso global de renovación de una cultura».[25] Un movimiento que es «hasta un cierto punto contradictorio»,[26] «una encrucijada compleja»,[27] y que representa, por una parte, el final de maduración de una cultura que quiere situarse, consiguiéndolo en determinados aspectos, a los mismos niveles que las otras europeas. En otro sentido, es la manifestación individual o de grupo de unos intelectuales que se rebelan contra las formas de vida que impone la burguesía, pero que fatalmente tienen que aceptar. Del movimiento modernista catalán surgieron dos grandes direcciones: la del arte por el arte, con Santiago Russinyol como máximo representante; y la regeneracionista, que a su vez puede subdividirse en dos tendencias: la liberal-moderada, con Joan Maragall y M. S. Oliver como principales figuras; y

25. J. LL. MARFANY, *Sobre el significat del terme modernisme*, en «Recerques», núm. 2, Ed. Ariel, Barcelona, 1972.
26. J. MOLAS, *El modernisme i les seves tensions*, art. en «Serra d'Or», Barcelona, diciembre 1970.
27. J. FUSTER, *Literatura catalana contemporània*, Ed. Curial, Barcelona, 1972.

la liberal-radical, con Jaume Brossa y Gabriel Alomar como los más representativos.[28]

La obra literaria de M. S. Oliver es modernista, entendido el término ahora en un sentido estético. El mismo Oliver muy tempranamente se dio cuenta del cambio de sensibilidad que se operaba en Europa, tendente a superar los límites impuestos por el naturalismo: «La última palabra en estos instantes ya no es el naturalismo... Simbolistas, psicólogos, *deliquescentes* o como se llamen tantas formas de la novedad caprichosa, huyen todos de la retórica realista y aspiran, digámoslo de una vez, a reintegrar en la materia artística dos de sus elementos más preciosos, la pasión y la fantasía, que parecían excluidos por el determinismo y el análisis experimental. Puede que el deseo de la novedad les haga caer en la extravagancia, hija siempre de los grandes centros y de la civilización complicada y detallista; pero el intento no puede ser más racional y oportuno.» [29] Su obra posterior responde a los presupuestos enunciados, que intentará equilibrar frente a «la vaguedad y la imprecisión»[30] derivados del seguimiento de la novedad por la novedad.

La obra poética de M. S. Oliver arranca del romanticismo y posteriormente es influida por Rubén Darío, poeta de sus preferencias, como lo era Edgar Allan Poe como narrador, es decir, dos autores que

28. Sobre el regeneracionismo catalán: J. SOLÉ-TURA, *Catalanisme i revolució burgesa,* Ed. 62, Barcelona, 1967. (Hay traducmción al castellano: *Catalanismo y revolución burguesa,* Edicusa, Madrid, 1968.) J. LL. MARFANY, *Jaume Brossa i el regeneracionisme,* «Ant. Catalana», Ed. 62, Barcelona, 1969.

* En prensa este libro, ha salido editada la importante obra de Eduardo VALENTÍ, *El primer modernismo catalán,* Ariel, Barcelona, que enriquece extraordinariamente el conocimiento del modernismo.

29. M. S. OLIVER, art. en «La Almudaina» de Palma de Mallorca, *La literatura y el fin de siglo* (4-I-1891).

30. M. S. OLIVER, *La literatura en Mallorca (1840-1903),* Palma de Mallorca, 1903.

influyeron decisivamente en la corriente simbolista. El romanticismo en la formación de Oliver, explicitado por él mismo, le dará uno de sus temas favoritos: el pasado; la tristeza del tiempo que corre y que conduce irremisiblemente al final del existir individual: el *tedium vitae*. «Quienes como yo empezaron a abrirse al mundo de las ideas y de los efectos dentro de esa atmósfera [romanticismo] y pasaron de la infancia a la mocedad en el decenio comprendido entre 1875 y 1885, pueden aportar a la revisión histórica que se va substanciando ahora, un dato de experiencia personal, a menudo ejemplarísimo»,[31] dirá recordando su formación estética inicial. Su traducción al catalán, en el año 1885, del poema de G. A. Bécquer «Volverán las oscuras golondrinas...» no hace más que verificar lo dicho, y que coincide con la tesis del especialista inglés en literatura catalana A. Terry, que ha señalado la continuidad existente entre el movimiento romántico y el modernismo en Cataluña.[32]

Su obra narrativa, ambientada en su Mallorca natal, sin ser de grandes ambiciones temáticas —se circunscribe a un costumbrismo culturalmente muy elaborado— también es muy representativa de la corriente modernista. Joan Fuster, refiriéndose a la novela *L'Hostal de la Bolla,* dirá que es «una paradójica y excepcional aportación de la "Escuela Mallorquina" a la novelística modernista catalana».[33]

Si estéticamente la obra de creación de M. S. Oliver es modernista, su actitud intelectual frente a los presupuestos básicos del movimiento pronto será de rehusamiento y desaprobación. Su mentalidad historicista y eticista, que se traducía en una aceptación

31. M. S. Oliver, art. en «La Vanguardia», *La sirena* (14-I-1911).

32. A. Terry, *La poesia de Joan Maragall,* Ed. Barcino, Barcelona, 1963.

33. J. Fuster, *op. cit.*

del realismo como método de acción, poco podía aceptar, fuera de lo eminentemente estético, de aquel torbellino de obras e influencias que atacaba los mismos fundamentos del orden burgués que él propugnaba. Por esto se preguntará: «¿Será que yo soy un *cuistre*, pasado de moda, o realmente hay algo de enfermedad y manía en estas nuevas manifestaciones de la mentalidad europea?» [34] Frente a la avalancha de influencias extranjeras defenderá un arte elaborado en función de la auténtica tradición histórica de cada cultura, con el fin de evitar la artificialidad de unas influencias orgánicamente no asimilables y que conducirían a un arte desnaturalizado. No tardaría mucho en aparecer en Cataluña el «noucentisme», que se sobrepondría a los modernistas y plantearía una nueva estrategia cultural, paralelamente con el movimiento nacionalista en auge. M. S. Oliver quedó entre dos frentes y tal vez por ello se explica que su obra literaria de creación acabe entre los años 1905 y 1907.

El periodismo

La Restauración, con sus tensiones y contradicciones, tiene a su favor el hecho incuestionable de que fue un sistema culturalmente abierto y dinámico. La libertad de expresión, y otras libertades de la democracia formal, fue respetada y eran pocos los obstáculos existentes para el intelectual. Para demostrarlo son suficientes dos hechos de singular importancia: la aparición de intelectuales y escritores en lengua castellana que, según se ha dicho, desde la Edad de Oro las letras españolas no habían vuelto a tener. El otro hecho fue la paulatina consolidación a nivel institucional de la cultura catalana, que tam-

34. M. S. OLIVER, art. en «Diario de Barcelona», *Divagación* (9-I-1904).

bién dio grandes escritores y empresas culturales de prestigio que arraigaron tan fuertemente en el pueblo catalán que aún hoy son la salvaguardia de justificadas exigencias y anhelos.

El periódico o la revista fue la plataforma más idónea para conectar al intelectual con su público. La mayor parte de los libros publicados en aquellos años son recopilaciones de artículos, conferencias o ensayos previamente dados a luz en la prensa periódica. Aquel escritor se creía en el deber moral de reformar al hombre hispánico y abrir cauces de convivencia. Todos ellos de alguna manera fueron moralistas. Todos quisieron, desde distintas plataformas ideológicas, suprimir, moldear, innovar costumbres colectivas y defectos personales. Josep Pla, refiriéndose a M. S. Oliver, ha dicho que «esencialmente fue un historiador y un moralista».[35] Conocimiento del pasado para analizar con realismo el presente, de ahí la argumentación historicista, a veces casi determinista, que tanto gustaba a Oliver para profundizar los problemas. Todos los escritores de aquella época fueron unos aficionados a la Historia y sólo a través de este conocimiento —no siempre muy científico en algunos— pudieron ser posibles las grandes controversias sobre el ser de España. Oliver utilizó el periódico para sus reflexiones o estudios historiográficos, como si quisiera dar a entender al lector que las transformaciones de las sociedades, aun con medios revolucionarios, son lentas. Su gran intento fue desmitificar a la Revolución como medio para provocar el cambio. Su periodismo fue de alta creación y elucubración, persuasivo y tendente a demostrar las verdades de su ideología.

La importancia objetiva de la obra periodística de M. S. Oliver radica en el grado elevado de autenticidad que lleva consigo, autenticidad que le condu-

35. J. Pla, *Un senyor de Barcelona,* Ed. Destino, 4a. ed., Barcelona, 1966.

jo, cuando lo creyó necesario, a enfrentarse con las propiedades de las empresas periodísticas que regentó o a polemizar con sus mismos compañeros de profesión. La primera condición que exigía al periodista era no sólo el estar al servicio de la verdad objetiva sino también fidelidad a su propia conciencia. Acusó, cuando fue preciso, a la prensa de su tiempo de no estar al servicio de los intereses de la generalidad, sino de los grupos —de presión como se diría ahora— que manipulaban el poder. Dirá que «por lo común y visto hasta ahora, la reputación de los grandes periodistas se ha hecho depender de una sola fase de su personalidad, de un solo aspecto de sus actitudes. Así la gloria, la gloria momentánea y aparente cuando menos, ha sido para los "brillantes" en perjuicio de los acertados, justos y previsores. Todo lo ha resuelto la brillantez artística. La popularidad se ha dejado conquistar, no por quienes abrían más hondo el surco o señalaban una dirección más convincente a los destinos del país, sino por quienes decían las cosas, fueran las que fuesen, envueltas en metáforas más ricas y en párrafos de rotundo y bien trabajado epifonema».[36] El periodista para M. S. Oliver debía ser una especie de vigía, de vigía civil, cuya acción fuera siempre ejemplar: «Yo llamo gran periodista, gran publicista, no al hábil, primoroso y mágico hilvanador de artículos deslumbradores, cuyo sentido, cuya deslealtad, cuya falta de verdad objetiva y de intención elevada se hace evidente a los ocho días; no a esos más o menos impecables y elocuentes cuya obra de ayer y de anteayer y de siempre, no bien salida de la pluma, se resuelve contra ellos, sino a aquellos a quienes se puede someter a juicio de residencia su pasada labor y releer sus artículos y recordar su obra general sin que les afrente, sin que los hechos

36. M. S. Oliver, art. en «ABC», *Concepto del periodista* (2-VI-1907).

hayan conseguido triturarla o envilecerla, sin que aquellos párrafos sonoros y aquellas imágenes meridionales vengan escandalosamente desprestigiadas por la Historia y la realidad, que no supieron conocer de antemano o que, a sabiendas, ocultaron y escarnecieron.» [37] La obra periodística de M. S. Oliver tiene esa sinceridad y coherencia que exigía a los demás.

Política y regeneracionismo: «Entre dos Españas»

La corriente regeneracionista catalana, aún por estudiar monográficamente, debe de diferenciarse de la castellana por el punto de partida y por el compromiso político de sus principales representantes. Si el regeneracionismo castellano se caracteriza «por el paso a primer plano de la política española de una serie de personas: Mallada, M. Picavea, Isern, etc., que ofrecieron a la nación, en un momento de fracaso y hundimiento, un programa de soluciones envueltas en lenguaje pragmático y cientificista y con carácter de neutralidad política...», [38] el catalán, por el contrario, al lado de sus programas económico-sociales, será eminentemente político desde el momento que acepta, estimula o colabora con el movimiento regionalista o nacionalista. En Cataluña el regeneracionismo significa prenacionalismo, regionalismo o nacionalismo catalán. Desconocer esta dualidad del pensamiento peninsular es simplificar la realidad histórica a una sola versión, la castellana. Por otra parte, en Cataluña el movimiento es muy anterior a la fecha del Desastre, y toda investigación sin duda tendría que iniciarse con Jaime Balmes, es

37. *Ibid.*
38. R. Pérez de la Dehesa, *El pensamiento de Costa y su influencia en el 98,* Sociedad de Estudios y Publicaciones, Madrid, 1966.

decir, en la primera mitad del siglo XIX, para acabar con la obra de Prat de la Riba, cuya teoría nacional, según el profesor J. Solé-Tura, «es la forma catalana del regeneracionismo de finales de siglo».[39]

Como se ha dicho, M. S. Oliver forma parte de la corriente liberal-moderada, basada en la creencia de que el cambio hacia la modernidad tenía que venir del reformismo burgués. La misión histórica de Cataluña será transformar el Estado oligárquico y caciquil de la Restauración en otro mejor organizado y que permita la industrialización de España, teniendo como modelo el proceso dinámico —imperialista— del capitalismo europeo. No hay en esta corriente «veleidades» separatistas, sino todo lo contrario. El más bello poema de la época sobre España, «Oda a Espanya», fue escrito por Joan Maragall, en catalán, claro está. M. S. Oliver, que nunca renunciará a la herencia cultural genuina y que a su manera luchará para acrecentarla, refiriéndose a las relaciones entre Cataluña y el resto peninsular, dirá que «me repugna la idea de que esas dos zonas y estas dos fases de nuestro pasado y nuestro porvenir no tengan una fórmula de estable convivencia, porque yo las llevo atadas dentro de mí mismo, con vínculos de amor filial y espontánea simpatía».[40]

En Mallorca M. S. Oliver inició la campaña regeneracionista que luego proseguiría en Barcelona y que quedaría condensada en sus dos libros *La cuestión regional* (1899) y *Entre dos Españas* (1906). En la isla había precedentes notables. El importante poeta y preceptista, maestro de Oliver, J. L. Pons y Gallarza, en el año 1873 ya explicaba que «estamos completamente, íntimamente convencidos, que la regeneración nacional ha de empezar por la regenera-

39. J. SOLÉ-TURA, *Catalanisme i revolució burgesa*, *op. cit.*
40. M. S. OLIVER, art. en «La Vanguardia», *Días históricos* (18-V-1907).

ción de la provincia».[41] Por otra parte, los federales mallorquines, si bien minoritarios, actuaron como revulsivos ideológicos, con hombres de singular valía, despertando una mayor conciencia crítica en los grupos dirigentes isleños. De singular importancia son sus campañas para modernizar la economía de las islas, siendo los primeros que se plantearon el fenómeno turístico como «industria de forasteros», llegando a adivinar que «sin desanimarse, con el tiempo, seguro sería el éxito que los mallorquines cosecharían. Es en cierta forma un deber que se vería recompensado por la gratitud de los que sentirían sus beneficios y que probablemente fueran los más pobres, los más necesitados».[42]

En *La cuestión regional,* M. S. Oliver plantea la viabilidad histórico-política de Mallorca para la autonomía. Libro pensado y escrito para los mallorquines, tanto por la información como por los planteamientos y soluciones del problema, rebasa los límites localistas, para tener entidad propia dentro de la historia del pensamiento político catalán. Para Oliver, influido por la moda cientificista de la época, el problema regional, siguiendo en muchas cuestiones la teoría de V. Almirall expuesta en *Lo catalanisme,* es un problema «científico», que el «sistema particularista» resuelve. La *región* será «un elemento natural surgido espontáneamente en la Historia, integrado por la concurrencia de distintas causas determinantes y definido por límites geográficos y por caracteres peculiares de raza, idioma, costumbres o legislación»,[43] concepto comprensivo de todos los elementos utilizados para la definición de *nación.* Pero M. S. Oliver, que quiere evitar ser tildado de federal —palabra nefasta en aquellos años—, or-

41. J. Pons y Gallarza, art. en «Revista Balear», *Jornada segunda,* Palma de Mallorca (15-I-1973).

42. Art. sin firma en «El Comercio», Palma de Mallorca (27-X-1881).

43. M. S. Oliver, *La cuestión regional, op. cit.*

ganizará a la *región* dentro de un *Estado compuesto* de características iguales al Estado federal, pues al poder estatal sólo le corresponderían las relaciones internaciones, la defensa, «sin perjuicio de las milicias regionales», y determinados servicios públicos de necesidad común. Frente al pacto bilateral y sinalagmático de los federales puros, M. S. Oliver, entroncará la región antes definida con el concepto de *nación histórica,* que enlazará con la teoría de la *constitución interna,* tendente a sustituir el constitucionalismo centralista y parlamentario. De aquí a la crítica del sistema liberal sólo hay un paso. Partiendo de Tocqueville, pero siendo más influido por H. Taine y los krausistas Azcárate y Posada, defiende la evolución constitucional inglesa y la teoría del *self government,* que se atempera a la realidad compleja de las comunidades políticas.

El libro estaba destinado a los mallorquines, pero éstos no reaccionaron en su favor. Sólo un grupo de escritores jóvenes se adhirieron a la campaña de Oliver, y hasta intentaron la acción política, sin éxito de ningún tipo. Oliver, al recoger conceptuaciones de la doctrina tradicional —teoría de la constitución interna— y de la federal —organización del Estado compuesto—, tal vez pensó que podría aglutinar a tradicionalistas y federales bajo una ideología común, fenómeno que no ocurrió. En Mallorca había el problema, de causas complejas, del «anticatalanismo» de reducidos, pero influyentes, grupos sociales. Por otra parte, en el año 1881 había irrumpido en la isla la figura sobresaliente de Antonio Maura, que de alguna manera canalizaba los intereses de la incipiente burguesía, única clase que podía movilizar al pueblo mallorquín hacia un ideal autonomista. El intento de M. S. Oliver fue prematuro y entró en tensión con sus conciudadanos. Fueron años difíciles para él y la promoción de intelectuales jóvenes que le seguían, ilusionados como estaban en ver a su tierra en un proceso de autoafirmación cultural y política semejante al catalán. El descontento pronto se notó. Cinco de aquellos intelectuales jóvenes se fueron a vivir a Barcelona, siendo los más conocidos el mismo Oliver y Gabriel Alomar. Las «piruetas» teóricas que tuvo que realizar Oliver para no «asustar» a los mallorquines no fueron suficientes. En Mallorca no aparecería un movimiento nacionalista de tendencia catalanista hasta finales de la segunda década de nuestro siglo, que, si poco tuvo en cuenta los planteamientos de Oliver, no puede explicarse sin su precedente.

En Barcelona su teoría regionalista fue replanteada en su libro *Entre dos Españas.* Partiendo de los conceptos fundamentales autonomistas ya aludidos, en ese libro expondrá con detenimiento una teoría de la hegemonía catalana dentro del Estado español. El ambiente de Barcelona era muy distinto al de Mallorca: una burguesía dinámica que intentaba transformar aquel Estado raquítico incapaz de crear ningún ideal colectivo que superara la depresión producida por el Desastre. Eran las dos Españas: la una emprendedora y modernizante; la otra, triste y desesperanzada. El destino de Cataluña era el de servir de modelo a las otras regiones que componían «la gran nacionalidad ibérica».[44] El catalanismo político no debía ser un movimiento egoísta, una mera actitud defensiva: «Para que una idea viva, no basta con mantenerla afirmada y quieta; es necesario sacarla a fuera e imponerla. No es posible contentarse perpetuamente con un ideal intensivo, modesto y casero, es necesario hacerlo dinámico, difuso y conquistador. Los pueblos que sólo viven a la defensiva son conquistados. La mejor defensiva es extenderse, es invadir, es esparcir, es fecundar, es

44. M. S. Oliver, *Entre dos Españas,* Ed. Gustavo Gili, Barcelona, 1906.

rendir, es hacer sentir siempre y a todas horas la superioridad.»[45]

Para llevar a término tales propósitos M. S. Oliver defendió insistentemente la imperiosa necesidad de que las organizaciones políticas catalanas aceptaran, integrándose lealmente, el juego de las instituciones de la Restauración, para vivificarlas y transformarlas. Durante muchos años abogará para que el catalanismo, el catalanismo de la Lliga, apoye sin reservas los ideales políticos reformadores de Maura. Su posibilismo y visión realista de las fuerzas contendientes le llevaba a creer que el mismo Maura se vería obligado a aceptar la presión de un catalanismo organizado que disponía de políticos preparados y modernos. A los regionalistas de la Lliga les reprocharía su oportunismo político y su falta de conciencia del problema, criticándoles que en Cataluña se presentaran como un movimiento conservador y fuera de ella, si no revolucionarios, sí enfrentados con los partidos turnantes. Para M. S. Oliver el nacionalismo de la Lliga era un movimiento político de raíces conservadoras, y toda política regionialista que no partiera de aquella realidad fundamental a la larga sería perjudicial al mismo movimiento. Los hechos históricos posteriores le dieron la razón. La progresiva disolución del sistema canovista alcanzó a la misma Lliga, que se escindió para convertirse en un partido de clase, acabando por pactar con el maurismo.[46]

Al final de su vida, estando en mudamiento prerrevolucionario todos los fundamentos de la Restauración, hasta del mismo Maura se distanciaría. Sus campañas sirvieron de poco, y su actitud crítica, sincera y alertada fue un despropósito en aquella Espa-

45. M. S. Oliver, *Extensió i evolució del catalanisme,* en *Obres completes, op. cit.*

46. Para la problemática y evolución de «la Lliga», véase I. Molas, *Lliga catalana,* dos volúmenes, Ed. 62, Barcelona, 1972.

ña que saldaría décadas de incongruencias políticas con una trágica guerra civil. M. S. Oliver, que fue llamado para que se dedicara a la política y que nunca quiso abandonar Cataluña, creía que el problema por el cual había dado los mejores años de su vida debía resolverse en el ámbito global español: «Sólo en función de España, de la constitutiva diversidad de España, puede plantearse de una manera no utópica el problema de "lo catalán", pero, al mismo tiempo, sólo en abierto diálogo con una Cataluña no herida puede resolverse de modo no conflictivo el problema de "lo español"», en palabras del profesor Laín Entralgo que M. S. Oliver hubiese hecho suyas.[47]

LA LITERATURA DEL DESASTRE

A la abundante y riquísima bibliografía dedicada a la Generación del 98 viene ahora a añadirse otro estudio, fechado en el año 1907, el primero en amplitud y acierto que se publicó, debido a la pluma de M. S. Oliver. Creemos que era de justicia volver a darle luz pública para así enriquecer aquel complejo período histórico y literario, con la esperanza de que la crítica especializada lo analizará con más detalle del que nos está permitido.

El profesor Joaquim Molas, en dos ocasiones distintas, ha examinado cómo el primero que se planteó o intuyó la existencia de un nuevo grupo de escritores en castellano —el que luego sería conocido por la «generación del 98»— fue Joan Maragall.[48]

47. P. Laín Entralgo, *A qué llamamos España,* «Col. Austral» de Espasa-Calpe, Madrid, 1971.

48. J. Molas, *Joan Maragall i la jove generació castellana,* art. en «Serra d'Or», núm. 11-12, Barcelona, 1961; también, *Maragall y Azorín,* art. en rev. «La Torre», Universidad de Puerto Rico, núm. 60, 1968.

L. S. Granjel reconoce que «el descubrimiento de los rasgos de identidad entre aquellos literatos jóvenes lo hizo Maragall»,[49] pero concretando que «sea quien sea el primero en anunciar el nacimiento de una nueva promoción literaria, los documentos que señalan realmente su existencia se encuentran en la obra azoriniana y están fechados entre 1905 y 1910».[50] La fortuna del artículo de R. Marquina, publicado en el año 1931, señalando a Gabriel Maura como el descubridor de aquella generación, nos parece exagerada y, por otra parte, el artículo, históricamente inexacto.[51] El interés erudito de quien fue el descubridor seguramente tiene una importancia muy relativa. En cambio a nuestro modo de ver sí la tiene, y en alto grado, el que fueran dos escritores catalanes los primeros en detectar el fenómeno y en analizarlo a la medida de sus posibilidades. J. Molas matizó que si «Maragall otorga mucho énfasis a la revolución estilística y a la actitud vital de los nuevos escritores, en cambio no tiene en cuenta tres aspectos importantes de éstos: la crítica política, social y literaria del país, el descubrimiento del paisaje como posibilidad estética, la búsqueda de la realidad última del pueblo español».[52] Como el lector podrá comprobar será M. S. Oliver el primero en adivinar y analizar estos elementos característicos que tipifican al grupo de escritores castellanos. Abundando en la tesis de L. S. Granjel, no cabe la menor duda de que los artículos de M. S. Oliver, como se verá, vienen de alguna manera motivados por otros de Azorín, concretamente los que éste publicará en el «Diario de Barcelona», el primero de los cuales fue titulado *La ética en política* (12-II-1907) y el segundo *Dos poe-*

49. L. S. Granjel, *La generación literaria del 98,* Ed. Anaya, Salamanca, 1971.
50. *Ibid.*
51. R. Marquina, art. en «Gaceta Literaria», *El bautista del 98* (15-II-1931).
52. J. Molas, *Joan Maragall i la..., op. cit.*

tas (19-II-1907). En este último aparece el concepto de una *nueva generación:* «No ha habido en nuestra patria un período tan calamitoso para las letras como el que va del 60 al 90. Casi todo lo que se ha producido en él se está desmoronando; escritores que parecían inmortales, definitivos, apenas se pueden leer hoy; respecto a alguno de ellos, todavía se tiene una especie de rubor en confesar que no nos gustan, que no dicen nada a nuestro espíritu, pero pronto *una nueva generación* no tendrá escrúpulo ninguno en hacer sobre ellos una anatomía inflexible, en dejar de ellos escuetamente lo poco, muy poco, que hay en ellos de bueno.» Azorín aún tardaría muchos años en adjetivar a la nueva generación y concretar su contenido. A M. S. Oliver los artículos del escritor valenciano le llamaron la atención y escribió los que ahora se reeditan.

M. S. Oliver, poco partidario de las intuiciones, explica y razona por qué cree en la existencia de una nueva generación, no bastándole el criterio de Azorín, en definitiva poco explícito. M. S. Oliver parte de una idea del historiador y sociólogo G. Ferrero: «Después de un gran acontecimiento, después de un hecho de aquellos que fijan y solidifican el espíritu público, se necesita la entrada de una nueva generación en la vida militante para que se produzca una nueva era», explicará, resumiendo la tesis de Ferrero. Oliver, positivista en cuestiones de historia, hará la observación: «Demos a esta ingeniosa hipótesis el valor científico a que aconseja la prudencia que la reduzcamos.»[53] El «gran acontecimiento» para M. S. Oliver fue el Desastre: «Nosotros hemos respirado auras letales, de desaliento y tristeza. Entre nuestra generación y la pasada se interpone una fecha: la del desastre colonial.» Sin duda alguna, y mientras no se demuestre lo contrario, la atri-

53. Los párrafos de M. S. Oliver que se citan sin indicar expresamente su procedencia corresponden a textos de los que se publican en este libro.

bución de la fecha del 98 al grupo de escritores que luego serían englobados bajo la rúbrica común de la Generación del 98 la hizo antes que nadie M. S. Oliver. Él será el primero en denominar *literatura del desastre* al conjunto de obras que durante aquellos años aparecieron. Por otra parte, el famoso artículo de Azorín *La generación del 98*, publicado en el año 1913, tiene el mismo planteamiento básico que los de Oliver. Mientras no surjan nuevos datos, que todo es posible con aquel grupo de escritores, la crítica histórica tendrá que recurrir necesariamente a los artículos de Oliver para establecer la verdadera cronología del alumbramiento de la tan controvertida Generación del 98.

Ya se ha dicho que se consideraba muy significativo que fueran dos escritores catalanes los primeros en reflexionar con cierto detenimiento sobre la nueva literatura castellana de finales del siglo XIX. El fenómeno se explica porque los escritores catalanes no se sentían integrados dentro de la corriente castellana, lo que les situaba en una perspectiva excelente para observar las corrientes que tenían, por otra parte, tan cerca. También la tradición o el pasado inmediato era diferente. M. S. Oliver tenía conciencia de ello, como lo demuestra al estudiar sus propios precedentes: «Antes de penetrar en el ciclo que personifican Picavea y J. Costa, hay que investigar su ascendencia, en los nombres y trabajos que les precedieron, bien desde el punto de vista español puro, bien desde el particularista o de regionalismo, que iba apareciendo, nutrido, en gran parte, por la discrepancia entre la dirección central y la opinión periférica.» Catalanes reafirmándose en su catalanidad y castellanos en su contradictoria españolidad, buscaban, por distintos caminos, un punto a partir del cual se pudiese organizar la «europeidad» de España. ¿Era ello posible? Josep Benet ha recordado que «el carácter esencialmente revolucionario del catalanismo ha sido olvidado en demasía».[54] En su juventud aquellos escritores castellanos también fueron «revolucionarios».[55] Sería muy interesante un estudio que estableciera las relaciones entre aquella generación y la Cataluña ascendente de la última década del siglo XIX. También aquellos escritores buscaron algo distinto para aquella España deprimida y atrasada, y necesariamente Cataluña debía de llamarles la atención. El Ramiro de Maeztu que aún tardaría en derivar hacia el tradicionalismo conservador diría: «Otro tanto debo decir de ese lúcido alarde literario que muestra orgullosa la Cataluña de hoy. Hay en el Ateneo Barcelonés, en la joven revista "Catalunya", en el catalanismo clásico de Barcelona y de Mallorca, toda una pléyade de talentos de primera fila —y no he de citar nombres porque saldrían de mi pluma a centenares— que han tomado la literatura en serio. Acaso pueda reprochárseles el "diletantismo" con que siguen las oscilaciones de las bolsas literarias extranjeras. De todos modos en Cataluña la gente moza piensa como la época en que vive —en parte porque se educa en las lecturas nuevas, pero, principalmente, porque vive la vida de nuestro tiempo».[56]

En Cataluña una Generación del 98 no existe, y la castellana coincide con el modernismo catalán. J. L. Marfany investigando el modernismo catalán, ha precisado que «es curioso —y a mi parecer muy

54. J. BENET, *Maragall davant la Setmana Tràgica,* Ed. 62, Barcelona, 1964. (Hay traducción al castellano: *Maragall y la Semana Trágica,* «Col. Ibérica», núm. 7, Ed. Península, Barcelona 1967.)

55. C. BLANCO AGUINAGA, *Juventud del 98,* Ed. Siglo XXI de España Editores, Madrid, 1970. R. PÉREZ DE LA DEHESA, *Política y sociedad en el primer Unamuno,* Ed. Ciencia Nueva, Madrid, 1966 (2a. edición, Ed. Ariel, Barcelona, 1973).

56. R. DE MAEZTU, *Hacia otra España,* Madrid-Bilbao, 1899. Asimismo en la obra de G. DÍAZ PLAJA *Modernismo frente a novena y ocho,* 2a. edición, Espasa-Calpe, S. A., Madrid 1966.

satisfactorio— que en el campo de la historia literaria catalana no haya cuajado ningún intento de invención de una "generación del 98" en Cataluña».[57] Entre otras causas una sobresale de las demás: las distintas trayectorias socio-culturales de las dos comunidades a lo largo del siglo XIX. Al lado de una clase burguesa que protagonizaba la revolución industrial había unos escritores e intelectuales que reivindicaron los presupuestos básicos de su singularidad histórica, sin dudar de que la causa era auténtica y justa. Cuando la pérdida de las últimas colonias hizo evidente la fragilidad del Estado canovista, en Cataluña el Desastre no hizo más que espolear un proceso de maduración que llenaba casi todo un siglo. No fue una reacción improvisada, y el escritor catalán tenía plena conciencia de ello. La investigación sobre las primeras fuentes de aquella época constata que «el catalanismo fue desde sus primeros años un movimiento de juvenil optimismo»,[58] de entusiasmo, significando entrega y solicitud de realización a un tiempo. J. Vicens Vives, examinando aquella época, recordaba que «el dualismo de la generación del Desastre en Castilla y Cataluña es obvio...»[59] y que «a medida que se progrese en la investigación se observará el peso decisivo que tuvo en la generación catalana el optimismo burgués y en la castellana el pesimismo profesoral».[60] Eran dos entidades históricas que pugnaban la una por sobrevivir transformando —con todo el utopismo que en ello había— y la otra para vivir en el ensueño, sin llegar a establecer un criterio seguro y común para entender la realidad del pueblo español. C. Sánchez Albornoz ha dicho, refiriéndose a los escritores

57. J. Ll. Marfany, *Joventut, revista modernista,* art. en «Serra d'Or», Barcelona, octubre de 1970.

58. J. Vicens Vives, *Aproximación a la historia de España,* 5a. ed., Ed. Vicens Vives, Barcelona, 1968.

59. *Ibid.*

60. *Ibid.*

castellanos del 98, que «querían remontar el curso de su vida hasta llegar a las raíces primigenias de lo hispánico, con el propósito de provocar una palingenesis imposible. Imposible porque para lograrla intentaban saltar por encima de la historia entera de su patria».[61] En cambio, el escritor catalán fue consecuente con la realidad auténtica de un pueblo que intentaba realizar el cambio histórico que los tiempos exigían. Fueron dos ritmos históricos distintos, perfectamente testimoniados por ambas literaturas, cuyas consecuencias fueron trágicas: «En Cataluña, los coetáneos del 98 se comportaron de otra manera [frente al Desastre]. Ellos, que habían dado a luz al modernismo, habían importado las corrientes estéticas parisienses y aplaudían a rabiar las obras de Wagner y Nietzsche, se reflejaron ante el desastre con amor [Maragall] y preconizaron una solución optimista y realista. España debía reconocerse a sí misma, en la plenitud de sus pueblos, en la esperanza de sus hijos que querían incorporarse a Europa. Había que renunciar al numantinismo de los libros de texto para dar a sus hijos una mayor parcela de bienestar. Castilla tenía que comprender la lección de los hechos y admitir que, si nadie negaba la grandeza de su obra, ésta no se acomodaba a la marcha de los tiempos, que exigían estructuras sociales, económicas y administrativas más ágiles. Tal fue el pensamiento que dio y ganó la batalla al caciquismo en 1901 y que levantó lozana, segura de sus fuerzas, la esperanza de haber recuperado su destino. Pero lo que era y fue posible en Barcelona en 1901 —galvanizar burguesía y pueblo en un ideal colectivo de resurgimiento— no era ni fue posible en Madrid hasta treinta años más tarde. En esta enorme discrepancia de ritmo se puede hallar, al lado del distinto signo generacional, una de las cla-

61. C. SÁNCHEZ ALBORNOZ, *España, un enigma histórico*, vol. II, pág. 679, Ed. Sudamericana, Buenos Aires, 1962.

ves del seísmo español ulterior.»[62] Eran dos concepciones comunitarias distintas, nacidas de dos estímulos diferentes: una Barcelona que aglutinaba intereses y sentimientos expansivos y que quería ser algo más que una mera capital de provincia; y un Madrid representante del resto español agrícola, habitado mayormente por burócratas y cesantes. Con certera visión desde la vertiente castellana se ha dicho que «lo que fracasó no fue una generación, sino una clase, la bien llamada media, que creyó poder tomar las riendas de la vida nacional sin percatarse de su íntima debilidad»,[63] y que «pertenecía a la pequeña burguesía, y la identificación de sus intereses con los de ésta impidió a los hombres del 98 enfrentarse con los problemas sociales o políticos que más les afectaban, lo que les condujo a la evasión y al escapismo».[64] Evasión y escapismo que, al margen de los valores estéticos, distancian a los escritores castellanos de los catalanes, comprometidos como estaban éstos en un ideal completamente nuevo en la Península.

La actitud conciliatoria, consecuente y coherente con las ideas que propugnaban, dista mucho de las contradicciones o ambigüedades de aquellos grandes escritores que se llamaron Unamuno, Azorín o Baroja. Los catalanes intentaron que las relaciones entre las dos comunidades fueran constructivas y cordiales. Los poemas y artículos de Maragall, por citar el escritor catalán más representativo, son una cons-

62. J. Vicens Vives, *Historia social de España y América,* vol. V, Barcelona, 1959.

63. J. M. Gómez Marín, *El primer Baroja y la aventura radical de las clases medias,* art. en rev. «Ínsula», núm. 308-309, Madrid, julio-agosto de 1972.

64. J. L. Abellán, *Claves del 98. Un acercamiento a su significado,* en la obra colectiva *Sociedad, política y cultura en la España de los siglos XIX-XX,* Edicusa, Madrid, 1973. Relacionado con este problema: José Carlos Mainer, *Literatura y pequeña burguesía en España (Notas 1890-1950),* Edicusa, Madrid 1972.

tante incitación al diálogo y a la comprensión. Frente a tal actitud encontramos la de Unamuno, con su guerra particular contra la lengua catalana, y su defensa de unos valores históricos que no podían coincidir con una modernización de su comunidad; de aquel Unamuno que «fue realmente un hombre de guerra civil, no de diálogo».[65] M. S. Oliver, que dedicó unos artículos al Unamuno contradictorio y egotista, en uno de ellos le tendrá que recordar que «los vuelos del espíritu, que es más, infinitamente más, individualista de lo que se le supone, no dependen de que haya o no estruendo comercial en las ciudades, o quietudes y silencio de Pompeya. Todas las balas de algodón de Manchester no han ahogado el aliento de los Shelley y los Carlyle. Todo el queso de Holanda no consiguió aplastar a Rubens. Todo el petróleo, el acero y los embutidos de Nueva York no han cohibido a E. A. Poe y Emerson. El rosal místico de san Juan de la Cruz y del maestro Valdivieso ha retoñado con Verdaguer, en Barcelona, entre el consabido humo de las fábricas y las campañas arancelarias del Fomento Nacional... lo cual quiere decir que ninguna civilización, por espiritualista que la supongamos, ha podido existir sin una gran base o soporte material y económico»,[66] palabras las de M. S. Oliver que sintetizan el dualismo y la contraposición generacional que se está analizando. El mismo Oliver, en uno de los artículos que ahora se publican, haciendo resumen de las obras en castellano que se habían editado en el año 1907, nos hablará de la *elegía castellana*, «nutrida de la soledad de las ciudades muertas, de las llanuras solemnes y pobres, de la estepa geográfica y espiritual,

65. J. FUSTER, «Maragall y Unamuno, cara a cara», en *Les originalitats*, Ed. Barcino, Barcelona, 1956, también citado por ELÍAS DÍAZ en *Revisión de Unamuno*, Ed. Tecnos, Madrid, 1968.
66. M. S. OLIVER, art. en «ABC», *El culto a la tristeza* (24-XII-1906).

sobre las cuales se proyecta la sombra del hidalgo manchego y la sombra de un idealismo que no se resigna a morir, pero que no halla incentivos en la vida nueva del mundo».

Si las relaciones personales entre los componentes de ambas generaciones fueron amistosas, a veces íntimas como en el caso Unamuno-Maragall, las relaciones civiles no lo fueron tanto, ni podían serlo. Ya se ha mencionado la especial hojeriza de Unamuno contra la lengua catalana, aspecto éste más que suficiente para obstaculizar cualquier solución de concordia.[67] Las discrepancias alcanzaban lugares a partir de los cuales no era posible entenderse dada la distinta interpretación de la realidad hispánica y de los hechos históricos que tuvieron que vivir. Azorín, en el año 1918, en plena crisis de la Restauración, cuando el regionalismo nacionalista planteaba una dura batalla en las Cortes y en la calle, dirá que «el autor de estas líneas es un amante fervoroso, entusiasta de Cataluña y Vasconia. ¿Se le permitirá una confidencia... que es pública, y por lo tanto no es confidencia? Acaso quien firma este artículo es el único escritor que, en Madrid, ha venido desde hace más largo tiempo y más perseveradamente manteniendo, mostrando, propagando el amor de Cataluña. Desde 1900, en que formábamos parte de la redacción de "El Globo" —que entonces dirigía Emilio Rius y en el que era crítico de teatros Pío Baroja—, no ha habido momento en que no hayamos luchado, discutido, reñido con quienes en Madrid mostraban hostilidad a los anhelos de Cataluña».[68] Pero en el año 1918 no planteaba la misma problemática que a finales o principios de siglo, época en que los

67. Para entender la actitud de Unamuno hacia la lengua catalana, véase A. Manent, *Literatura catalana en debat*, Ed. Selecta, Barcelona, 1969.

68. Azorín, art. en «La Vanguardia», *Nación y Humanidad* (23-IV-1918).

escritores castellanos se fijaron en Cataluña con espíritu comprensivo y admirativo. El año 1918 reclamaba soluciones urgentes y con base en las condiciones históricas de aquel momento. No dejaba de ser una ambigüedad o un escapismo recurrir al pasado olvidado para aportar una solución al presente en tensión: «Hasta el siglo XIX los escritores clásicos han empleado la voz *nación*, al igual que han empleado la voz patria, refiriéndose a las distintas regiones de España. Se decía, por ejemplo, "mi patria", con relación a Cataluña, Castilla, Valencia o Andalucía. Y se hablaba de la nación catalana, de la vasca o de la andaluza. No se veía en ello hostilidad hacia la gran colectividad de España. ¿De qué manera las cosas han cambiado que ahora que se habla de estas patrias y estas naciones sentimos cierto desasosiego? ¿Cómo ahora sentimos, con respecto a estos conceptos, lo que antes no se sentía?» [69] No puede negarse el intento persuasivo de Azorín en la manera de plantear el problema, pero los protagonistas de aquella hora histórica no podían entenderlo por la parte cordial. Azorín, que de entre todos los escritores castellanos de su generación fue el que más entendió lo que significaba Cataluña —tal vez por su condición de valenciano—, no daba una solución «comprometida» con la realidad sociopolítica palpitante que tenía en torno: «Tenemos pues, por un lado internacionalismo, universalización, y por otro... localismo, intimismo. ¿Cómo resolver el terrible, perennal conflicto? El tiempo lo va resolviendo paulatina, dulce, suavemente. Por encima de fronteras, razas, costumbres, la humanidad camina hacia la universalización de los sentimientos. Y esta universalización y homogeneidad en el sentir de las sociedades humanas —por sobre de las barreras y obstáculos localistas— es el Progreso.» [70]

69. *Ibid.*
70. *Ibid.*

¿Qué entendería Azorín —no olvidemos que políticamente en aquel entonces era conservador— por Progreso? ¿No hay una crítica subyacente hacia Cataluña en la manera de utilizar la palabra «localismo»? Desde otro punto de vista y a partir del momento de la toma de conciencia de la evolución de la humanidad, no creemos que pueda predicarse que la vía hacia el progreso haya sido paulatina, dulce o suave, sino todo lo contrario, llena de tensiones y conflictos en sus pasos hacia adelante en que lo «local» reclama su profunda razón de ser en vistas a crear unas estructuras sociales realmente prohumanas, a partir de las cuales la autoidentificación de las comunidades signifique la verdadera vía hacia el progreso.

A la espera de que los especialistas de la historia literaria expliquen el total alcance de los artículos de M. S. Oliver, nos parece oportuno adelantar unas obvias observaciones al lector. Al escribirlos Oliver creía que aquella literatura estaba en vías de desaparecer. Dos años antes de su publicación ya intuyó el cambio de rumbo que se operaba en la corriente castellana: «Los mismos grupos y escuelas que en 1898 abrazaron la causa de la regeneración y con noble franqueza señalaron las obstinaciones perniciosas de nuestro carácter y los vicios seculares de que a toda costa debíamos despojarnos no sólo borran ahora cuanto entonces predicaron y escribieron, no sólo proclaman intangible el *statu quo ante bellum*, sino que van todavía mucho más allá y exponen, no por vía de ingenio y paradoja, sino como ley íntima y vital de nuestro pueblo, una teoría peregrina de quijotismo impenitente, de aversión a la sensatez y al sentido común.» [71] No tardaría en decir que «el

71. M. S. OLIVER, art. en «Diario de Barcelona» (30-XII-1905).

tiempo transcurrido, el interés de la materia, la abundancia y variedad de los textos y su influencia, aunque perceptible apenas en la actividad política del país, me han hecho creer que no carecía de utilidad un trabajo expositivo en que se pasara revista a semejante producción y que pudiera servir, cuando menos, de índice bibliográfico de la misma, aprovechable para futuros rebuscadores, si se acuerda archivarla como por todas las trazas va pareciendo». En parte tenía razón: la literatura regeneracionista en el año 1907 ya había dado de sí las obras más características, y los componentes de la llamada Generación del 98, cada uno por su cuenta, se lanzaban a la aventura de ser escritores con más amplios horizontes estéticos y singularizada personalidad.

Otra observación a tener en cuenta es que M. S. Oliver es poco preciso al hacer la nómina de los escritores de aquella época, mezclando regeneracionistas puros con noventayochistas y modernistas. En parte el hecho viene explicado por la falta de perspectiva histórica, pues él no dejaba de ser un contemporáneo más. Es notorio, por ejemplo, que no dedique ninguna especial mención a la obra de Azorín, Maeztu o Baroja, hecho comprensible por creerlos demasiado jóvenes para ser incluidos al lado de Unamuno o Ganivet. Difícil de explicar también es la poca atención que dedica a la obra de J. Costa, aunque inteligible tal vez por la evolución política del aragonés.

A TRAVÉS DE UNOS LIBROS

Bajo este título M. S. Oliver publicó una serie de trece artículos, que deben ser relacionados con los anteriores referidos a la «literatura del desastre»: «La visión e interpretación de España que nos ofrecen los "jóvenes castellanos" es, en buena parte, importada mejor que autóctona, sugerida por los extranjeros antes que nacida espontáneamente. La España violenta y color de sangre de Merimée; la España de la voluptuosidad y de la muerte, interpretada por Barrés como una prolongación de aquél; la España de los aguiluchos y conquistadores de oro, en el poema de Heredia; la España en maceración, expresada por el Greco; el sentimiento oculto de la llanura castellana; todo eso ha venido a las letras de aquí por influencia o sugestión extranjera, principalmente.» Sin duda M. S. Oliver exagera al otorgar un carácter tan determinante a la influencia de los escritores-viajeros que antologa. Sin embargo, tal influencia existió y fue importante. Bastaría recordar a Azorín cuando pasa revista a los escritores que influyeron en su grupo generacional o cuando especifica la influencia de Gautier: «¿No podremos decir que a los viajeros franceses les debemos la gratitud de que hayan sentido la soberana belleza del Guadarrama? Las páginas de Gautier, de Dumas, de Achard son una enseñanza para los españoles. De memorables podemos calificar las andanzas que en 1840 y 1846 realizaron por tierras españolas los artistas franceses. Y lo que hasta ahora no se ha dicho —y ello es exactísimo— es la considerable influencia que el viaje y las poesías de Gautier han obrado sobre los jóvenes escritores que nacieron a la vida literaria en 1898.»[72] Como el lector podrá comprobar, M. S. Oliver años antes que Azorín ya había intuido y explicado la influencia de los escritores franceses. Los artículos del escritor mallorquín datan del año 1908 y el de Azorín del año 1913. Sea como sea, la crítica y la historia literaria de hoy han explicado con todo lujo de detalles las influencias capitales que experimentaron aquellos escritores,

72. AZORÍN, *Clásicos y modernos,* Ed. Losada, Buenos Aires, 1952.

siendo sin duda mucho más importante la influencia procedente de Nietzsche, por citar un nombre de gran alcance.

En otro orden de cosas, los artículos de M. S. Oliver son de un considerable interés por cuanto, de manera ordenada y bien resumida, pasa revista a los más importantes libros que se publicaron debidos a escritores franceses o ingleses durante la primera mitad del siglo XIX. España estaba de moda, y no sólo para el escritor romántico ansioso de novedades y antigüedades. K. Marx al escribir sobre España durante aquellos años dijo que «no es exagerado afirmar que no hay en estos momentos zona alguna de Europa, ni siquiera Turquía con la guerra rusa, que ofrezca al observador reflexivo interés tan profundo como España».[73] Si bien Marx se refería al aspecto político, seguro que se había dejado influir por las lecturas de los escritores viajeros, estimulados por un romanticismo que en los países exóticos encontraba motivos y valores estéticos. M. S. Oliver, conocedor de la literatura francesa y especialista en temas de la Revolución, con mentalidad historicista, pasa revista a aquellos libros, aportando nuevos datos sobre el tema, siendo el suyo probablemente el primer ensayo de este tipo de los que se publicaron.[74]

ESCRITORES CATALANES EN CASTELLANO

Una constante de la obra de M. S. Oliver es la preocupación por el proceso histórico, como si éste tuviera la clave para la interpretación del hoy. A un escritor como él, formado dentro del espíritu *renai-*

73. K. MARX, *Revolución en España,* Ed. Ariel, Barcelona, 1970.
74. Sobre el mismo tema véase *Viajes por España,* selección de G. GARCÍA MERCADAL, Alianza Editorial, Madrid, 1972.

xentista catalán, el saber el porqué de la *decadencia* de la cultura catalana durante los siglos que van del XVI al XVIII le tenía que preocupar más que a otros de su generación, acostumbrado como estaba a explicarse el presente a partir de los condicionamientos del pasado. En el año 1909 dio una conferencia sobre el tema, abarcando sólo hasta el siglo XVIII,[75] y que luego ampliaría hasta la introducción del primer romanticismo en España a través de la revista barcelonesa «El Europeo».

El por qué una cultura, que había dado escritores de la talla universal de R. Llull, A. March, A. Turmeda, J. Martorell, etc., había casi enmudecido, dejado de ser su lengua instrumento de alta creación, no era fenómeno fácil de explicar. M. S. Oliver tenía ante sí el ejemplo de la evolución literaria de Francia o Inglaterra, cuando lo más lógico hubiese sido tener presente a Suecia u Holanda desde el punto de vista territorial y económico, y a la cultura rumana o checa desde el político. M. S. Oliver, admirado por el *milagro* que fue la *Renaixença* no podía entender o no podía aceptar que las culturas tengan sus silencios, sus altibajos, sus cotas máximas de creatividad colectiva e individual más acuciantes, en las que no disponen de instituciones colectivas que las organicen. M. S. Oliver, y seguramente en ello hay que ver la influencia de Carlyle, identificaba genio con comunidad. El genio resumía y sintetizaba ante las demás comunidades la singularidad histórica de un pueblo: «Cada pueblo se posee y se reconoce por el intermedio de un gran artista. El artista y el arte elaboran el superior conocimiento de la personalidad colectiva, la defienden, la integran, la sacan de la difusión y la inconsciencia y la incorporan a un mundo ideal imperecedero, que constituye la supre-

75. M. S. OLIVER, «La producció castellana a Catalunya», conferencia dada el 29 de abril de 1909 en l'Associació Catalana d'Estudiants, publicada por Imp. Horta, Barcelona, 1909.

ma ciudadanía de la Historia.»[76] Frente a esta concepción, muy común a la de los escritores catalanes de aquella época, hoy ha surgido la que considera los siglos de decadencia cultural catalana desde otras perspectivas más reales, insistiendo más en el elemento «continuidad» que no en el de «genialidad». Los estudios que se están llevando a cabo no sólo recuperan obras de singular valor escritas durante aquellos años, sino que también explican que el fenómeno conocido por *Renaixença* únicamente puede entenderse a partir de aquella continuidad básica inalterable.[77] En este sentido M. S. Oliver tendría que haber valorado más las causas políticas y económicas que influyeron en el callar de una vieja cultura europea. M. S. Oliver, nacionalista en lo cultural, como se ha dicho, no aceptaba, por radicales y utópicos, los planteamientos del nacionalismo político. ¿Era posible, o menos utópico, disgregar en dos campos el mismo concepto histórico de nación? ¿Era viable una *nación* con vida cultural propia pero sin posibilidades de realización política? Tal creencia —discernir entre lo cultural y lo político— pudo ser posible mientras el resto peninsular hubiese aceptado la hegemonía catalana dentro del Estado español o, en otro supuesto, que el resto peninsular hubiese admitido sin obstáculos el desarrollo cultural catalán. El pleito era difícil de resolver porque las partes argumentaban insistiendo sobre aspectos emocionales más que sobre los racionales. Para M. S. Oliver salvar la lengua era salvarlo todo o casi todo, cuando, como se ha demostrado en la historia contemporánea, la lengua propia o materna de un escri-

76. M. S. OLIVER, prólogo a la traducción de la novela *Nostalgia*, de G. Deledda, Barcelona, 1905.

77. Jordi CARBONELL, prólogo a *Lucrècia* de Joan Ramis, col. «Antologia Catalana», núm. 40, Ed. 62, Barcelona, 1968. En la misma colección, J. MOLAS, prólogo a *Poesia neoclàssica i pre-romàntica*, núm. 41, Barcelona, 1968. A. COMAS, *Historia de la literatura catalana* (IV), Ed. Ariel, Barcelona, 1973.

tor no es siempre condición absoluta para realizar una gran obra literaria. M. S. Oliver tenía que haber valorado e insistido en las causas políticas y económicas, imputables a Castilla o a las clases dirigentes de Cataluña, que hicieron posible aquellos siglos de decadencia. Hechos históricos posteriores a la muerte de Oliver han demostrado que para determinadas y decisivas corrientes conservadoras españolas un auténtico y libre pluralismo cultural no tiene viabilidad constitucional, y que, en todo caso, sólo están dispuestas a tolerar modestas manifestaciones del mismo.

Desde otro punto de vista el ensayo es un testimonio de primera mano para entender el *status* emocional del escritor catalán de aquella época ante el despliegue cultural autóctono. Por otra parte, es de interés remarcar como M. S. Oliver no reduce la cultura literaria catalana a la Cataluña peninsular, incluyendo a su lado al País Valenciano, el Rosellón e Islas Baleares como un conjunto homogéneo. En la extensa nómina de escritores que cita no relaciona al valenciano G. de Castro y Belvis (1569-1631), autor de un teatro en castellano importante.

Objeto especial de estudio, aún hoy de interés, es la parte dedicada a la introducción del romanticismo en España a través de la publicación barcelonesa «El Europeo», de la que hace un excelente y útil resumen. Para explicarse el fenómeno M. S. Oliver recurre a la Historia y a la sociología, elementos de su análisis que dan actualidad metodológica al ensayo.

GREGORI MIR

LA LITERATURA DEL DESASTRE

EL CULTO A LA TRISTEZA

Pocas páginas tan dolorosas y elocuentes recuerdo haber leído como esas que acaba de publicar el ilustre Unamuno y que ha titulado: *Sobre la europeización.* Ni aun hurgando en los libros y en el *Epistolario* de Ganivet fuera posible hallar una confidencia más explícita, una manifestación más franca de la sensibilidad española en frente del problema de la civilización. Ni aun acudiendo a Valera y sus añejas repugnancias de prócer hacia cuanto trasciende a vida práctica y progreso material, hallaríamos un grito más agudo.

Tales son las que siente el solitario de Salamanca «hacia todo lo que pasa por principios directores del espíritu europeo moderno, hacia la ortodoxia científica de hoy, hacia sus métodos, hacia sus tendencias». De aquí su retorno a la «vieja sabiduría africana», a la sabiduría popular, a cuanto escandaliza a los fariseos y saduceos del intelectualismo. De aquí la oposición entre sabiduría y ciencia, entre muerte —único objeto de la vida— y la vida misma. Por todo ello no le preocupa a Unamuno que los españoles seamos, en lo espiritual, refractarios a la cultura moderna. ¿Es que no se puede vivir y morir, pregunta, sobre todo morir, morir bien, fuera de esa dichosa cultura?

Pero el hecho es que no sólo somos refractarios a ella en lo espiritual, sino también en lo material e indispensable, incluso en aquello que reclama imperiosamente la vida... para la muerte. Éste y no otro me parece el sentido general de la palabra europeización; éste es el que solemos darle, al lado de acá del Ebro: el de un medio, el de un supuesto, el de un instrumento para nuestra *propia* cultura. Yo veo que, utilizando el mismo arsenal del progreso, coexisten en el mundo diversas civilizaciones nacionales, diversos tipos de aglomeración espiritual. El peligro está, por lo tanto, en que al defender este autoctonismo psicológico no se sirva un nuevo anestésico a quien se halla tan necesitado de estimulantes como nosotros para poder emprender la conquista de tales herramientas.

No sé ver, en cambio, que nuestra renuncia del progreso sea completa. Nos abstenemos de la producción, en cuanto a la vida moderna, pero sin renuncia a su disfrute. No inventamos lámparas incandescentes, por ejemplo, pero nos alumbramos con ellas. Sin embargo, un candil bastaría para las vigilias de un pueblo en maceración, tal como los místicos racionalistas lo quisieran, y así no fuéramos miserablemente tributarios de todo el mundo. Es ley de nuestros tiempos, repulsiva o simpática, pero fatal, la que pudiéramos llamar de la autoproducción; quien no se basta a sí mismo, desaparece o sucumbe en definitiva. Adoptar el instrumental del progreso contemporáneo no supone tanto variar de espíritu como de conducta. Es simplemente un acto defensivo, un acto de independencia nacional.

Por lo demás, los vuelos del espíritu, que es infinitamente más individualista de lo que se supone, no dependen de que haya o no estruendo comercial en las ciudades o quietudes y silencios de Pompeya. Todas las balas del algodón de Manchester no han ahogado el aliento de los Shelley y los Carlyle. Todo el queso de Holanda no consiguió aplastar a Rubens. Todo el petróleo, el acero y los embutidos de Nueva York y Chicago no han cohibido a Edgardo Poe y Emerson. El rosal místico de san Juan de la Cruz y del maestro Valdivielso ha retoñado con Verdarguer, en Barcelona, entre el consabido humo de las fábricas y las campañas arancelarias del Fomento del Trabajo Nacional... La existencia es así: paradójica e irreductible a líneas fijas.

Ni debemos confundir la *joie de vivre,* contra la cual se enfurece el señor Unamuno, con un grosero pirronismo ni con un bestial amor del deleite. Falta saber cómo fueron de alegres o lúgubres muchos de esos amadores de Dios. De algunos lo sabemos, como de Francisco de Asís, alma bañada en celestial regocijo, que comunicaba a las aves, a las plantas y a las cosas inanimadas. Y en la misma santa Teresa de Jesús, ¿no nos deleita más lo donairoso que lo huraño? Convendría saber si en ese «muero porque no muero» y en ese venir escondido de la muerte todo es sentido literal o requiebro y galantería a lo divino y si así debe entenderse. Acaso se pudiera probar que la austeridad profesional, diríamos de los grandes melancólicos castellanos es cosa principalmente mundana y laical, como también que ella aparece, contra lo que insinúa el señor Unamuno, después de la era iniciada por los Reyes Católicos. Hasta entonces no había surgido eso que podremos calificar de trascendentalismo español. La *joie de vivre* nutrió hasta entonces una gran corriente de literatura franca y popular, ingenuamente sensual y glotona. Jamás la vida y sus apetitos obtuvieron una florificación como la del sabroso e incomparable arcipreste de Hita.

Lo cual, quiere decir también, que ninguna civilización, por espiritualista que la supongamos, ha podido existir sin una gran base o soporte material y económico. Las civilizaciones clásicas contaron con el de la esclavitud; el siglo de oro de Castilla tuvo los tesoros de América combinados con la esclavitud misma; y aun el pueblo más teológico del mundo, Israel, fue el pueblo crematístico o usurario por excelencia. El haber creado la letra de cambio no impidió todo lo demás.

El divorcio entre España y Europa nació, antes que de otra cosa, de nuestra ojeriza innegable contra el trabajo, base económica de la vida moderna. Desapareció la esclavitud y se agotaron los tesoros de las Indias. No vino la compensación necesaria de las iniciativas creadoras. Sin este soporte prosaico se ha desmoronado también, dolorosamente, la vida espiritual. La fórmula conciliatoria del europeísmo solemos entenderla nosotros, no como abdicación de la originalidad, sino como adquisición definitiva del instrumento o *novum organum* que debe desarrollarla y asegurarla. El mundo se nos echa encima armado de todas armas. Contra semejante agresión no cabe más que predicar una especie de desarme industrial, y convencer al mundo, con toda la potente dialéctica de nuestros doctores, de cuán errado va por tal camino, o apropiarnos esas armas y ponernos en verdadero estado de defensa. *

OTRA GENERACIÓN

El profesor italiano Ferrero, cuyas conferencias tanto han llamado la atención en París, desarrollaba no hace muchos días cierta idea llena de sentido: después de un gran acontecimiento, después de un hecho de aquellos que fijan y solidifican el espíritu público, se necesita la entrada de una nueva generación en la vida militante, para que se produzca una nueva era. Según ésta que no me atreveré a llamar teoría ni a llamar dato experimental, porque participa de las dos cosas, viene a producirse cierta rotación o cambio de la psicología de los pueblos en períodos de treinta años, poco más o menos, alrededor del suceso matriz de una época; esto es,

* Publicado en «ABC» de Madrid el día 24 de diciembre de 1906.

cuando se presenta en la liza otra generación, que ya no *vivió* aquel instante, que ya se ha desprendido de su influjo, que ya no lo considera como cosa vital. Servíale de ejemplo la mutación operada en el espíritu francés contemporáneo respecto al desquite y a la hostilidad contra Alemania, que caracterizó todo el período precedente.

A veces las mutaciones son más rápidas y basta menos tiempo para aplacar y aquietar una fiebre colectiva. Así sucedió, verbi gracia, en 1823. España vio entrar sin recelo ni indignación alguna un ejército francés de cien mil hombres, el de los hijos de San Luis, y los dejó pasear victoriosos sin disparar un tiro, desde los Pirineos hasta Cádiz, contrastando con aquel odio a muerte, sin tregua ni cuartel, a fuego y sangre, que distinguió a la guerra de la Independencia. No habían pasado más que diez años. La simple finalidad política de dicha intervención no basta a explicar la diferente actitud de los españoles, porque grandísima parte del furor de 1808 se debía a la irritación contra el extranjero, y extranjeros continuaban siendo los invasores de 1823 y no pocos de sus veteranos habían hecho la guerra anterior.

Pero sea como fuere, alguna aplicación tiene a los actuales asuntos de España el concepto del profesor Ferrero. Sólo falta apreciar cuál de los hechos culminantes de nuestra época debemos indicar como punto de partida para análoga observación. Tres acontecimientos de la mayor importancia podríamos tomar en cuenta: la Revolución de Septiembre, la Restauración y el desastre de 1898. ¿Hasta qué punto se ha observado en España la entrada de una nueva generación y, por lo tanto, de ese nuevo ideal o cambio de sistema psicológico a que el señor Ferrero se refiere? Un delicado cronista se dedica actualmente a anotar observaciones que, de una manera indirecta y lateral, contribuyen a semejante estudio.* Trátase de las impresiones que se sacan ahora releyendo los discursos y las obras literarias, revisando la producción artística que va de 1860 a 1890. Para dicho cronista la nota dominante en aquella producción es el énfasis; énfasis literario, patriótico, pictórico. No se atreve a citar los oradores, los poetas o los artistas traídos a juicio, pero uno los adivina. Sus entusiasmos parecen, analizados ahora, pueriles, huecos, candorosos; existe entre la forma y el asunto una evidente inadecuación. La bengala es demasiado brillante, demasiado colorida, para iluminar escenarios y escenas tan modestas. Ese énfasis corresponde a la plenitud del parlamentarismo. Todo se contagia de grandilocuencia tribunicia. Ciertos cuadros del género histórico imperante entonces, diríanse inspirados en fragmentos de discursos que todos hemos leído de niños. Ciertas poesías que tuvieron fama y arrebataron a los públicos nos parecen hoy arengas o improvisaciones de redacción.

Pero eso que anota el sutil escritor, ¿de qué depende? De dos términos: aquellos hombres vivían y respiraban dentro de una atmósfera convencional, de optimismo e ilusión política. Nosotros hemos respirado auras letales, de desaliento y tristeza. Entre nuestra generación y la pasada se interpone una fecha: la del desastre colonial. En esta fecha se hundieron a la vez las ilusiones revolucionarias y los optimismos de la Restauración. Únicamente al amparo de una dialéctica sectaria se puede atribuir la responsabilidad a uno solo de estos factores. Desde aquella fecha estamos sobre la ruta sin atinar a señalarla claramente y, sobre todo, a seguirla. Esta sea acaso la obra de la generación siguiente, de la que crece ahora en las escuelas o juega en los

* Se trata, sin duda, de Azorín. Véanse los artículos *La ética en política* (12-II-1907) y *Dos poetas* (19-II-1907), publicados en el «Diario de Barcelona». (G. M.)

jardines y los campos y que a la vuelta de veinte o treinta años habrá llegado a su plenitud para renovar el personal director de la sociedad española en todos sus órdenes.

Sólo entonces, siguiendo la hipótesis de Ferrero, será posible restablecer un equilibrio perturbado: en los más viejos por la tenacidad de ideales o de concupiscencias que sobreviven a las lecciones de la realidad; en los más jóvenes por una decepción que rebaja y deprime el espíritu, nos conduce a recriminar y odiar cuanto nos precedió y mantiene vivo en las entrañas del país un dualismo irreductible. Solo entrando en acción los que no han *vivido* con propia conciencia aquel momento trágico; los que traigan el alma virgen de aquella ilusión o de esta depresión; los que no vengan con prejuicio pasional alguno ni comprendido en lesiones de intereses o en amenazas contra los actuales estados posesorios, podrá elaborarse un espíritu público o ideal homogéneo susceptible de algo sólido y duradero. Mientras tanto; mientras los comprometidos, por un concepto u otro, en esta situación no se vayan eliminando por el trabajo implacable de la muerte; es decir, mientras el cuerpo no sea ya otro y no quede en él un átomo de la substancia que lo vició o le infundió su actual estructura, tampoco variarán las cosas substancialmente.

Esto vale tanto como aplicar a la sociedad política lo que ciertos fisiólogos pretenden establecer respecto a las edades y renovaciones completas del cuerpo humano y a los períodos en que, según la hipótesis científica, no queda en nuestro organismo una sola molécula de las que lo integraron en el período anterior. Este ciclo de la materia coincide con otro ciclo espiritual, y no pocos pretenden que, sin perder, el hombre, su unidad de conciencia, siente transformarse sus gustos, sus inclinaciones y el sistema general de sus ideas al compás de esa renovación de elementos orgánicos; como si la substancia nueva apeteciese o aportase una nueva función o una percepción distinta.

Demos a esta ingeniosa hipótesis el valor científico a que aconseja la prudencia que la reduzcamos, y siempre nos habrá ofrecido una ocasión más de hablar de nuestro pleito y de considerar a través de otra lente nuestro problema. No cabe desconocer, sin embargo, que encierra una gran parte de verdad. Por rápidos que hayan sido los cambios de espíritu nacional, por violentos que hayan resultado los choques de una raza con la adversidad, jamás los frutos de la experiencia se han hecho visibles sino a la vuelta de estos treinta años que permiten el advenimiento de un estado mayor libre de las sugestiones de la fecha trágica que desconcertó a sus predecesores y antepasados.

Así pues, todo aconseja, acumular y concretar nuestro esfuerzo en la obra de la educación. Si el cambio provechoso de ideales; mejor dicho, si la creación y fijación de esos ideales ahora extintos o entregados a toda suerte de anarquía, a todo linaje de desviaciones espirituales, no pueden venir sino de nuestros hijos y de nuestra propia desaparición gradual, todo aconseja prepararlos para que respondan con mayor eficacia a la función que el tiempo y acaso las leyes de la historia les imponen. Hemos visto nosotros que ningún fracaso ha motivado cambio alguno en el personal que constituye las oligarquías políticas. Los ministros de doña Isabel fuéronlo después del gobierno provisional, de don Amadeo, de la República; los ministros de la revolución han vuelto a serlo de la restauración y la regencia; los ministros del período preparatorio y del período agudo de nuestros desastres, han vuelto a serlo después de los desastres. El bloque no ha sufrido la más leve alteración, la más leve eliminación. Nadie ha pagado los vidrios rotos: ni un político, ni un senador, ni un gobernador general de Cuba o Filipinas, ni un caudillo. Nadie, más que un fraile: el padre Nozaleda.

Por lo tanto, cabe pensar, según las reglas del juicio de probabilidades, que los que no supieron evitar la caída, menos conseguirán levantarnos, con lo cual me refiero al conjunto y no a las excepciones o personalidades que realmente puedan considerarse libres del contagio. Y que no habiendo venido el cambio de elementos de aquella voluntaria abstención que en otros tiempos o países se han impuesto los fracasados, ni por acto de sufragio en las elecciones, ni, por fortuna, de hechos violentos y reprobables, el verdadero cambio, el cambio de espíritu y psicología, no debe esperarse más que del tiempo, que renueva sin dejar despechos ni rencores. **

LA LITERATURA DEL DESASTRE

I

Preliminar

Muy cerca de dos lustros van pasados desde la guerra de España con los Estados Unidos, que acabó con nuestro dominio de cuatro siglos en América, iniciado en 1492. La imponderable aventura del navegante genovés, empujada y patrocinada por la corona de Castilla, desquició el eje de la historia peninsular y aun el de la historia humana. El centro dinámico de la vida española cayó desde luego, con fuerza irresistible, hacia la parte atlántica; y la raza que tuvo el heroísmo de sostener y alentar el de Colón, se alzó con la hegemonía de la Península y aun, momentáneamente, con la del mundo civili-

** Publicado en «La Vanguardia» de Barcelona el día 2 de marzo de 1907.

zado. Durante el período anterior o mediterráneo, la expansión había correspondido a la corona aragonesa que se extendió por las islas y el continente de Italia, de oeste a este, para no parar hasta Atenas y Neopatria. Habíale correspondido, por ende, una intensa política exterior o internacional y un poder marítimo entonces incontrastable. De esta posición señalada y preeminente, pasó a otra obscura y subalterna. El descubrimiento de América y el nuevo espíritu difundido por el Renacimiento pagano, triunfando el federalismo medieval, consolidaron la primacía de Castilla, que fue la España por antonomasia.

Venciendo roces, luchas y resistencias, esta nueva forma de la organización peninsular cuajó definitivamente en 1714, cuando ya hacía tiempo que estaba minado de mortal decadencia el vasto organismo, acaso por haber en él más de apariencia fantástica que de meollo y contenido. Esa era la opinión del mismo Olivares, repetida y corroborada por Cánovas en nuestro tiempo. A sus dominios exteriores, a sus guerras, a su poderío internacional, no correspondía la base o soporte económico de una riqueza y un trabajo adecuados. Trataron los primeros Borbones de estimularlos y activarlos. La revolución política, repercusión de la de 1789 en Francia, desvío a gobernantes y gobernados desde esa corriente de la *política positiva* hacia otras corrientes más utópicas, abstractas y verbales, creyendo sin duda que de ellas había de venir lo demás y que en ellas se cifraba toda la substancia de la moderna civilización. Pero era el caso que la nueva manera de ser del mundo, que el nuevo espíritu de la humanidad y que la nueva mecánica de los pueblos no nacían tanto de la revolución política como de la revolución científica, económica e industrial que habían desatado y continuaban desatando los inventos debidos al *novum organon*, al nuevo sentido de la inteligencia, al método experimental.

Sin duda era más fácil imitar y parafrasear a Rousseau y Mably, que a Fulton, Stefenson, Faraday y Volta. Se creyó, por ventura de buena fe, que esto era consecuencia obligada y gratuita de lo primero. Este espejismo sedujo a la mayoría, casi a la totalidad de los elementos directores de la revolución española; y empezamos a vivir *políticamente* a la moderna, mientras en lo real, en lo social, en lo más íntimo del alma colectiva perduraba el vigoroso cuño del siglo XVII, o sea una estructura y tipo nacionales en discrepancia absoluta con el tiempo y con la normalidad media de los países vecinos y casi siempre enemigos o rivales, de quienes por fuerza teníamos que ser, en infinitos aspectos de la vida, clientes y consumidores.

De este error, no sé si diga que nos sacó o que pudo sacarnos, el terrible y por tantos aspectos luctuoso porrazo de 1898. Antes de él, distraídos por la contienda constitucional o papelista que consumió la primera mitad del siglo y por las guerras civiles que aquélla encendió y alcanzaron a los dos tercios, muy pocos españoles se habían dado cuenta exacta de tal discrepancia o desnivel. Apenas algún solitario y descontento, como Larra, alcanzaba la visión dolorosa de este conflicto en sus *Cartas de las Batuecas* y otros opúsculos sin precedentes ni descendencia, que le hacen aparecer ahora como un anticipado o supernacional, más contemporáneo nuestro que muchos que lo son realmente y más vivo y palpitante que infinidad de sus sucesores, verbigracia: Castelar. Todo fue recusado en el gran satírico como mal humor personal, hipocondría, subjetivismo y afectación de extranjerizado. Tenía que ser muy entrada la Restauración, cuando empezase a abrirse camino algún examen de nuestra situación en el mundo, algún atisbo parcial de nuestras dolencias, algún libro o trabajo precursor de esa que llamo literatura del desastre; pero todo ello de una manera excepcional y aislada, siendo tenidos como ideólogos puros o como excéntricos y regañones quienes discrepaban o querían comprobar, por procedimiento realista y positivo, la solidez de la construcción.

Por desgracia, la quiebra no dio tiempo al balance previo, que acaso la hubiera evitado o contenido. Entonces fue cuando irrumpió esa literatura copiosa, revuelta, tumultuaria, a trechos estimulante y cáustica, a trechos deprimente y narcótica como el vaho del cloroformo en las enfermerías. Después de Santiago y del tratado de París, vino a universal juicio de residencia todo lo divino y humano, todo lo malo y lo bueno de nuestra historia y tradiciones. Artículos, folletos, ensayos de revista, discursos, conferencias y abultados volúmenes aparecieron y aparecen todavía como producto de aquella grande y omnímoda remoción de ideas. En diez años esa producción no se ha paralizado un solo momento y ella fue tal y tan abundante que pareció que de la misma habíamos de salir, no regenerados *ipso facto*, porque esta es trivialidad de pensamiento análoga a los optimismos del submarino Peral o del toxpiro Daza, sino bañado y penetrados hasta la médula, con transformación de espíritu, con una nueva psicología, con un cambio de ambiente, con una traslación del centro de gravedad, con un ideal, en suma, de que carecíamos, porque los optimistas nada desean ni nada temen. El tiempo transcurrido, el interés de la materia, la abundancia y variedad de los textos y su influencia, aunque perceptible apenas en la actividad política del país, me han hecho creer que no carecería de utilidad un trabajo expositivo en que se pasara revista a semejante producción y que pudiese servir, cuando menos, de índice bibliográfico de la misma, aprovechable para futuros rebuscadores, si se acuerda archivarla como por todas las trazas va pareciendo.

Tal es el objeto de estos artículos: mera curiosidad de entomólogo que coloca en la vitrina insectos muertos, atravesándoles el coselete con un alfiler, clasificándolos y rotulándolos. Por ellos podrá verse algún día que no careció España de pensamiento individual, de notables inteligencias, de ardientes patriotas, de incansables agitadores del alma; que no faltó la iniciativa ni la dirección, sino, en todo caso, un pueblo que siguiera y, absorbiendo aquellas ansias de vivir y aquellas elocuentes diatribas y conminaciones proféticas, se incorporara, resueltamente dispuesto a actuarlas y ponerlas por obra. Este es el menor tributo que puede reservar la posteridad a esos pocos espíritus atormentados e insomnes que parecieron sentir en su alma individual todo el dolor que rechazaba el conjunto, prefiriendo, el día de Cavite, consagrar la tarde a los toros antes que a las desventuras de la patria.

Como antes indiqué esa literatura terapéutica o de la reconstitución de España, hizo explosión a raíz de la guerra, pero tenía sus precedentes muy señalados en el decenio que la precedió y aun más allá de esos diez años. Así, pues, antes de penetrar en el cielo que personifican Picavea y Joaquín Costa, hay que investigar su ascendencia, en los nombres y trabajos que les precedieron, bien desde el punto de vista español puro, bien desde el particularista o de regionalismo, que iba apareciendo, nutrido, en gran parte, por la discrepancia cada día más acentuada entre la dirección central y la opinión periférica. Lo más curioso así de este período de preparación como del siguiente, ya de plena labor reformista, es que casi todo lo que de ambos pasará a la historia del pensamiento español, casi todo lo que pueda quedar como herencia, rescoldo y levadura, eso surgió a espaldas de la llamada representación nacional y aun fuera de la prensa de gran arraigo, salvo dos o tres personalidades selectas de una y otra. Parecía que la nueva doctrina venía de una España inédita, obscura, supeditada al estado mayor imperante. Y aun podría sostenerse que fue recibida por aquéllas, entre varias alternativas de deferencia o desdén, como una intrusión contra la cual bien pronto se pusieron en danza todas las formas del descrédito, desde la suposición de intrigas y bajas ambiciones hasta la coacción irresistible del ridículo; de que resultó seguirse hasta la fecha el mismo estado posesorio, sin excepción alguna, y encargarse de apagar el incendio los propios incendiarios de la víspera, convertidos en únicos e imprescindibles bomberos.

II

El punto de partida

No resulta muy fácil y, sin embargo, es indispensable resumir la ideología española y el sentimiento nacional durante el período que precedió a nuestras mayores desdichas. ¿Cómo se había formado nuestra conciencia patriótica? ¿Qué elementos la constituían y le daban su peculiar carácter? Para ello no es posible acudir a una historia de la psicología popular, que está todavía por hacer. No queda otro recurso que el de apelar *a los recuerdos personales*. Las nociones e impresiones de las cosas recibidas en la infancia, influyen de una manera decisiva en la suerte de cada generación y la preparan para grandes destinos o para grandes equivocaciones. Que recuerde cada cual, cerrando los ojos, los elementos dispersos y en apariencia incoherentes de que se nutrió su patriotismo, en los años escolares, allá desde 1865 a 1880.

Eran una amalgama misteriosa de fechas, de nombres, de versos marciales. El recuerdo de la Guerra de la Independencia pesaba todavía sobre los espíritus, con un influjo próximo e irresistible. La misma guerra civil que la sucedió, despojábase de su carácter odioso y fatricida, para añadir algunos nombres y algunas fechas triunfales. Mucho más próximas teníamos la guerra de África y el Callao. He aquí, pues, el primer elemento: gloria militar, bien o mal explicada y comprendida. De otra parte la lucha constitucional y la tribuna parlamentaria; otra serie de nombres y otra serie de fechas. Venía después la poesía patriótica y civil, derivación de Quintana y Gallego. Así que el sentimiento español, para el niño y el adolescente de aquellas décadas, se resumía en un limitadísimo conjunto de enunciados, lecturas y recuerdos: 2 de Mayo, Bailén y Luchana; Argüelles, Olózaga y Castelar; Wad-Ras, Castillejos y Tetuán; décimas de López García, condensación de tantas proezas juntas y del ideal belicoso de la nación en toda la segunda mitad del siglo pasado; tal o cual página del *Diario* de Alarcón o de la *Conquista de Méjico*, por Solís, cuyo auge, excepcional y aislado en aquellas fechas para una obra clásica, no deja de sorprender al observador.

Sabíase también lo que quisieron decir de la fertilidad del país Estrabon y Pomponio Mela, con lo de la piel de vaca extendida; el relato de Mariana sobre Covadonga, la escena de Guzmán el Bueno y otras nociones aisladas, flotantes e imprecisas. Un baño de historia romántica, en suma, a lo Fernández y González.

De todos estos elementos y de la manera de suministrarlos a las inteligencias infantiles, se desprendía un optimismo como jamás, ni en Inglaterra, ni en la Alemania de nuestros días, ha podido enseñarse ni tener justificación. Todo conspiraba acordadamente a preparar una decepción más o menos lejana, pero tremenda y segura. Cuando se hablaba de los males de España, decíase que no necesitaba más que mucha paz y mucha libertad; para ésta se hizo la Revolución de Septiembre, y para aquélla la Restauración de Sagunto, destinada a consolidarla mejor que a resistirla. Era axiomático lo de que

Dios, con inagotable largueza, nos había dado cuanto hay de magnífico y apetecible en la tierra: riquezas, fertilidad, clima delicioso, frutas regaladas, ingenio preclaro, valentía y hermosura, todo menos un buen gobierno. El gobierno tenía, pues, la culpa de cuanto ocurría, sin que, ni por asomo, le cupiera responsabilidad alguna a la muchedumbre porque de sus propias entraañs no surgieran y brotaran gobiernos mejores.

Ninguna noción, ningún estímulo, ningún consejo, ningún estudio comparativo, sembró en nosotros el deseo de engrandecer e impulsar a España. El eje de nuestra pedagogía, en relación con el patriotismo, descansaba sobre el continuo halago de la vanidad nacional. Éramos los más valientes y los de mayor inteligencia; nuestro suelo el más privilegiado, nuestras mujeres las más bellas, nuestros poetas los más inspirados, nuestros oradores los más elocuentes del mundo. Se alteró y deformó el concepto del patriotismo: querer a su país por ser el propio; no por ser el mejor, sino para hacerle el mejor; quererle por el parentesco físico y espiritual que con él nos liga y por ser cada cual emanación de su ambiente y de su historia. ¡Cuántos hemos sentido y deplorado después aquella alteración, aquella torpe deformación de los hechos! Ni por descuido se sembró en nosotros un solo germen de duda provechosa respecto a los límites del propio poderío ni, más allá de la cuestión de formas políticas, nació en nuestras almas un impulso de mejora y avance. ¡Si en todo éramos los primeros!

Además de exagerados e hiperbólicos estos elementos primarios del patriotismo, eran, por otro lado, sumamente parciales e incompletos. Según ellos toda la atención del país se fue tras de las apariencias, tras de las cosas adjetivas, tras de los efectismos, olvidando el cultivo substancial de las raíces y de las causas. Gloria militar o gloria parlamentaria continuaron siendo los únicos estímulos e ideales de aquella generación. No había niño o estudiante que no soñara ser algún día general o ministro. Todas las demás posiciones, todas las demás nombradías, todas las demás «salidas» o direcciones de la actividad humana, por pingües, honrosas o consideradas que pudiesen reultar en otros países, eran tenidas en menos por la juventud y sólo aceptadas en último trance y como recurso. A esto se reducían las aspiraciones así del individuo como de la colectividad. El concepto armónico del moderno «Estado de cultura», productor y mercantil, no había entrado ni poco ni mucho en nuestra ideología. Perduraba todavía en las conciencias el tipo del Estado aristocrático y de conquista. No por desdén estudiado, sino por naturalísima indiferencia nos dejaban impasibles las más formidables empresas del mundo contemporáneo.

Si veíamos la Alemania de Sadowa, de Bismarck y de Molke, ignorábamos que detrás de ésta o, mejor dicho, como sustentáculo de ésta había la de Siemens y Krupp. Si nos fascinaban las empresas de la Francia napoleónica, apenas recordábamos la Francia de Biot, Laplace, Monje y Fourcroy. Si nos infundía asombro el poder marítimo de Inglaterra, no sabíamos que aquellos soberbios navíos fuesen los mastines o guardianes de las manufacturas y carbones de Manchester y Cardiff. Ni por pienso nos acordábamos de aquel grupo de pueblos pequeños y felices: Suiza, Bélgica, Holanda que, no por vivir sin ostentaciones internacionales, dejaban de realizar cosas envidiables y buenas, aunque poco estupendas y fascinadoras. Los métodos pedagógicos aquí imperantes y la atmósfera común de la sociedad española substrajeron todo ese hemisferio de la realidad contemporánea al examen, al aprecio y a la emulación de la juventud. Casi de tapadillo pasaron cosas tan formidables como la pérdida definitiva de la América Continental en 1822. Hasta la de Cuba y Puerto Rico, setenta años después, no se enteraron bastantes españoles de lo que significó la batalla de Ayacucho, nombre que, sin niguna aprensión, se impuso a una bandería política.

De esa pedagogía y de ese sistema de ideas y sentimientos sociales salimos sin verdadera comprensión de la vida moderna y de sus resortes, motores y palancas. Montóse la máquina constitucional y la apariencia de una organización nueva, sin combustible para levantar vapor ni primera materia bastante para ofrecer a su trabajo. Y lo peor del caso es que, olvidada la fecundidad social y la iniciativa libre de los individuos, todo el mundo quiso vivir a costa del Estado, a riesgo de que no quedase nadie para hacer vivir al Estado. A la vocación guerrera, se añadió, como queda dicho, la vocación oratoria y ellas distrajeron y compartieron sus anhelos y ambiciones de las clases medias, que eran ya las directoras. En un libro de entonces que, con justicia, recuerda Azcárate: *La balija rota*, de Gómez Sigura, hállanse rasgos y apuntes directos de esa fiebre general. «La celebridad parlamentatria —dice— es la monomanía de nuestro país en lo que va de siglo. Son ya menos los que se dedican al arte de hacer fortuna, que al arte de intrigar para hacer ruido; tira más la reputación que la hacienda, y aun los pocos que prefieren a la primera la segunda, no la buscan en los talleres, en los campos, en el ejercicio de las profesiones sino en los Parlamentos. Quien dice diputado dice orador; quien dice orador dice ministro; quien dice ministro dice banquero, César, hombre inmortal... El afán de la multitud es subir, subir alto y subir pronto; es improvisar timbres y millones; pero, ¿y por qué medio? ¡Ah! Procurándose a toda costa en cualquier revuelta electoral un billete de entrada para el gran mercado de la contratación de las inteligencias: para el Parlamento.» Parlamentos, ministerios, milicia, son órganos indispensables de la vida de un país, mientras estén en ecuación con ella y respondan proporcionalmente a su resistencia y a su poder efectivo. No pocas veces hemos padecido el error de creer que un estado oficial puede producir, *sponte sua,* una nación o prescindir de la que tiene detrás, como si no existiera enlace entre los empeños del poder público y las fuerzas de la sociedad que lo nutre.

III

Período parlamentarista

En este estado, pues, la Revolución de Septiembre impuso una nueva excepción dilatoria. Todas las esperanzas volvieron a fundarse sobre las transformaciones adjetivas y de carácter político. Si ellas no obraban el milagro de impulsar a España por derroteros de grandeza y prosperidad, la culpa la tenía la guerra civil desencadenada en el Norte, el cantonalismo sublevado en las ciudades levantinas y la insurrección corriendo por los campos de Cuba. Consiguiérase tener la fiesta en paz y dejar que los «principios» obrasen por sí mismos, y entonces todo hubiera ido como una seda. En este estado de general anarquía y rebelión, así los que sufrían sus efectos como los que, desde el Poder, debían contener semejante estrago, sentían un íntimo y profundo deseo de poner fin a la bullanga. Acaso no se sabrá nunca, con verdadera exactitud, quiénes eran los que con mayor ahínco anhelaban la restauración: si los alfonsinos o los propios revolucionarios. Así también, a la esperanza de la revolución sustituyó la esperanza de la paz.

Constituyóse el nuevo «orden de cosas», preparóse una nueva constitución y fueron los debates que con tal motivo se suscitaron en las Cámaras, prolongación de las constituyentes de 1869: una lucha entre dos doctrinarismos, casi igualmente desligados de la realidad nacional. Continuaba de hecho la política romántica, *La política de capa y espada*

(Madrid, 1878), que por aquellas fechas describía Sellés en unos artículos que le valieron su primera notoriedad y que fueron coleccionados en libro aparte. Poco antes, en 1875, había publicado don Francisco Giner sus *Estudios jurídicos y políticos* y en 1877 había aparecido *El self-government y la monarquía doctrinaria,* de don Gumersindo de Azcárate. Estas obras, más que a un sentido de observación directa sobre el cuerpo vivo de España, obedecían a la corriente general y especulativa de la ciencia en Europa y eran introducción de ideas por reflejo de las de Ahrens y Tiberghien, o de Tocqueville y Laveleye, expuestas en libros y estudios famosos que estaban entonces en la plenitud de su influencia. De esta manera, presentaba el señor Azcárate, en *El self-government,* el problema del parlamentarismo en su aspecto abstracto antes que por su especial repercusión en nuestro país. Proponíase tan sólo estudiar los «errores y prejuicios» que desnaturalizan al régimen parlamentario en la esfera de la teoría, errores acumulados, para el autor, en el monarquismo doctrinario o a lo Cánovas diríamos.

Así, discurre acerca del régimen personal, acerca de la legitimidad de las revoluciones, contra las constituciones irreformables y contra la distinción de partidos en legales e ilegales, por atacar en su raíz la esencia del principio de representación. Y al tratar del «parlamentarismo», adulteración viciosa del poder legislativo, así como al tratar de la centralización, que deforma y congestiona el ejecutivo, lo hace recogiendo observaciones y conceptos de la ideología universal: del ya citado Tocqueville, de Janet, de Minghetti, de Odilon-Barrot, de Batbie. Lo que dice acerca de la disciplina de los partidos y del abuso de las cuestiones de gabinete; su crítica de la centralización como herencia del Antiguo Régimen y como incompatible con la libertad, no menos que las arremetidas contra la jurisdicción contencioso-administrativa y la autorización previa para procesar a funcionarios públicos, todo esto son nociones de carácter doctrinal, aplicables en conjunto y sin distinción alguna a las naciones del tipo latino. Se trata, pues, de trabajos expositivos y discusiones en que la erudición y la lectura tienen mayor parte que la dirección analítica de nuestra realidad. Estos libros están escritos con substancia de revista sabia, en la grata atmósfera de las bibliotecas, y no inauguran todavía el sentido realista que ha de aplicarse después al estudio e investigación del problema nacional.

Parlamentarismo y régimen de partidos, apariencias y realidades de la organización democrática, fueron temas preferentes en aquellas fechas para los tratadistas políticos de todos los países. Basta citar el libro de Minghetti, *I partiti politici*, para tener un ejemplo de esa preocupación y de la influencia general e internacional que alcanzaban semejantes trabajos. Hasta ocho o diez años después no dio aquí su primer vagido, y éste de una manera muy mesurada y cautelosa, el examen experimental de nuestra vida pública. Condensación de la nueva fase, en la esfera genuinamente española, es *El régimen parlamentario en la práctica* (Madrid, 1885), obra del mismo señor Azcárate, en la cual predominan ya los rasgos de observación sobre los especulativos y de lectura. Ya no se propone aquí, como en el libro anteriormente indicado, examinar los errores y prejuicios que en la esfera de la teoría desnaturalizan el régimen parlamentario, sino poner de manifiesto los «vicios y corruptelas» que lo pervierten y trastornan en la realidad de los hechos. Abandona la esfera de los principios o le sirve tan sólo de punto de partida para contrastar los teoremas con los resultados y las promesas con los beneficios obtenidos. No tiene más que mirar a su alrededor para hallar un abismo abierto entre la moral privada y la moral política, y para descubrir en esta especiosa distinción o dualismo de conciencia, el origen de todas las adulteraciones del sistema.

El convencionalismo, la falta de sinceridad, las fórmulas hipócritas cubriendo las intenciones taimadas, eso es lo que el señor Azcárate encuentra en su examen formando la atmósfera común de la vida política. Observa cómo los partidos se apartan de su propia función y cómo se someten a la dictadura de sus jefes, de suerte que mejor parecen bandas personales o *fulanitas* que agrupaciones ideológicas; se esfuerza en demostrar que son compatibles el gobierno nacional y la organización de partidos; pone de manifiesto la gran abstención en que se mantienen las clases neutras; hace una pintura no tan recargada como pudiera de las elecciones y todo su bagaje de falsedades, violencias y mentiras; describe la omnipotencia del poder ejecutivo, la omnipotencia del poder judicial, y el origen impuro, amañado y sin legitimidad del poder legislativo, hechura del gobierno que lo engendra por medio del encasillado y lo suprime por medio de disoluciones caprichosas e injustificadas; habla de los abusos de la administración condenándolos en las cinco notas de centralización, burocracia, empleomanía, expedienteo y caciquismo; analiza los partidos como sindicatos de explotación de la cosa pública y como sociedades cooperativas sobre la base *do ut des, facio ut facias;* nos ofrece, en suma, una imagen atenuada de la realidad de nuestro parlamentarismo en aquellos años en que vivió alentado por el espíritu de Romero Robledo, nombre sintético y representativo de toda una época.

Para un lector actual el libro de Azcárate, si se exceptúan algunos puntos de vista en que no consiguió desprenderse del prejuicio sectario, adolece de cierta timidez o falta de decisión. No obstante, para el tiempo en que fue escrito, no dejaba de ser una valentía poco frecuente y casi solitaria. En España suele tolerarse, por duro y feroz que resulte, todo lo que se dice en tono de *oposición* y desde un partido contra los otros. Lo que no suele tolerarse es la crítica integral e independiente, tomando en bloque toda la política, a la cual son comunes los vicios y corruptelas que se achacan individualmente unas a otras las banderías. El estudio del señor Azcárate corresponde a este último género y alcanzó el mérito de haberlo casi iniciado entre nosotros y haber reducido a expresión un estado latente de irritación y enojo, explicando sus causas y poniendo en evidencia el divorcio cada día más pronunciado entre la opinión y las clases directoras.

Claro es que no se aborda en aquellas páginas todo el contenido del problema español según ha venido después a ser expuesto y desarrollado. Limitábanse al falseamiento del régimen parlamentario, como suponiendo que una práctica sincera de ese régimen bastaría a transformarlo y redimirlo todo. No se extendían a mayores aspectos ni se remontaban a más altos orígenes de nuestro estado actual, ni siquiera a aquellos mismos orígenes que el señor Azcárate, como Revilla y Perojo, acababan de discutir con Menéndez y Pelayo en la famosa polémica de *la ciencia española* y de lo que a ella debía la cultura universal después del descubrimiento de América. El propósito del libro era más limitado y, lejos de desprenderse del mismo una cuestión o dolencia de carácter constitucional e interno, parecía todo reducirse a una afección local aislada, cuya desaparición bastaba para devolver al conjunto toda su actividad, eficacia y fortaleza. Depurado el parlamentarismo de sus vicios y corruptelas, poniendo su funcionamiento práctico en armonía con la concepción teórica, la nación recobraría, *ipso facto,* su salud y potencia.

IV

Almirall

Donde empezó a tomar vuelos y a ensancharse la crítica y examen del problema español, fue en los trabajos del publicista don Valentín Almirall y en las impugnaciones, defensas, invectivas y rectificaciones que determinaron. En tales estudios hizo su aparición completa como doctrina el catalanismo político, substraído a las formas puramente sentimentales y literarias de los Juegos Florales y a las tradicionales, fueristas y de mera conservación del derecho civil que mantenían los jurisconsultos de la escuela histórica. Almirall era un antiguo federalista imbuido en la admiración y la lectura de los psicólogos escoceses y de los pensadores y tratadistas anglosajones en general. Cada día propendió más al aprecio de las realidades concretas y se fue apartando, no sin cierto desdén, de las concepciones abstractas de Pi y Margall, determinadas y sugeridas por el folleto de Proudhon sobre *Le principe féderatif.* No escondía su falta de fe en el computo de la libertad a la francesa y reservaba todo su entusiasmo para las formas de la constitución suiza y norteamericana, y aun para las más complejas, casuistas e irregulares del *self-government* inglés. Sabía casi de memoria los números de *The Federalist* y ponía sobre su cabeza, como documento de oro, el acta de Jefferson.

No sin cierta remiscencia lejana de ese documento, redactó la *Memoria* entregada al rey Alfonso XII el 10 de marzo de 1885 por una comisión de patricios catalanes en que, además del autor, figuraban Verdaguer, Guimerá, Soler, Permanyer, Maspons, Collell y Pella. El motivo inmediato de ese mensaje fue la agitación debida al tratado de comercio con Inglaterra, por amenazar este último la reconstitución industrial de Cataluña. No se limitó Almirall, en su escrito, a tratar de la política económica de España, sino que planteó por primera vez ante los poderes públicos, de una manera integral, el conflicto o discrepancia latente entre el sentido catalán y la dirección secular de toda la política española, enumerando las causas de agravio o descontento de la región contra los gobiernos y reclamando para lo que el autor llama grupo septentrional o pirenáico una influencia que moderase y balancease armónicamente la preponderancia exclusiva del grupo central-meridional. Casi al mismo tiempo aparecerían en la «Revue du Monde Latin» sus famosos artículos sobre *L'Espagne telle quell'est*, de los cuales hubo muy pronto (1886) traducción castellana. Este mismo año presidió Almirall los Juegos Florales de Barcelona; y como paráfrasis o glosa de su discurso presidencial, en forma de improvisación brillante y rápida que prueba su facundia, la extensión de sus conocimientos y lo repleto de su arsenal histórico-político, escribió de una tirada *Lo catalanisme,* libro de más de 350 páginas de muy nutrida lectura.

No se traen a cuento estas obras por lo que ellas interesan especialmente a la historia del regionalismo, sino en cuanto a su parte crítica y su observación de la vida nacional en todos sus aspectos. Antes de exponer Almirall sus teorías particularistas y las soluciones prácticas a que las reducía, quiso hacer una pintura de la realidad política y social del país, tomando a «España tal cual es», o desarrollando un intenso y prolijo análisis del temperamento catalán y del temperamento castellano. El círculo de ideas desarrollado por Sellés en *La política de capa y espada* o por Azcárate en *El régimen parlamentario en la práctica,* se ensanchó notablemente trascendiendo de la simple organización del Estado a los ideales de las distintas razas peninsulares y al tipo de civilización que respectivamente habían engendrado. Almirall no encuentra en la vida política de España más que un régimen jurídico, liberal y moderno en la apariencia y un régimen de hecho por completo arbitrario y de tiranía. En cuanto al ideal de la nación, formado bajo la preponderancia de Castilla, hállalo petrificado en el siglo XVII, y, por lo tanto, misoneísta y anacrónico, falto de sentido científico e industrial, perseverando todavía en las viejas tendencias nobiliarias y de conquista, en los ímpetus idealistas y románticos y en las pasadas e incorregibles intransigencias, a las cuales, como la sombra al cuerpo, fue siguiendo la desmembración sucesiva y constante de nuestros dominios en Europa y América, desmembración que no se había consumado definitivamente cuando escribía Almirall, aunque hartas sospechas indicaban ello para plazo no muy largo.

Claro es que tales investigaciones no podían ser recibidas con gusto, ni siquiera con atención respetuosa por la opinión pública, orientada entonces, de una manera casi exclusiva, hacia Madrid y desde Madrid. Las refutaciones no se hicieron esperar mucho tiempo; y aquel mismo año, Núñez de Arce, presidente del Ateneo, dedicó a semejante empeño el discurso inaugural de la ilustre corporación. Las ideas de Almirall, más que por su valor objetivo fueron combatidas por su tendencia. Las observaciones, la pintura de la realidad, los rasgos crudamente naturalistas, el criterio positivo en que la crítica se inspiraba sucumbieron, fuera de Cataluña, a la prevención de malevolencia y a la imputación de un origen tendencioso. Todo se atribuía a la pasión catalana o catalanista del autor; nada a la materia por él observada. Todo era infidelidad del espejo; nada había de deformidad en el rostro... No obstante, ahora puede decirse bien alto que, dejando a un lado la atribución de determinados defectos o determinadas responsabilidades al espíritu castellano, suspendiendo todo juicio sobre la exención de esas responsabilidades a favor de otras regiones, ninguno de los hechos, ninguna de las pinturas, ninguno de los cargos formulados entonces por Almirall ha dejado después, doce años más adelante, de ser tomado en cuenta y repetido, glosado y documentado hasta la evidencia, desde un punto de vista netamente español, por cuantos escritores castellanos y andaluces han tratado el magno asunto de la reconstitución patria.

De suerte que la crítica desarrollada por Almirall en 1886, es, en sus líneas generales, la misma que preside a todos los folletos, discursos, disertaciones, manifiestos y libros de 1898 y 99, desde Silvela a Costa, desde Alba a Morote, desde Maeztu a doña Emilia Pardo Bazán, con una sola ventaja, y ésta favorable al asendereado fundador del Centre Català, o sea la de una mayor prudencia o cautela en la forma y aun en cuanto al radicalismo de las afirmaciones. De la misma suerte sería fácil hallar a los principales conceptos de Almirall precedentes en los escritores políticos y economistas del siglo de los Felipes, hasta el punto de poderse sostener que la novedad de su tentativa no nace de los pormenores sino de la visión del conjunto y de haber reducido a trama y síntesis los caracteres de nuestra decadencia, primera base para todo proceso de restauración. Resultó, de todas maneras, el revulsivo más intenso que hasta entonces se opusiera a la dulce ilusión castelarina, al optimismo parlamentario y a la política suicida, de bajalato marroquí, cifrada en ir tirando y ganar tiempo; y vino a inaugurar el estudio experimental y positivo de nuestra manera de ser política, plantando cara por primera vez al doctrinarismo intemperante y a los abusos de la abstracción, para que, bien por simpatía hacia las ideas del autor, bien con ánimo de rectificarlas y cerrarles el paso, se fijaran las gentes en lo fantástico e incorpóreo de las habituales contiendas y en cuán poco influían sobre la musculatura y potencia de la nación.

Libro de larga fortuna ha sido *Lo catalanisme*

de Almirall, no solo por haber modelado intelectualmente la generación que ha traído el regionalismo de Cataluña a la vida práctica y a la lucha directa ni por haber constituido hasta nuestros días el cuerpo de doctrina más copioso de ese movimiento, aspecto que no entra de lleno en este trabajo; sino por haber determinado, de una manera explícita o implícita, confesada o no, manifiesta o a hurtadillas, una desviación del criterio público abriendo la nueva corriente de reflexión y crítica realista que alcanzó incluso a muchos que se proponían situarse muy lejos del autor. Cuantos se hallan acostumbrados a buscar y discernir en la lectura las fuentes originarias y los gérmenes de fecundación espiritual que entran en la composición de toda página, no necesitarán muchos esfuerzos de sagacidad para percatarse del sin número de componentes de la moderna ideología española que a ella se han incorporado definitiva e indisolublemente habiendo penetrado por un portillo tan sospechoso a los que entonces entendían monopolizar el patriotismo castizo. Esto prueba que las ideas tienen una virtualidad absoluta y en sí misma y que de su suerte futura decide no el prestigio del autor ni la prevención del público, sino su energía inicial, su peso específico y su legitimidad dialéctica. De esto reciben el impulso y la trayectoria, en una suerte de automatismo fatal e irresistible.

V

El presentimiento

Privilegio de las inteligencias poderosas es la agitación mental que determinan entre sus contemporáneos, obrando a manera de tempestades removedoras del ambiente. Su actividad excitante es de dos especies: influencia y reacción. A unos convencen, a otros desplacen, a aquéllos irritan; pero acaban por sumar a todos en un común trabajo de estudio, provocando cierta conflagración o choque de ideas que, si ofusca de momento, no tarda en aplacarse para producir siempre un *nuevo espíritu* general. De esas grandes contiendas no hay quien no salga modificado en poco o en mucho; pues la acción de los talentos cáusticos o revulsivos del tipo de Almirall, no se limita a la creación de una escuela o sectarismo, sino que trasciende a los neutrales y a los impugnadores y les hace partícipes de un movimiento, de una alteración, de un traslado más o menos perceptible del pensar y del querer colectivos. A la vuelta de pocos años, conceptos, afirmaciones y hasta frases que fueron rechazadas como tendenciosas y sectarias, aparecen ya como cosa axiomática y de aforismo en el bando opuesto, incorporadas al catálogo de las verdades definitivamente establecidas o que forman el ambiente psicológico de cada generación.

Así se explica que, a menudo, los moderados de hoy sostengan y aun extremen lo que fue antaño radicalismo. Así se explica que lo que pareció herejía y casi blasfemia en el libro y en los opúsculos de Almirall, por ejemplo: la pintura de la arbitrariedad administrativa que caracterizó el primer decenio de la restauración, lo hallemos después reducido a fórmula y consagrado por Silvela en su famosa confesión de que tenemos «todas las apariencias y ninguna de las realidades de un país constituido jurídicamente». Esto mismo quiere decir que la obra de los pensadores políticos, —cuando no se trata de utopistas o constructores de sistemas ideales, sino de reformadores que pretenden tomar por base una realidad nacional concreta—, se reduce a despertar verdades latentes en la conciencia de las muchedumbres y a revelar estados de opinión imprecisos a los cuales se viste de palabras por primera vez, pareciendo solo por esto cosa original e insólita, cuando, en el fondo, no se trata más que de haber condensado y convertido en materia consciente lo que nos hurgaba por dentro en formas de mal estar, de cansancio y de irritación.

Diríase que con la polémica entre Núñez de Arce y Almirall, en la cual vino a terciar Mañé y Flaquer con sus cartas sobre *El regionalismo* y que se prolonga hasta el magno libro del doctor Torras sobre *La tradició catalana*, quedó iniciado un período de introspección, recuento y balance de la historia española, que acaso pudiera calificarse como período del «presentimiento». Sus dos síntomas principales son: la elaboración del regionalismo como doctrina científica, por lo que se refiere a Cataluña, y una actividad más acentuada en las esferas especulativas del pensamiento castellano acerca de la índole nacional y de sus relaciones con la vida moderna. Bien que refiriéndose a los últimos tiempos de la casa de Austria, los *Estudios históricos* del señor Cánovas, el prólogo del señor Silvela a las cartas de Sor María de Agreda y el libro del señor Sánchez de Toca sobre el reinado de Felipe IV, plantean el examen de la decadencia tomándola en su misma raíz y en el momento de su aparición histórica. Desde Olivares acá habían pasado dos tentativas completas de restauración de España: la de los primeros Borbones, sobre el patrón galicano del siglo XVIII, y la del parlamentarismo, sobre el patrón galicano del siglo XIX. Al cabo de este tiempo, y no por mera curiosidad de eruditos, sino como repercusión actual del viejo problema, aquellos hombres de estado vuelven la vista a don Baltasar de Guzmán, se sienten en una posición análoga a la del privado famoso y aun se diría que les complace tratar por símbolo, personificadas en su figura y en su época, las mismas preocupaciones y dificultades que les ofrece la suya actual.

A través de esos escritos, sólo históricos en la apariencia y por los datos que atesoran, pero completamente subjetivos en cuanto al criterio, es harto fácil advertir una lucha de tendencias: la de Cánovas hacia el autoritarismo, sin escrúpulos de importancia acerca de los medios, vindicador, por tanto, de Olivares y de su linaje de política, sin fe en las aptitudes del país para que pueda convertirse algún día al moderno tipo de los estados productores, sin afición siquiera a este aspecto de la vida nacional que trata de un modo muy displicente; y la de Silvela, hostil al privado por su carencia de sentido jurídico y moral, lleno de indulgencia para con el rey y su flojedad de espíritu, tendiendo a los partidarios de la política económica tanto como era Cánovas desdeñosa para con ellos. De esta suerte, en la primera etapa del partido conservador de la restauración predominó la política de grandes brochazos, rigurosamente histórica según la filiación del siglo XVII; y representó la segunda una tentativa, muy pronto frustrada, de purificación y orientación europeista, para la cual, según Cánovas, no nos llamaba Dios, ni era posible arraigarla fuera de Cataluña y alguna otra comarca, que ya en la décima quinta centuria ofrecían la misma singularidad y diferenciación que ahora.

A todo esto se habían extinguido las últimas erupciones románticas en las costumbres y en la poesía. El naturalismo trascendió a la crítica política y empezó a investigar el hecho vivo; se fue aplicando a estas materias un sentido algo más realista y de observación independiente. Ya no se dejaba todo a merced de la «oposición»; ya salía algún libro como el de don Lucas Mallada sobre *Los males de la patria* (1890) poniendo en su verdadero punto y reduciendo a sus propios límites las pactancias tradicionales sobre la fertilidad de nuestro territorio. El ilustre ingeniero había recorrido casi toda España para sus tareas del mapa geológico y había tenido por consiguiente ocasión de palpar con sus manos la falsedad de la leyenda que Estrabon, Polibio y Pomponio

Mela difundieron en la antigüedad y que el renacimiento restauró solícitamente. Por los relatos de navegantes que no conocieron más que la zona periférica, hablaron de un país de portentosas riquezas naturales; y este prejuicio acogido como algo que lisonjeaba una vanidad común a todos los pueblos de la tierra, contribuyó seriamente al desconocimiento de nuestras fuerzas y a paralizar impulsos de mejora.

Véase lo que ha costado introducir en la conciencia pública una exacta noción sobre el régimen de lluvias, oscilante entre la sequía prolongada y la avenida torrencial; sobre las grandes y bruscas diferencias de nivel en el curso de los ríos que, en largas extensiones, los inhabilita para la navegación; sobre lo extremado de las temperaturas en las mesetas altas, pasando sin transición desde un sol abrasador a un cierzo implacable; sobre la aridez de esas llanuras centrales con gran razón comparadas, en la estructura peninsular, a un enorme hueso entre un poco de pulpa envolvente. Esta disposición desfavorable hace necesaria una intervención obstinada y continua de la industria del hombre y sólo podría modificarse radicalmente merced a trabajos colosales, de índole babilónica, según los ha descrito Ihering en su *Prehistoria de los indo-europeos.*

Esta nueva apreciación de la realidad iba haciendo su camino en los espíritus más cultivados, aunque sin llegar todavía al mayor número. Desde 1890 empieza a despuntar el «intelectualismo», que no fue en sus comienzos más que una forma del espíritu nuevo y la aparición de un criterio libre de sectarismos o de imposiciones de partido y orientado según los fueros de la verdad científica. Los intelectuales no encontraban filiación ni acomodo posibles dentro del antiguo método y discrepaban por igual de sus afines y de sus adversarios. Taine había publicado sus *Origines de la France moderne* que sofocó de momento los progresos del jacobinismo. Influyó directamente en Cataluña e indirectamente en Madrid. No pocas inteligencias se plantearon en España la misma pregunta y el mismo punto de partida que el insigne escritor francés. La psicología del pueblo español fue convirtiéndose en preocupación de la juventud intelectual y, con diversidad de métodos y estilos, ese examen de conciencia atrajo la pluma de los pensadores noveles. Como ejemplo de esta actividad y de este conjunto de influencias, hay que registrar en primer término el estudio titulado *En torno al casticismo* que publicó Miguel de Unamuno en «La España Moderna» allá por los primeros meses de 1895. No debía tardar mucho en seguirle el famoso *Idearium* de Ganivet.

VI-IX

Unamuno. Ganivet

A preparar el estudio de la psicología nacional contribuyeron no poco los hispanistas extranjeros que, desede los comienzos del pasado siglo, se dedicaron a historiar la literatura castellana o a exponer y comentar sus principales manifestaciones: romancero, teatro, novela y mística, en las cuales el romanticismo triunfante pretendió descubrir cuanto apetecía de irregularidad, colorido local y pasiones extremadas y violentas. En las letras venían reflejadas con todo vigor las notas primordiales del carácter y la civilización de España; y así Ticknor y Wolff, Schlegel y Schack, pudieron ofrecer abundantísimas observaciones que trascienden de la esfera de la crítica a la de la sociología y que han sido aprovechadas después por ser escritores políticos y economistas.

De este enlace y punto de transición puede servir como ejemplo la monografía de Morel-Fatio: *Comment la France à connu et compris l'Espagne depuis le moyen âge jusqu'à nos jours,* que apareció en la primera serie de sus *Études sur l'Espagne* (París, 1888) y que contiene el más completo y en general mejor orientado resumen de las relaciones literarias entre los dos países. Claro es que estas relaciones de carácter estético dan lugar a no pocas apreciaciones de índole ética, como que, por medio de aquéllas, se ponen en contacto dos razas, dos espíritus y dos temperamentos nacionales intensamente definidos. Desde Brantôme hasta Merimée y Dumas padre, la literatura y las cosas de España no han cesado de repercutir en la nación vecina y de promover en ella atracciones y repulsiones sucesivas que pueden servir de norma para el estudio de nuestra discrepancia respecto del sentido europeísta o universal, dada la índole cosmopolita del genio francés y la representación que se atribuye de los fueros esenciales y permanentes de la humanidad. A las épocas de imitación e influencia siguieron las de diatriba y menosprecio, llevados al último límite por Montesquieu en sus *Lettres persannes* y por monsieur Masson en el famoso artículo de la *Enciclopedia*. Las vindicaciones y trabajos apologéticos que ya en el mismo siglo XVIII suscitaron, así como las que promovieron entre los jesuitas españoles expulsados por Carlos III, los escritores italianos tocados de enciclopedismo, retoñaron en la célebre polémica de Menéndez Pelayo sobre la ciencia española.

En el fondo de esta cuestión no se agitaba más que el asunto del *casticismo* o sea la persistencia en la tradición y el afán de convertir lo que fue en ley única del presente. A este tema consagró Unamuno las primicias de su pluma, disertando con peregrina abundancia de ideas, acerca de lo *castizo*, desde sus humildes manifestaciones gramaticales o de idioma hasta las más encumbradas alturas del pensamiento y de la voluntad. Su ensayo adolecía —según el mismo autor ha venido a confesar en el prólogo que le puso después— de apresuramiento y de cierta falta de ilación que comunica a alguna de sus partes el aspecto de *totum revolutum* en el cual no es siempre fácil ni asequible seguir un pensamiento fijo ni una dirección clara; pero tuvo, sin duda, el mérito de inaugurar esa corriente de psicología colectiva que se ha hecho después tan copiosa, y de proponer a los españoles, no ya exclusivamente como literatos o como artistas, sino como hombres y partícipes de la nueva cultura, el problema de su especial situación en el mundo moderno. A esta lucha «entre la tensión interior y la presión de fuera» dedicó el trabajo, en que valen mucho más los conceptos aislados y los puntos de vista fragmentarios o incidentales que el *leit-motive* o pensamiento conductor. La mentalidad española había acabado por sufrir una honda escisión: a un lado los que piden que «cerremos o poco menos las fronteras y pongamos puertas al campo», y a otro lado «los que piden más o menos explícitamente que nos conquisten».

Así, del capítulo que consagra a *La tradición eterna,* despréndese que para Unamuno la tendencia integrante castiza, que consiste «en querer enquistar a la patria y que se haga una cultura lo más exclusiva posible, calafateándose y embreándose contra los aires colados de fuera», no es propiamente vivir la vida nacional sino sobrevivirla y prolongarla de un período para otro haciendo que lo histórico prevalezca sobre lo intra-histórico, según la distinción que desarrolla prolijamente. «¡Buscar los orígenes históricos —dice— de lo que tiene raíces intra-históricas con la necia pretensión de ahogar la vida! ¡Gran ceguera no penetrarse de que la causa es la sustancia del efecto, de que mientras éste vive es porque vive aquélla!» Da, por tanto, la razón a los que sostienen que la castiza cultura española del siglo XVI debió de interrumpirse cuando la hemos *olvidado,* y se enfurece contra los que hablan con desdén «del éxito, del divino éxito, único que a la larga tiene razón aquí donde creemos tenerla todos; del éxito que siendo más fuerte que la voluntad se le rinde cuando es ella constante, cuando es la voluntad eterna, madre de la fe y la esperanza...». Entiende también cuán necesario es que los pueblos vuelvan a sí mismos haciendo examen de conciencia, estudiándose y buscando en su historia y dentro de ella la raíz de los males que padecen, que es como se purifican de sí mismos y se anegan otra vez en la humanidad eterna de la cual la historia les había ido desviando. «Por el examen de su conciencia histórica penetran en su intra-historia y se hallan de veras. Pero ¡ay de aquél que al hacer examen de conciencia se complace en sus pecados añejos y ve su originalidad en las pasiones que le han perdido y pone el pundonor mundano sobre todo!» En resumen: para hallar lo humano eterno hay que romper lo castizo temporal, ver cómo se hacen y deshacen las castas, cómo se ha hecho la nuestra y qué indicios del porvenir nos da su presente.

Esto salía a luz en enero de 1895 y revela aquel estado de «presentimiento» a que me referí, presentimiento que, como es natural, alcanzaba tan sólo a los órganos más delicados de la sensibilidad colectiva, ya que las muchedumbres no logran salir de sus dulces errores y optimismos más que cuando la fatalidad llama a nuestras puertas con estruendo. El segundo capítulo está destinado al estudio de *La casta histórica: Castilla.* Y lo mismo puede decirse del siguiente, o sea *El espíritu castellano,* investigado especialmente en las concreciones de la poesía épico-popular y del drama calderoniano. Sostiene Unamuno que de la raza española *fisiológica* nadie ha hablado en serio y, sin embargo, «hay casta española, más o menos en formación, y latina y germánica, porque hay castas y casticismos espirituales por encima de todas las braquicefalias y dolicocefalias habidas y por haber». Entiende que un pueblo es el producto de una civilización o como la flor de un proceso histórico. Trata de rejuvenecer la teoría del pacto considerando que hay en formación tal vez inacabable, un pacto inmanente, un verdadero contrato social intra-histórico, no formulado, que es la efectiva constitución interna de cada pueblo. «Este contrato libre —añade— hondamente libre, será la base de las patrias chicas cuando éstas, individualizándose al máximo por su subordinación a la patria humana universal, sean otra cosa que limitaciones del espacio y del tiempo, del suelo y de la historia.»

Continuando por estos callejones cada vez más laberínticos y conceptuosos, explica de qué manera la comunidad de intereses y la presión de mil agentes exteriores, unen las voluntades humanas en pueblo por medio de un pacto hondamente libre, ya que nace de la comprensión viva de lo necesario. «Porque si en fuerza de compenetración con la realidad llegáramos a querer siempre lo que fuera, sería siempre lo que quisiéramos.» Pasa a explicar después la romanización de España y la significación de los idiomas como abreviaturas del sistema de ideal elaborado por un pueblo o recibido de otro como herencia de una lengua madre. En este pasaje se observa cierto resabio de uno de los principales puntos de vista desarrollados por Fichte en los *Discursos a la nación* alemana. «El castellano —dice Unamuno— es un romance de latín casi puro; estamos pensando conceptos que engendró el pueblo romano: lo más granado de nuestro pensamiento consiste en hacer consciente lo que en él llegó a inconsciente.» Puntualiza después la formación histórica de España a partir de la invasión árabe y el papel que entonces cupo a Castilla. No obstante la adopción del patrón castellano como norma de la nacionalidad española, considera el autor «que ésta se ha ido españolizando cada vez más, fundiendo más cada día la riqueza de su variedad de contenido interior, absorbiendo el espíritu castellano en otro superior a él, más complejo, el español»; y, a continuación, empieza a buscar el espíritu histórico en la literatura clásica o castellana *castiza*.

* *

Pero donde alcanzan a Unamuno un mérito y una primacía indisputables es en la interpretación de ese espíritu castellano o español castizo en sus conexiones con la naturaleza y el paisaje que, por vez primera, puso de manifiesto en toda su amplitud, abriendo una corriente literaria que muy pronto se hizo copiosa y que se ha convertido en el asunto por excelencia de los escritores y poetas jóvenes. Antes que nadie nos habló de aquellos días veraniegos calurosos y ardientes, seguidos de noches frescas en que tragan los pulmones con deleite la brisa terral; de aquellos inviernos largos y duros y de aquellos estíos breves y ardorosos, justificando el dicho de «nueve meses de invierno y tres de infierno».

¡Qué hermosura, dice, la de una puesta de sol en estas solemnes soledades! «Se hincha al tocar el horizonte como si quisiera gozar de más tierra y se hunde, dejando polvo de oro en el cielo y en la tierra sangre de su luz. Va luego blanqueando la bóveda infinita, se obscurece deprisa, y cae encima, tras fugitivo crepúsculo, una noche profunda en que tiritan las estrellas... ¡Ancha es Castilla! Y ¡qué hermosa la tristeza de ese mar petrificado y lleno de cielo! Es un paisaje uniforme y monótono en sus contrastes de luz y sombra, en sus tintas disociadas y pobres de matices. Las tierras se presentan como en inmensa plancha de mosaico, de escasísima variedad, sobre la que se extiende el azul intensísimo del cielo. Faltan suaves transiciones, ni hay otra continuidad armónica que la llanura inmensa y el azul compacto que la cubre e ilumina.» Claro es que este paisaje no puede despertar sentimientos voluptuosos de alegría de vivir. No habla a los sentidos ni a la concupiscencia. No tiene el halago sensual de los climas benignos, de las vegetaciones frescas y aromosas, de las tierras crasas. «Siempre que contemplo la llanura castellana —añade Unamuno— recuerdo dos cuadros. Es el uno un campo escueto, seco y caliente, bajo un cielo intenso, en que llena largo espacio inmensa muchedumbre de moros arrodillados, con las espingardas en el suelo, hundidas las cabezas entre las manos apoyadas en tierra y, al frente de ellos, de pie, un caudillo tostado, con los brazos tensos al azul infinito y la vista perdida en él como diciendo: ¡Sólo Dios es Dios! En el otro cuadro se presentan, en el inmenso páramo muerto, a la luz derretida del crepúsculo, un cardo quebrando la monotonía del primer término, y lontananza, los contornos de don Quijote y Sancho sobre el cielo agonizante.»

Más que panteística, es monoteística la sensación de ese campo infinito, en el cual se sienten, en medio de la sequía de la tierra, las sequedades del alma. Allí vive una casta de complexión seca, dura y sarmentosa; una casta de hombres sobrios, «producto de una larga selección por las heladas de crudísimos inviernos y una serie de penurias periódicas». Son calmosos en sus movimientos, en su conversación pausados y graves, con flema y continente que les hacen parecer a reyes destronados. La socarronería es su castizo humorismo: un humorismo también grave, flemático y sentencioso como el de Sansón Carrasco batiéndose con don Quijote por burla y acabando por tomarlo en serio; como al de Quevedo en los discursos de Marco Bruto.

Todos esos y otros muchos puntos de vista, adornados y seguidos de observaciones incidentales, pero preñadas de sentido y de trascendencia a desenvolver; todo eso se adelantó al *Idearium*, de Ganivet, y a *La Tierra de Campos*, de Macías Picavea, introduciendo el problema de la psicología nacional como preocupación dominante en la literatura, en la historiografía y en la crítica. Merece recordarse su estudio de los contrastes bruscos, de los caracteres recortados y de una pieza, en el teatro de Calderón, quintaesencia de lo castizo. Su inflexibilidad ha sido como una ley de ese carácter. Es la rigidez altanera de don Rodrigo en la misma horca; es el «honor» que llega a sobreponerse a todo: a la virtud, al bien, a la conveniencia, a la honra; es la terquedad del conde de Lozano que, confesando su culpa, no quiere comprometer su opinión de hombre «honrado», es decir, irreductible, volviéndose atrás, de modo que antes se perderá Castilla:

Procure siempre acertarla
el honrado y principal;
pero si la acierta mal
defenderla y no enmendarla.

El honor es la apariencia, es el rito externo, es la imposición violenta y materialista de la buena opinión propia a los demás. Todavía perdura ese atavismo: el rufián de casino elegante, estafador y pendenciero, obtiene patentes de caballerosidad consignadas en un acta y firmadas por testigos. Las imputaciones más rigurosamente exactas se desvirtúan «exteriormente» no con demostraciones de la conducta ni por la fuerza de los hechos posteriores, sino mediante la coacción o atraco que supone el resto. Así presenta la historia de los siglos XVI y XVII aquel dualismo, extraño e inconciliable, de caballerosidad y picarismo, de honor calderoniano y de hampa, de vengadores de su honra y de Guzmanes de Alfarache. El mismo paladín o héroe romancesco alterna sus proezas famosas con rasgos de la más vulgar truhanería, dando en prenda al judío prestamista cajas llenas de plomo. En la *Política de capa y espada*, de Sellés, ya quedaba hecho el recuento de todas las deslealtades, bajezas y falsías, cubiertas con manto de honor y nobleza que forman el principal tejido de aquella historia.

También en el capítulo *De mística y humanismo* removió Unamuno el tema fundamental de tantas páginas, como posteriormente se han escrito, respecto a la epopeya teológica de Castilla y de sus aventuras y conquistas a lo divino. De tales elementos, de su persistencia, de su petrificación, resulta el *casticismo* a que el autor consagró su ensayo, y que calificaba el mismo de divagaciones deshilvanadas. Era su deseo desarrollar con mayor extensión la idea de que «los casticismos reflexivos, conscientes y definidos, los que se buscan en el pasado *histórico*... persisten no más que en el presente también *histórico*», no en el intra-histórico y vivo. Por lo mismo considera como fuente de empobrecimiento espiritual el cultivar y acentuar las diferencias de los pueblos, no subordinándolo a lo común a todos, a la tradición eterna y humana, que debe presidir y condicionar a las tradiciones escuetamente nacionales. En la intra-historia vive con la masa oscura y desdeñada el principio de honda continuidad internacional y de cosmopolitismo, el protoplasma universal humano. «Sólo abriendo las ventanas a vientos europeos —dice— empapándonos en el ambiente continental, teniendo fe en que no perderemos nuestra personalidad al hacerlo, regeneraremos esta etapa moral. Con el aire de fuera regenero *mi* sangre, y no respirando el que exhalo...»

Cuando un hombre se encierra en sí resistiendo cuanto puede el ambiente y empieza a vivir de sus recuerdos y de su *historia*, a hurgarse en exámenes introspectivos la conciencia, acaba ésta por hipertrofiársele sobre el fondo subconsciente. «Éste, en cambio, se enriquece y aviva a la frescura del ambiente como después de una excursión al campo volvemos a casa sin traer apenas un recuerdo definido, pero llena el alma de voces de su naturaleza íntima, despierta al contacto con la Naturaleza, su madre... Y así sucede a los pueblos que en sus encerronas y aislamientos hipertrofian en su espíritu colectivo la conciencia *histórica* a expensas de la vida difusa intrahistórica, que languidece por falta de ventilación; el pensamiento *nacional*, trabajando hacia sí, acalla el rumor inarticulado de la vida que bajo él se extiende. Hay pueblos que, en puro mirarse el ombligo nacional, caen en sueño hipnótico y contemplan la nada.»

Así opinaba entonces Unamuno. Entonces creía que hay que matar a don Quijote para que resucite Alonso Quijano el Bueno, «el discreto, el que hablaba a los cabreros del siglo de la paz, el generoso libertador de los galeotes»... El ensayo fue leído con gran avidez; en cada uno de sus lectores despertó alguna de aquellas ideas dormidas y preexistentes, que constituyen el éxito de los trabajos fecundos. Por las inteligencias más cultivadas y por los espíritus más finos circulaba en aquellas fechas el escalofrío que anuncia peligros inciertos y misteriosos. Una voz secreta decía, en lo más hondo de la conciencia: «eso no puede durar». Episodios como el de Melilla, tras un furor bélico postizo, dejaron una honda decepción o descontento del alma; agitaciones ruidosas, como la del submarino Peral, pusieron de manifiesto la superficialidad y vanidad del patriotismo usual, capaz de comprometer a la nación más seria y potente y de minar su solidez si de ella se amparase algún día. Todo hablaba de una existencia nacional aparatosa de por fuera, aunque débil y vacía en realidad. Todo hacía presumir un gran desencanto para el día no lejano en que esa organización y estructura debiera ponerse en contacto con lo exterior o resistir su empuje.

* *

Esta misma preocupación se comunicó muy pronto, como llevo dicho, a Ángel Ganivet, espíritu enigmático y doloroso, pero de elevada y agilísima inteligencia, que en su *Idearium español* (1896) nos ofreció un bosquejo de filosofía de nuestra historia condensado en poco más de un centenar de páginas. Unía Ganivet a la novedad del pensamiento y a una selecta preparación, el encanto morboso que acompaña a los *enfants du siècle.* Fue el último de esos hijos pródigos, de esas encarnaciones reales o poemáticas del «mal de la época», que en la literatura se llamaron Werther, Jacobo Ortiz, Antony, Rolla, y que en la vida acabaron como Gerardo de Nerval o como Larra. Fue un sentimental, sin el menor dejo sentimentalista, que escribía con llaneza, irónica a menudo, aunque exenta de furores declamatorios y de toda suerte de afectaciones pseudo-pasionales. Como todos los modernos tendía con frecuencia a la paradoja, achaque propio de las épocas de remoción ideal. Así y todo es su opúsculo un trabajo ordenado, con ritmo interior, que se distingue, por lo mismo, de los saltos y bruscas incongruencias de Unamuno. La vena de Ganivet, afluye acordadamente, pero no estalla ni se desborda ni se paraliza.

Empieza por estudiar la «constitución ideal de España» y le parece descubrir que el eje de toda ella es el estoicismo: «no el estoicismo brutal y heroico de Catón, ni el estoicismo sereno y majestuoso de Marco Aurelio, ni el estoicismo rígido y extremado de Epicteto; sino el estoicismo natural y humano de Séneca». Séneca, añade, no es hijo de España por azar, sino por esencia. Toda su doctrina se condensa en esta enseñanza; no dejarse vencer por nada extraño al propio espíritu. Cada cual tiene dentro de sí mismo una fuerza madre poderosa e indestructible, alrededor de la cual giran los hechos mezquinos del ordinario vivir. Sean como fueren, prósperos o adversos, hay que mantenerse de tal modo firmes y erguidos, que al menos se pueda decir siempre que quien los sufre es un hombre. A partir de esta base desentraña la evolución espiritual y religiosa de los españoles, desde la acción para la reconquista y el florecimiento de la escolástica, hasta la aparición del método experimental. En este punto interrumpe Ganivet sus meditaciones con unos párrafos que vienen a dar la clave de su comprensión del problema español en sus relaciones con el mundo contemporáneo.

Los que desde Bacon hasta nuestros días —dice— se han esforzado por pulimentar *nuevos órganos* de conocimiento, por seguir nuevos métodos y fundar una ciencia puramente realista y práctica, no han conseguido tampoco formar sistema planetario aparte. Sus inventos, en sentir del autor de *Granada la bella,* habrán sido útiles, habrán proporcionado al hombre ciertas comodidades no del todo desagradables, como el poder viajar deprisa, aunque sea para llegar al mismo punto donde se llegaría viajando despacio. Pretendiendo destronar la metafísica han venido a servirla y favorecerla. Quien inventa el telégrafo o el teléfono no destruye las «viejas ideas»; no hace sino trabajar para que circulen con más rapidez, para que se propaguen con mayor amplitud.

Y añade textualmente: «Hallábame yo un día en el Museo de Pintura de Amberes contemplando, me parece que la cena de Jordaens, cuando vi llegar en busca mía a mi criada, una flamenca sana y mofletuda, trayéndome una chapita de esas que a la entrada de los museos dan a cambio de los bastones y paraguas. Sin esfuerzo se habrá comprendido que debí salir de casa con buen tiempo, que después comenzaría a llover, cosa que en aquel país ocurre casi todos los días y que mi excelente maritornes tuvo la atención de traerme un paraguas. Así fue; y sucedió también que cuando salí del Museo había cesado de llover y me volví con el paraguas debajo del brazo. Y entonces se me ocurrió una idea que ahora ha vuelto a reaparacer en mi memoria y que me ha parecido venir aquí muy a cuento. Se me ocurrió que en aquel suceso vulgarísimo yo había representado, no por méritos propios, sino por un efecto de perspectiva circunstancial, la fuerza perenne del ideal que está en nosotros, y que mi criada había, sin saberlo, ejercido de ciencia experimental y práctica. Yo aplaudo a los hombres sabios y prudentes que nos han traído el telescopio y el microscopio el ferrocarril y la navegación por medio del vapor, el telégrafo y el teléfono, el fonógrafo, el pararrayos, la luz eléctrica y los rayos X; a todos se les debe agradecer los malos ratos que se han dado, como yo agradecí a mi criada, en gracia a su buena intención, el que se dio para llevarme el paraguas; pero digo también que cuando acierto a levantarme siquiera dos palmos sobre las vulgaridades rutinarias que me rodean y siento el calor y la luz de alguna idea grande y pura, todas esas bellas invenciones no me sirven para nada.»

En esta anécdota se contiene, a la par un hecho histórico y una teoría personal de acuerdo con la esencia íntima del alma castellana. Hecho histórico: la esterilidad de los españoles para las ciencias de observación, esterilidad que no es preciso argumentar siquiera. Teoría: la suposición que esta es ley de su destino y que no cabe variarla ni modificarla, pudiéndose leer entre líneas el deseo de fortalecerla, como reacción castiza contra las presiones exteriores. Páginas más adelante insiste Ganivet en esta preocupación que viene a ser como el motivo central de su libro. Observa que, según testimonio de la historia, hay muchas maneras de servir al ideal y que para ello se ha establecido espontáneamente una sana división del trabajo. Los hebreos fueron un pueblo religioso; los griegos, artistas; los romanos, legisladores.

La vida de una nación presenta siempre una «apariencia» de integridad de funciones; más, conforme transcurre el tiempo se va notando que todas las funciones se rigen por una fuerza dominante y céntrica donde pudiera decirse que está alojado el ideal de cada raza. Entonces comienza a distinguirse el carácter de las naciones y el papel que han representado con más perfección. «A la vista está nuestro desvío de las ciencias de aplicación; no hay medio de hacerlas arraigar en España, ni aun convirtiendo a los hombres de ciencia en funcionarios retribuidos por el Estado.» Y no es que no haya —continúa— hombres de ciencia; los ha habido y los hay; pero *cuando no son de inteligencia mediocre*, se sienten arrastrados hacia las alturas donde la ciencia se desnaturaliza, combinándose ya con la religión, ya con el arte. Así Castelar convierte la historia en declamación épico-oratoria; Echegaray aplica a los números el espiritualismo de los antiguos pitagóricos y Letamendi habla de medicina como un filósofo hipocrático. De donde es posible concluir que nuestra índole es esencialmente espiritualista, esto es, religiosa o artística y, por lo tanto, desdeñosa de la acción y hostil a la civilización práctica.

En lo dicho radica, precisamente, todo el problema de la restauración. No está el daño en la carencia histórica de esa cultura positiva, ni en la falta de tradiciones y precedentes por lo que respecta a las ciencias de aplicación; está, mucho más, en la persistencia del desdén íntimo con que las tratan y motejan los más finos representantes del pensamiento castizo, como Ganivet. Bueno es ser sobrios, pero no por necesidad sino por virtud. Desdeñar el oro que se acumula mediante el trabajo silencioso y de todos los días, es algo que no se compadece con irlo a buscar en pepitas y por conquista al Perú. Yo no sé ver tampoco que esos pueblos europeos que han producido la moderna civilización material o práctica carezcan de ciencia especulativa. Allí donde esa civilización florece, florece también lo otro. No hay invento de aplicación al cual no haya precedido el descubrimiento de una verdad pura, ni todas las ciencias de observación son ciencias utilitarias. ¿Puede darse quijotismo ni desinterés aristocrático comparable al de la astronomía, que se reduce a satisfacer el divino apetito de la curiosidad y por sólo este concepto es de índole tan elevada como la metafísica?

Además hay no poco que objetar respecto a la especialidad de la misión histórica, que parecen señalar a España las íntimas aficiones de Ganivet. Por encima de cada índole nacional está el espíritu de la época. Ya en otra ocasión hube de recordar que no se halla en poder de ningún pueblo, y mucho menos de nosotros, la facultad de detener los principios generales que integran ese espíritu. La ciencia práctica y la civilización material, no forman una cultura; pero son el instrumental, el *outillage,* el antecedente necesario y *sine qua non,* para tenerla y consolidarla en nuestra época. El abecedario no da por sí mismo ninguna noción pero es la clave primera para llegar al fondo de todas las nociones. La época actual se caracteriza y separa de las anteriores, precisamente por el predominio de cierto sentido como universal y por la tendencia a un nivel medio, que son repercusiones morales del hecho, groseramente práctico, representado por el aparato Morse, la locomotora y el trasatlántico. *Primum vivere, deinde philosophare.* Para filosofar hay que vivir y para vivir hay que adoptar el armamento necesario a nuestra defensa. No cabe más que aceptar esa civilización industrial o imponer al mundo el desarme industrial.

* *

Como se ve, el «motivo céntrico» de las ideas de Ganivet es la restauración de la vida espiritual de España. Si España quiere recuperar su puesto —dice en otro lugar —ha de esforzarse para restablecer su propio prestigio intelectual y luego para llevarlo a América e implantarlo *sin aspiraciones utilitarias.* «Cuando tuvimos necesidad de construir ferrocarriles y fue conveniente conceder franquicias aduaneras al material de construcción, no atendimos al perjuicio que sufriría la industria metalúrgica nacional; paréceme que la conservación de nuestra supremacía ideal sobre los pueblos que por nosotros nacieron a la vida, es algo más noble y trascendental que la construcción de una red de ferrocarriles.» Cierto es que, en las páginas del *Idearium*, se confunde a menudo el concepto de «vida utilitaria» con el de «engrandecimiento territorial». Todo lo que dice acerca de este último es justo y de inestimable valor y perspicacia. Para Ganivet hay que adecuar las empresas de dicho linaje a la potencia del motor. La grandeza o pequeñez de las naciones no depende de la extensión del territorio ni del número de habitantes. Bajo la casa de Austria, España fue una nación inmensa, inadecuada al combustible que debía alimentar su fuego, y por serlo cayó en la postración y la parálisis; en tiempo de Carlos II, fue como una ballena muerta flotando en el mar e interceptando el paso de los navegantes. En cambio unas cuantas provincias desligadas de ese imperio, las Provincias Unidas, gobernadas hábilmente por Guillermo de Orange se constituyeron en centro político de Europa y contrarrestaron la omnipotencia francesa.

No menos atinada y fecunda es su apreciación del estado *amorfo* en que se presenta en España el sentido nacional. «El sentido sintético —la solidaridad, podríamos decir empleando una fórmula más moderna— es en la sociedad y en particular en quienes la dirigen, la capacidad para obrar conscientemente, para conocer bien sus propios destinos.» Hay naciones en las que se observa, por encima de las divergencias secundarias, una rara y constante unanimidad para «comprender sus intereses». Esta comprensión parece tan clara como la que puede tener un individuo, que, en un momento cualquiera, recordado su pasado y examinando su situación presente, se da cuenta precisa de lo que es y de lo que puede aspirar a ser. Por el contrario, en otras sociedades predomina sobre la solidaridad el partidismo, como sobre un individuo la falta de fijeza o la veleidad de aspiraciones. En el uno y en las otras, falta el entendimiento agente, la energía interior que ha de fundir los intereses parciales en aspiración genuinamente nacional. De aquí la «abulia», el «noquerer»; lo que más tarde llamarán «falta de pulso» los estadistas que se esfuerzan por encontrarlo, resultando de todo ello no sólo la renuncia de la acción o la debilidad e impotencia para acometerla, sino la perplejidad entre las direcciones diversas que se ofrecen a su porvenir.

Ello no obstante, Ganivet tiene fe en el porvenir espiritual de España y aun se declara exageradamente optimista en este punto. «Nuestro engrandecimiento material nunca nos llevaría a obscurecer el pasado; nuestro florecimiento intelectual convertirá el siglo de oro de nuestras artes en una simple anunciación de este siglo de oro que yo confío que ha de venir.» Para ello asegura que tenemos lo principal, el hombre, el tipo. Sólo falta que se decida a poner manos a la obra. No confía en la aparición de un genio, de un hombre providencial: «un genio sería una cabeza artificial que nos dejaría luego peor que estamos.» Así como Ulises es el griego por excelencia, el Ulises castellano es don Quijote. «El tipo se ha purificado más aún, y para poder moverse tiene que librarse del peso de las preocupaciones materiales descargándolas sobre un escudero; así camina completamente desembarazado y su acción es una inacabable creación, un prodigio humano, en el que se idealiza todo cuanto en la realidad existe, y se realiza todo cuanto la mente concibe.» Robinsón, es otro Ulises, para el autor del *Idearium*, pero muy rebajado de talla. «Es ingenioso solamente para luchar con la naturaleza; es capaz de construir una civilización material; es un hombre que aspira al mando, al gobierno *exterior* de otros hombres, pero su alma carece de expresión y no sabe entenderse con otras almas. Sancho Panza, después de aprender a leer y escribir, podría ser Robinsón; y Robinsón en caso de apuro, aplacaría su aire de superioridad y se avendría a ser escudero de don Quijote.» En resumen, concluye Ganivet que, así como para las aventuras de la dominación material muchos pueblos de Europa son superiores a los españoles, para la creación ideal no hay ninguno con aptitudes naturales tan depuradas.

Tal es la más genuina representación del moderno espiritualismo racionalista, por lo que afecta al problema español. ¿Discrepa mucho esta concepción de la que han venido manteniendo los más extremos representantes del tradicionalismo puro? ¿Es acaso menos misoneista, por venir apoyada en argumentos libres y de apariencia moderna, por revestir una forma de peregrina novedad, por lucir el adorno de mil y mil ideas inesperadas o insólitas? La situación de espíritu de Ganivet, viene a ser la misma de Valera: desdén aristocrático, velado por tenue ironía, hacia cuanto constituye la base de la vida contemporánea. Así que sus ideas, observaciones y reticencias se resuelven en unidad sentimental, se hace patente e inequívoca la incompatibilidad de humores entre el espíritu de nuestra época y el espíritu delicadamente castellano. Recuerda uno, sin querer, al noble de abolengo, obligado a vivir en el seno de una sociedad igualitaria: a lo sumo se resigna, pero es imposible que se convenza. Guardada en el centro del alma la nostalgia de otros días, contrayendo sus labios una imperceptible sonrisa de superioridad, templada en elegancia y buen tono.

En esta profunda y secreta inadaptación entre quienes se consideran asistidos de la superioridad de gracia y quienes no admiten más que la superioridad del esfuerzo, entre los hereditarios y los activos, radica el principal encanto de los jóvenes escritores de Castilla. La tradición castellana persiste en ellos, a pesar de ellos. Sus visiones más claras se enlutan con una sombra tenue. En lo más hondo de sus páginas, la alegría sofoca el llanto. Se sienten, como el pueblo de donde surgen, en divergencia con el mundo actual: no es este el siglo de tal nación, o no está la nación hecha para este siglo. Han venido también demasiado tarde en un mundo demasiado viejo. Comprenden el terrible dilema: hay que hacerse como el mundo es ahora, y contra tamaña desnaturalización protestan las más íntimas raíces del temperamento; o hay que hacer al mundo como quisieran que fuese, esto es, a su propia imagen y semejanza, y no se reconocen preparados ni armados para una empresa tan descomunal y utópica. De este oculto manantial brota la «tristeza castellana» y esta es la innegable belleza lírica del momento. Este es el dolor, este es el temblor poético que renueva actualmente las letras castellanas, entrevistos y anunciados por Unamuno y plenamente revelados y traídos al estado de conciencia por Ganivet.

En vano el desastre llamaba ya a nuestras puertas en los momentos de esta revelación. En vano se interrumpió el triste monólogo del alma castellana, con la gritería bronca de las recriminaciones, fulminadas por todos contra todos. En vano hicieron explosión, como volcanes preñados de lava hirviente y la arrojaron en catarata sobre las cuatro vertientes de la península, dos inteligencias poderosísimas que, al choque de la desgracia de su pueblo, enfermaron de santo amor a la patria. Consideraron que el único camino a tomar era el de la adaptación al mundo, incluso como medio de conseguir que algún día el mundo se adaptara a nosotros. La excitación fue pasajera; se hizo un alto breve. Pero bien pronto la levadura secular y el impulso hereditario recobraron sus fuerzas. La lava hirviente se enfrió y petrificó sobre las laderas; y de aquellos dos grandes enfermos del amor a la patria, el uno murió a la vida y el otro a la acción y la esperanza. Tal fue la corta aventura de Ricardo Macías Picavea y Joaquín Costa. Apenas queda huella visible de su paso. Mucho más permanente que la suya ha sido la influencia de Ganivet, sin duda porque el delicado pensador granadino no era una reacción, sino una emanación nacional; porque no era un reformador, sino un continuador de la corriente, tan exquisito y elevado como se quiera, pero un continuador, de la misma suerte que ha acabado por serlo Unamuno.

Observa Martín Hume en *The Hispanish People* que ningún rey ha sido más querido ni llorado de su pueblo que Felipe IV. ¿Qué importa que bajo su cetro se consumara la decadencia de la obra fundada por los reyes católicos, que se perdieran Portugal y el Rosellón, que se cercenara en todas partes el dominio de España y que el esplendor de la vasta monarquía se convirtiera en ludibrio y vergüenza? El rey era indolente como el pueblo que le rodeaba, dado a los placeres, a la literatura de madrigal, a los espectáculos teatrales y a las justas y toros. Estaba al mismo nivel medio y era como resumen y prototipo de la sociedad que presidía, la cual hallaba en el monarca su propia imagen. De otras popularidades semejantes pueden encontrarse ejemplos en la historia y en la vida, atribuibles a razones igualmente frívolas o de correspondencia entre el príncipe y su tiempo. Esto viene a restringir la extensión que algunos sociólogos y especialmente Tarde quieren dar al principio de la imitación, por medio del cual opera el grande hombre. Si no existe adecuación previa entre ese grande hombre y su pueblo, ¿qué será de su obra? ¿Qué hubiera sido de un Cromwell en la España del siglo XVII o de un Bismarck en Rusia? Los grandes hombres parecen ser condensaciones misteriosas y obscuras del alma de su pueblo. Si el pueblo no tiene aspiración a la vida ni a la mejora, rechaza al hombre superior que quiere sobreponérsele; lo deja sólo. Así vemos alternativamente a esos genios, convertidos unas veces en caudillos u organizadores que llegan al triunfo y otras veces en profetas que increpan y maldicen a las ciudades indóciles y a las muchedumbres extraviadas por caminos de perdición.

X

El ambiente de 1898

Si el lector se transporta imaginariamente a los
rimeros meses de 1898 y procura reanimar en su
emoria el conjunto de emociones y ansiedades su-
remas que tuvieron en continua agitación al espí-
tu público; si se traza un bosquejo abreviado de
quellos días y un resumen de su propio estado de
ma en presencia de tan graves y luctuosos aconte-
mientos, sin duda afirmará y robustecerá la con-
encia de haber asistido a una gran fecha histórica
a una crisis trascendental. Jamás habrá sido tan
vidente el divorcio entre la opinión superficial (es-
ita o parlamentaria) y la verdadera opinión.
stá todavía por hacer el estudio analítico de las
usas que nos arrastraron a la guerra con los Es-
dos Unidos y del verdadero sentimiento nacional
n que se asistió a ella. Casi todo el mundo se sen-
a prisionero de la opinión de los demás. Casi todo
mundo veía claro y obraba torcidamente, que tal
el efecto de rendirse a la preocupación y de sacri-
car la honrada sinceridad a aquellos ídolos y ficcio-
es, engendro de un ambiente viciado, que imponen
mismo a los individuos que a los pueblos su in-
portable y funesta tiranía.

Así, vimos entonces a los gobernantes exculpán-
se con la presión irresistible de la corriente po-
ılar; al pueblo protestando de la sugestión optimis-
en que le tuvo la prensa; a los periodistas escu-
ndose en la imposibilidad de afrontar y resistir
movimiento de opinión por ellos mismos alimen-
do y producido; a todos revolviéndose contra todos,
mo si se sintieran simultáneamente víctimas de
recíproco engaño. Pero sí, fue deprimente y ¿por
ıé no decirlo? vergonzosa la primera impresión y
estuvo el desconsuelo inmediato a la altura de la

catástrofe; de la misma sacudida, del mismo dolor, del mismo coro de recriminaciones, del mismo revulsivo aplicado a nuestras carnes por la adversidad, surgió un momento de profunda belleza. No hubo ciudadano en cuyo espíritu no germinara una secreta esperanza. Por un momento se vio claro. El rayo de aquella tempestad iluminó súbitamente todo el panorama de la historia de tres siglos, haciendo ver cuanto hubo en ellos de desviación insensata y tan insensata como perseverante. A la luz de aquel relámpago apareció el verdadero camino, del cual andábamos torcidos y distantes, y el espíritu español quedó orientado momentáneamente para rectificar su falsa dirección y recobrar la verdadera. De suerte, que en muchas y muy preclaras inteligencias aquella gran tristeza se resolvió en exaltación y alegría inconfesada, como si el desastre material fuese el último sacrificio, la última prueba y el último azote de la mano de Jehová, precursores de un éxodo final y glorioso.

«O ahora o nunca» era la convicción que estaba en todos los corazones y en todos los labios. Ni los más perspicaces ni los más escépticos se substrajeron a la fascinación del instinto y a la insólita y augusta solemnidad del momento. Acababa de cerrarse para España el ciclo de la epopeya imperial, motivo de disipación para sus fuerzas, desproporcionadas a la magnitud de sus dominios. Tendría que concentrarse y replegarse ahora sobre el viejo solar nativo, convirtiéndose a la vida intensa para recuperar la distancia perdida, en la obra de su progreso interior, respecto a la normalidad de los pueblos de Europa. Rectificaría sus errores tradicionales, sus prejuicios de casta elegida y su épica, pero suicida, terquedad de «defenderla y no enmendarla» puesta en evidencia tantas veces, siempre en constante progresión, desde Flandes hasta Cuba. Un rico tesoro de experiencia guiaría ahora su política, no por veredas de inflexibilidad e intransigencia seguidas de continuo por desprendimientos y fracasos,

ino tomando vías de amplitud, tolerancia de espí-
itu y sentido moderno opuesto a las altiveces quis-
quillosas del sentido calderoniano. Todo esto flotaba
n la atmósfera y en las conciencias durante la segunda mitad de 1898, con fuerza imperativa e irre-
istible. Todo esto estalló, simultáneamente, en artículos, discursos, improvisaciones y folletos de circunstancias, haciendo creer y esperar que, por últi-
no, saldría la conciencia nacional de su estado *amor-*
o, tantas veces deplorado, y cristalizaría en un ideal
oderoso, joven y homogéneo, integrando en él la
portación de aquellas zonas geográficas y de aque-
las modalidades étnicas que no tuvieron influencia
erceptible en la antigua dirección y que oscilaron
ntre la pasividad y la protesta.

Que aquel era el momento providencial para esa
oñada restauración o palingenesia, leíalo todo espa-
iol en el fondo de su alma. Los signos no podían ser
nás inequívocos ni las confesiones más claras. Por
n instante obró la gracia incluso sobre los corazo-
es obstinados en la vieja y falsa patriotería. ¿Quién
o recuerda aquellos artículos, como por consigna
oincidentes y simultáneos, en «El Resumen», en el
Heraldo» y en «El Imparcial»? «Sinceridad», pedía
l primero, como ley y norma de la conducta en lo
orvenir; esto es, profesión de decir constantemente
a verdad a las muchedumbres y de no fundar la
ida de la nación sobre vanidades ruinosas y ficcio-
es criminales. «Leyenda acabada», gritaba el últi-
no, a conciencia de que las tristísimas e inultas jor-
adas de Cavite y de Santiago no suponían simples
eveses de la fortuna militar ni pasajeros eclipses
le la buena estrella, sino definitivo y solemne de-
rumbamiento de una edad, de una decadencia, de
n sistema de ideas, de toda una psicología discor-
lante con los tiempos nuevos y con las realidades
le la vida contemporánea. Una general y sorpren-
lente coincidencia hacía proclamar las mismas ver-
lades a los más distantes espíritus, según la anticua-

da nomenclatura partidista, saliéndose todos de l
demarcación acotada por el doctrinarismo a cord
para entrar en regiones, antes desconocidas, de fra
queza, amplitud y libertad de criterio.

Tales síntomas parecían anunciar una próxim
condensación, un concierto de voluntades, una inve
cible solidaridad española. Sólo un residuo insign
ficante quedó excluido de la sacudida y tomó p
depresión y abatimiento lo que, en el fondo, const
tuyó un momento, acaso único, de vitalidad y exalt
ción. No: *el Sursum corda* no fue, ciertamente, N
ñez de Arce quien lo cantaba, aferrado a la últim
petrificación, a la última fosilización, de un ideal e
tinguido. Cantábanlo, por el contrario, esos «pertu
bados» de elocuencia restallante y deuteronómic
que agotaron su vida en la agitación espiritual
España y en la flagelación de un cuerpo exánim
para excitar en él, despiadadamente, la sensibilida
y el ritmo circulatorio, amenazados de definitiva p
rálisis. Se da el caso, verdaderamente antinómic
de sonar a elegía y a difunto el *Sursum corda*
Núñez de Arce, de parecer un canto funeral y no u
himno de despertamiento y esperanza; mientras s
pla sobre las páginas de *El problema nacional* y
los manifiestos de la Cámara agrícola de Barbastr
no sé qué aliento poderoso de voluntad, de convi
ción y de entusiasmo, que triunfan de la acritud
las reconvenciones y que convierten lo acerbo de l
diatribas en acicate de nuevos y no probados hero
mos.

Y, ahora, después de haberse situado el lector
el ambiente de aquel año memorable, salte uno, do
cuatro, seis años; fije su atención, por vía de eje
plo, en 1905 y compare situación con situación, es
ritu con espíritu. ¿Hubo depresión entonces o la h
ahora? ¿Fue más temible aquel espasmo que la se
ción y estado comatoso que siguieron después? ¿E
más enervante aquel pesimismo que la actual conf
midad y franca reincidencia? Sumamente más

puesta que la hipocondria es en la vida de los pueblos la *insoucience* o inconsciencia de los peligros. Una calma aparente obra el efecto de engañarlos y hacerles creer en su absoluta curación. Todo aquel plan que pareció indispensable para devolverles salud y agilidad, con sólo el reposo parece haberse hecho innecesario. Sentados en la butaca nos sentimos bien; no pensamos en que no depende únicamente de nosotros el mantenernos en inmovilidad perpetua. El día en que una amenaza nos obliga a la actividad, entonces sabemos cuanto significa el tiempo perdido y la imposibilidad de recuperarlo.

He vuelto a leer ahora por su orden cronológico casi toda la producción político-literaria de aquellas fechas y que será la materia de esta segunda y última parte de mi trabajo. * Se ha hablado mucho de la restauración alemana, después de Jena y Austerlistz; se ha glosado, expuesto, ponderado y traducido la campaña patriótica de Fichte y de los contemporáneos que le precedieron o secundaron: Schleirmacher, Arndt, Juan Pablo Richter. Ella tuvo la fortuna de encontrar un pueblo dispuesto a hacerla suya, absorberla y actuarla. Este pueblo no había podido resistir a Napoleón y cayó pisoteado por sus mamelucos; no había podido resistirle como España en el Bruch, en Zaragoza y en Bailén, cuyo asombro no dejó de influir en aquellos grandes restauradores de la energía germánica; pero a la acción perentoria y violenta de la resistencia, sustituyó la labor oscura, abnegada y tenaz del trabajo pedagógico. Y confió al mañana, con certero instinto, la vindicación y el triunfo.**

* En el caso de que escribiera la segunda y última parte que anunció, no ha sido localizada en ninguna de las publicaciones en que normalmente colaboraba. (G. M.)

** Artículos publicados en «La Vanguardia» de Barcelona, del día 17 de agosto al 26 de octubre de 1907.

LA ELEGÍA CASTELLANA

Si tratásemos de precisar el carácter de las letras castellanas en este último período, la nota común pudiera reducirse a la de una interminable elegía, diversificada en todos los tonos, parafraseada y glosada según todas las direcciones y matices de la inspiración individual. Lírica, novela, miscelánea, alto periodismo, son voces diversas que se resumen en un coro solemne, en un inmenso adiós, en un canto de añoranza, en una despedida dolorosa. ¿Quién es la ausente? ¿Quién inspira y nutre esa divagación arqueológica? Acaba de repetírnoslo ahora uno de los más escogidos y vigorosos representantes de la nueva generación: don José María Salaverría, en su reciente libro *Vieja España.* La dama de todos los pensamientos en esa España pretérita, esa España cristalizada literariamente, históricamente, subjetivamente, en la fantasía de los artistas, de los historiadores, de los poetas y de los viajeros curiosos. La España real y contemporánea, de nuestros días, la España real y contemporánea que otros tiempos han cedido a su puesto, en la mente de aquellos literatos, a una proyección abstracta e incorpórea que se condensa en dos o tres párrafos sobre el romancero, sobre la mística, sobre los conquistadores de América, sobre las llanuras castellanas y su conexión con el ideal de los pobladores, sobre la pobreza, la sobriedad, la maceración y el heroísmo.

Vieja España de Salaverría, viene a continuar el tema iniciado con Unamuno y Ganivet, seguido por Azorín en *Alma castellana* y sostenido por todos los escritores jóvenes como preocupación latente en sus versos y en sus prosas. Todos parecen mantenerse vueltos de espaldas a lo porvenir, de cara a lo pasado. Mejor dicho: de cara a una imagen probablemente convencional, y desde luego incompleta de ese pasado, a la cual piden la fórmula de una futura redención. Aquella obra es un nuevo capítulo de la gran elegía a que me referí, como lo era, no hace mucho, *Tierras altas*, de Argamasilla; como lo había sido el «itinerario de don Quijote», de Martínez Ruiz; como lo fue también, a su modo, *Tierra de Campos*, de Picavea; como lo son las *Poesías*, de Unamuno e infinidad de páginas sueltas de cuanto libro se publica en Madrid a estas horas. Ni en los momentos del más agudo romanticismo se había observado en Castilla un mayor retorno a las viejas raíces nacionales; de suerte que no pocos de estos elegíacos, en general incrédulos o librepensadores, parecen darse la mano con los apologistas del siglo XVIII contra la Enciclopedia y con los impugnadores de la heterodoxia de las Cortes de Cádiz: con Forner, el P. Sarmiento, el P. Vélez o el P. Alvarado.

Y no obstante: así como estos últimos escribieron estimulados por la agresión del espíritu francés, la reacción españolista de nuestros días tiene mucho de ingerencia o reflejo de una concepción literaria extranjera. Acaso fuera posible demostrar que el actual momento elegíaco y de evocación de la España antigua, es un contagio, una inoculación literaria que debemos a Mauricio Barrés, a Verhaeren, a Rodembach y a los demás escritores hispanizantes, que, atentos a un criterio nudamente *artístico*, buscando lo exótico y pasional, han sublimado, a guisa de espectadores de un momento, lo que rechazarían acaso a título de gobernante, de moralistas o de partícipes. La antigua España regocijada o pintoresca de Dumas, Gautier y d'Amicis, la misma España violenta de Merimée, ha sufrido a través de aquellos espíritus una nueva refracción, saliendo transformada en país negro, en país trágico y sombrío, solar del amor y de la muerte; nido de los famosos «aguiluchos» y conquistadores del oro, en los *Trophées*, de Heredia; patria de austeros y terribles capitanes, de lívidos inquisidores, en las páginas iracundas de Ives Guyot; tierra de pobreza noble, de majestuosa mendiguez, de altanera hidalguía, de obstinada y orgullosa renuncia a toda preocupación grosera, a toda labor servil, a toda vida práctica, abundante y regalona.

De aquí ha venido a extraerse una filosofía de la historia nacional susceptible de ser explicada en breves términos: existe en Castilla una nativa incapacidad o repugnancia para la ciencia útil y para el sentido económico de los pueblos modernos, pero mantiene una sublime predisposición para los heroísmos y caballerías a lo humano y a lo divino. La dirección que se desprende de tal concepto es bien clara: guerra y ascetismo. Y esto es lo que viene a predicar la legión de nuevos restauradores, vascongados en su mayoría, sin duda para acreditar aquella observación de Costa según la cual el vascongado representa el alcaloide, el principio simple y esencial del carácter castellano. ¿Guerra? ¿Contra quién? ¿Para qué? Contra nosotros mismos, entre nosotros mismos, para desperezarnos: algo así como una flagelación con que avisar los ímpetus vitales decaídos. ¿Ascetismo, mística? ¿De qué religión, de qué divinidad, de qué teología, si a todas las habéis declarado igualmente vanas, usurpadoras y mendaces? No falta quien vea en todo ello como una defensa o movimiento automático contra la «europeización» que había de redundar, según explican, en menoscabo de la personalidad tradicional y heredada. Por mi parte, me parece descubrir en esa literatura elegíaca mucho más de importado que de espontáneo y directo y como una tendencia a parecerse al retrato y a modelarse sobre el retrato. Así como ha podido dudarse si la caricatura había copiado los chulos que tenía a la vista o si los chulos han copiado la caricatura, de la misma manera, también, debemos preguntarnos si vamos a moldear la vida sobre la imagen adulterada y acentuada por el arte extranjero, que alimenta sus fruiciones en los países de «color local» definido y fuerte.

Creo que el pensamiento castellano, si bien solicitado en gran parte por la introspección o análisis psicólogo que siguió a la derrota, ha obedecido en una parte mayor todavía a la moda literaria o al gusto y diapasón que le llegaba de más allá de los Pirineos, dedicándose a divagar y sutilizar sobre lo que dice el silencio en los campos de Montiel y el eco en las desiertas ciudades que agonizan. Ha respondido a una sugestión exterior, casi a una receta, hasta tal punto que los «clarines» de Chocano y los «paladines» de Rubén Dario, que han vuelto a vibrar y galopar en metros castellanos, proceden de París por vía de América y traen un esplendor de España heroica visto a través de Heredia o de Víctor Hugo. La forma rítmica es nueva, pero la visión desciende en línea recta de la *Leyenda de los siglos* o de los *Trofeos*. Una posición muy semejante podríamos descubrir en los «asuntos» pictóricos de Zuloaga. En el mismo libro que ha dado ocasión a las líneas que preceden, adviértese esa distinción entre el españolismo espontáneo de Galdós, que ha escrito un prólogo lleno de maravillas, y el españolismo «deseado», artístico y preconcebido del señor Salaverría, con todo y ser tan notables y bizarros sus apuntes, paisajes y contemplaciones.

En Galdós y sus recuerdos de Burgos, Medina del Campo, Madrigal o el castillo de la Mota; en sus esbozos rápidos de figuras como Juan II, Isabel la Católica, el pastelero Espinosa y «El Tostado», diríase que fluye por sí misma la tradición, con encantador olvido de toda tendencia. Es la tradición que no se ha interrumpido, que continúa, que mana deliciosamente y en grato abandono; mientras en las páginas de los nuevos españolistas se advierte el esfuerzo de la interrogación y la violencia con que palacios y templos, retablos y estatuas, ruinas y paisajes, aldeanos y pastores tienen que responder a un interrogatorio o cuestionario para declarar, en suma, que conocían al Cid, a doña Jimena y a Alonso Quijano el Bueno, y que ha llegado la hora de sacarlos otra vez a pasear por el mundo. La emoción poética se convierte en alocución patriótica y en frenesi de visionarios y casi de misoneistas.

¿Será cierto que exista esa incapacidad radical, que divulgan los modernos elegíacos castellanos, entre la España neta y la vida contemporánea? ¿Lo que ha sido manifestación histórica aislada, ha de predominar *in aeternum*? ¿Se ha de persuadir a la muchedumbre de aquellas tierras nobles que toda resurrección, fuera del misticismo, o las empresas militares, le está vedada, y que sólo por estas vías podrá recobrar un puesto en el mundo? Considero que esta dirección es errónea, funesta; y que lo es igualmente para los fueros de la vida y para los fueros del heroísmo. Unos y otros reclaman ahora la base de la autoproducción, el bastarse los pueblos a sí mismos, el crearse todos los días a sí mismos. No se combate ya en ningún terreno, ni con armas alquiladas ni con cuerpos mercenarios y aventureros. A un pueblo no le basta el valor ni siquiera la compleja armadura de los tiempos nuevos. Ha de costeársela y fabricársela por sí mismo. Fuera de esto, todo resultaría ficción y falsedad. La victoria podrá decidirse en el campo de batalla, pero se preparara en el taller, en la escuela y en el laboratorio. Acaso sea nuestro país el único del mundo en que tengan que repetirse a diario cosas tan triviales.*

* Publicado en «La Vanguardia» de Barcelona el día 7 de diciembre de 1907.

LAS LETRAS CASTELLANAS EN 1907

I

Al esbozar este resumen de las letras castellanas en el año que acaba de transcurrir, vuelvo los ojos hacia mis primeros y felicísimos días de lector, cuando toda página y todo verso eran pasto insuficiente a mi avidez y se apoderaban de mi sensibilidad con plena eficacia. Aquella antigua voracidad se fue calmando poco a poco hasta trocarse en inapetencia y desvío. La misma abundancia de la provisión lejos de estimular el hambre, sólo consigue después, andando el tiempo, anticiparnos los horrores de la hartura. Así, los lectores más intrépidos se van haciendo, por proceso natural, descontentadizos, displicentes y regañones hasta parecer misoneístas y rutinarios.

Encontrámonos ahora, por ejemplo, en presencia de una innegable renovación. El ardor juvenil, la ingenua petulancia de algunos de los reformistas quieren dar a esta renovación un alcance y radicalismo que jamás alcanzaron otros movimientos análogos en las incesantes mareas de la historia. La vanidosa ilusión de creer que con uno mismo empieza la edad de oro de un arte o se inauguran los anales de un pueblo, ha retoñado millares de veces en nuestro viejo planeta. El error *autocéntrico* ha sido expiado sin cesar, y sin cesar ha surgido de nuevo, con ímpetus cada vez más agresivos y olvidados de las pasadas experiencias. La mía personal, aunque tan limitada y modesta, ya pudo enriquecerse antes de ahora con una observación parecida y seguir, desde sus comienzos, la trayectoria de otro «modernismo» empeñado en hacer, como el actual, tabla rasa de los valores estéticos tradicionalmente admitidos.

No se necesita ser viejo ni siquiera maduro para recordar la renovación —que hoy nos parece vaga y remotísima— del naturalismo, evocando sus intransigencias, diatribas y desdenes para cuanto constituía entonces el estado actual y posesorio. Lo que debieron sufrir de la flamante doctrina de Medan los restos amortiguados y decaídos del segundo romanticismo castellano, eso mismo purgan ahora los supervivientes de la generación naturalista, acosados no ya por el desdén sino por el desprecio, por el olvido majestuoso de los innovadores *dernier cri,* atentos a producir «la mejor epopeya de este año» y «la mejor filosofía de este mes». Esto mismo podrá dar a muchos de los actuales la norma de su futuro crédito y un anticipo de los rigores y aun de las injusticias con que, muy probablemente, habrá de tratarles su posteridad inmediata.

En ningún género puede observarse como en la lírica ese afán de novedad y de originalidad, que tiende a romper bruscamente con la tradición próxima y a borrar toda huella de imitación o influencia por parte de las reputaciones consagradas durante el período anterior. Núñez de Arce: he aquí el enemigo. La rotundidad sonora, la versificación oratoria y cuadrangular, las amplificaciones tribunicias, el patriotismo de arenga, los asuntos recortados y sin misterios, gradaciones ni penumbras; la bruñida perfección semimetálica que se resuelve en no sé qué prosaísmo final..., nada más lejos de este momento vagoroso y tenue, perpetuado en la antología que lleva por título *La corte de los poetas.* Bajo esta constelación empezó el año que acababa de transcurrir; y toda la cosecha poética que después nos ha ofrecido, parece un desarrollo o desenvolvimiento de cuanto contenía en germen aquella colección, formada según la norma y con reminiscencias de los antiguos romanceros.

Tres rasgos principales pueden señalarse en ella como característicos: influencia americana, acaso sentida por primera vez en la literatura peninsular; prurito obstinado de incorporar y hacer posibles en lengua castellana todos los exquisitismos franceses

belgas y retorno a lo que, para entendernos, po-
'íamos llamar manera de los «viejos castellanos»,
ı en cuanto a la métrica y a la estrofa, como en
ıanto al lenguaje vivo y a la cadencia sentimental.
uena prueba de lo primero es la agitación que pro-
ıjo la discutida «epístola» de Rubén Darío, fechada
ı Mallorca, que ha venido a formar parte del *Canto*
'rante, y en cuya defensa no pocos de los jóvenes
nieron a proclamarse discípulos del vate, del «úni-
)», si hemos de seguir el diapasón de esas arrogan-
ıas idolátricas, a lo D'Annunzio y a lo Nietzsche,
ıe comunican ahora tan insoportable olor del pe-
ıntismo y fatuidad a las mismas flores del genio.
ltos y sorprendentes momentos de poesía, de poesía
ıefable, se cruzan y entrelazan en la obra de Darío,
ɔn rasgos triviales y anotaciones prosaicas; y desde
. descripción de una plaza de abastos, vuelve a las
ıblimes contemplaciones del lulismo o a la evoca-
ón del «griego antiguo» que duerme en los fondos
ɛ su alma. Bien es verdad que un poeta tan poco
ascendente o «turrieburnista» como Béranger, allá
ɔr 1830, ya había pretendido lo mismo; y, aunque
ɔ oyó resonar en su cabeza, como un caracol de mar,
inmenso rumor mediterráneo, sostenía de igual
ıodo haber sido ateniense y haber despertado a
ıs abejas de Himeto.

El exquisitismo preciosista pónese también de
ıanifiesto en toda la producción del año pasado.
imitada antes nuestra poesía a la dirección declama-
ɔria de Quintana o al romanticismo legendario y
riental de Zorrilla, no había pasado más allá de la
moción becqueriana, es decir, del subjetivismo ger-
ıánico de Heine. Pululaban en Europa las más suti-
s y complicadas divisiones de las escuelas decaden-
ɛs y todavía los parnasianos estaban sin obtener en
spaña ni un eco ni una influencia. Todo ha entrado
hora de una vez y en tumulto. Las estéticas, los
rogramas, las preceptivas, los nuevos ciclos de asun-
ɔs producidos durante cincuenta años, nos han in-

vadido de repente. Baudelaire ha penetrado junto con Mallarmée, junto con Maeterlinck; Leconte de Lisle con Verhaeren; Barbier d'Aurevilly y Carducci al mismo tiempo que Verlaine y Heredia... De todos ellos y de muchos más se ha nutrido y formado el modernismo castellano que viene a constituir como una sedimentación universal de todos los gustos, refinamientos, modas, extravíos, perfecciones y sutilezas de media centuria.

II

Basta pasar los ojos por cuanto volumen hemos visto aparecer en 1907, desde las *Vendimias juveniles*, de Ugarte, *Hacia el olvido*, de Villalobos, y las *Trompetas de órgano*, de Rueda, hasta las *Tristitiæ rerum*, de Villaespesa, *La visita del Sol*, de Díez Canedo, los *Cantares* y las *Soledades*, de Machado, la *Casa de la primavera*, de Martínez Sierra. En todos ellos palpita esa varia y extensísima germinación de influencias técnicas y espirituales. Podrá conservar Rueda, a través de su evolución, la antigua furia colorista o los estruendos y resonancias sexquipedales, multiplicadas ahora por los «clarines» de Chocano y los «paladines» de Darío, que recuerdan el movimiento de la sinfonía wagneriana. Podrán los maestros más hábiles, insignes y primorosos (Machado, Villaespesa, M. Sierra) asimilar con arte supremo elegancias y morbideces exóticas para el castellano, vistiéndolas ora con aires de serrana o pastorela, ora con galanterías de madrigal rendido a las antiguas Fléridas, ora con ingenuidades de romance primitivo y con arcaísmos restaurados que hasta lleguen a empalmar con la «quadernavía» de los Berceos y Arciprestes. No por ello serán menos visibles ese esfuerzo de incorporación de lo extranjero y la resistencia mansa del castellano, tan geométrico y arquitectural, a recibir ondas vagas, deliquios, estados morbosos, crepusculares y nostálgicos, filigranas de marfil y primores de tríptico, rompiendo la petrificación tropológica endurecida durante todo un siglo de décimas y octavas reales.

Ni se escapan de tales influencias los mismos que no parecen desviarse de la inmediata tradición y que siguen versificando y componiendo según la manera corriente. Así, *Huerto humilde,* de Ortiz de Pinedo, *Estampas,* del marqués de Campos, *Zarza florida,* de Muñoz San Román, *Briznas,* de Alonso Cortés. No puede decirse lo mismo respecto a los *Versos viejos,* de Cavestany, coleccionados este año, los cuales responden en absoluto al pasado sistema, equidistante entre Núñez de Arce, Castelar y Echegaray; ni tampoco respecto de los *Versos de juventud,* ahora exhumados por el ilustre don Teodoro Llorente, a quien la familiaridad y trato continuo con las cumbres más excelsas de la literatura, su gusto impecable y su imaginación lozana y jugosa, le permiten no ser inactual en ningún tiempo. Llorente no ha sido de los que se sobreviven a sí mismos, aunque más jóvenes, como, por ejemplo, el señor Ferrari, fallecido hace poco. Siendo éste como el discípulo y continuador directo de Núñez de Arce, cuyas huellas seguía en la versificación y en los temas (Pedro Abelardo haciendo juego con Raimundo Lulio, etc.), conoció su propia posteridad y pudo considerarse histórico desde hace bastante tiempo. La rotundidad, el pulimento y el estilo oratorio están fuera de nuestros gustos. A lo brillante preferimos lo íntimo; y a la sólida pesadez de las estrofas, el vuelo y la ligereza alada de la eterna *psiquis.*

Mención aparte requieren las *Poesías* de Unamuno, ajenas a toda sensualidad y molicie estética, como que vienen a dar el credo de un ascetismo *sui génesis,* escuálido y macerado, aunque de filiación racionalista, y la fórmula de un españolismo reincidente, contemplativo y de renuncia terrenal, que procede de los extranjeros (Barrés, Verhaeren) y es un contagio importado por obras tales como *Du sang,*

De la volupté y de la mort, L'Espagne noire y otra
por el estilo. Maravíllase el lector de que Unamun
haya podido enamorarse del profundo y total pag.
nismo de Carducci, o sea de un temperamento est
tico de pies a cabeza, nacido para la armonía, e
deleite y el ritmo. En sus cantos alternan las visio
nes, justas y reposadas, de tierras y ciudades de Ca
tilla, con desolaciones de «iñiguista» laico, desesp
raciones del alma obstinada en la meditación d
amor y de la muerte, salmos terribles y arideces d
yermo espiritual contemplado por un penitente si
cogulla. La forma es dura, cantábrica, con vetas d
hierro y fibras de roble, cerebral y densa más qu
flúida. El libro, con ser uno de los más importante
acontecimientos del año, mira menos a la «literatu
ra» propiamente dicha que a la psicología y la hi
toria de las ideas nacionales. En cuanto a traducci
nes en verso, así como el año anterior se enriqueci
la bibliografía castellana con los *Poetas francese
del siglo XIX*, vertidos por Llorente, y con el Bau
delaire de Marquina, este año merecen citarse e
Schiller, de J. L. Estelrich, en la Biblioteca clásica
el florilegio *La poesía en el mundo*, de Blanco Be
monte y, muy en especial, la colección titulada *De
cercado ajeno*, muestrario de la lírica más recient
vertida con delectación de artífice por Díez Cane
En resumen, adviértese por doquier el triunfo d
la elegía sobre el himno, de lo confidencial sobre l
enfático, de lo sugestivo e insinuante sobre la in
temperancia descriptiva o declamatoria. Es una hor
de refinamiento más que de salud, de morbidez
elegancia más que de vigor y belleza. Una hora d
esteticismo, de divagación crepuscular, de absenta, c
vírgenes exangües, de manos de marfil corriendo po
el teclado de los viejos clavicordios... Un arte d
profesionales, deliberadamente culterano y hast
gongorista, hecho sólo para los profesionales y par
ellos intenso, voluptuoso y embriagador como nin
guno; pero que se aísla con peligro de parar en a

nosticismo o disciplina hermética y de perder su imperio sobre el hombre para limitarlo al «cerebral».

La novela empezó su recolección con la muy especial de Ciges Aparicio, *El libro de la decadencia: del periodismo y de la política,* que vino a completar la tetralogía antes empezada por el autor, en forma mixta de procedimiento novelesco y memorias personales. El «periodismo» y la «política» que nos presenta por medio de eficaces anotaciones semi-estenográficas, a lo Baroja, sin estilo formal ni literaturas de gabinete, salen muy mal parados; y constituyen una abominación las explotaciones de la buena fe revolucionaria y demagógica, si son tales como aquellas páginas las suponen. Hay aciertos de sobria y elemental energía en la pintura de tipos y escenas; pero el parecer a trechos invención pura, perjudica bastante a esa obra que oscila entre las iracundias del libelo personal y la elevación de la sátira. No así *La altísima,* de Felipe Trigo, en la cual el autor enriquece con un nuevo caso su galería erótica, de erotismo violento y d'annunciano, en un ambiente refinado y, por lo tanto, poco español o representativo entre nosotros. En esos amores de Adria y Víctor, un novelista, con la ingerencia de la intelectual Bibly Diora y el juego de ideas y alambicamientos místico-sensuales en que el autor despliega las audacias de un estilo muy alabado por la crítica, veremos siempre los lectores de por acá un reflejo literario y una pasión imaginada o de cabeza, antes que una inspiración directa y viva.

III

Doña Martirio, de López Roberto, su ambiente de Toledo, su pintura de la mojigatería provincial, la seducción de Leonarda y los rigores de la protagonista, madre del seductor, recuerdan una reencarnación literaria de doña Perfecta y los conflictos sociales y confesionales de Galdós en las Ficóbrigas y ciudades eclesiásticas de su antiguo y moderno cuño. Citemos también *La cueva de los búhos* de López-Ballesteros y *Las dominadoras* de López Haro, terrible sátira maniquea contra el despotismo familiar de las mujeres, madres o hijas que devoran y anulan el esfuerzo y la dignidad del marido o padre. Es un libro de un solo color, aunque vivamente escrito, y parece continuar aquella corriente abierta con el *Corbaccio* y llevada hasta lo patético en las páginas inolvidables de *Père Goriot*. De Gutiérrez Gamero es *La derrota de mañana*, y de Pedro de Répide *La enamorada indiscreta*, cuyo solo título ya declara la morosidad y delectación de su artífice habilísimo en el *rifaccimento* de las antiguas formas del siglo XVII, según el patrón hispano-italiano del *Curioso impertinente*. En Répide se observa también ese curioso retorno a la vieja manera que ya se ha señalado en cuanto a los líricos, unas veces por directo instinto nacional y otras como reflejo de *dilettantismos* extranjeros a lo Anatolio France.

Durante ese año ha aparecido también el «Cuento semanal», revista de nuevo género que estimula la producción de narraciones algo extensas *(nouvelle)* de las cuales la literatura italiana y francesa ofrecen magistrales ejemplos, desde *Carmen* hasta *Boule de suif* y *Cavallería rusticana*. Y, por último, debe señalarse la aparición de *La de los tristes destinos*, último de los episodios nacionales de Galdós correspondiente a la cuarta serie. La célebre frase de Aparici y Guijarro ha servido al veterano maestro para rotular su producción y, como siempre, los críticos se han entretenido en discutir lo que haya de decadencia o de vigor en sus facultades y en comparar serie con serie, libro con libro. No puede negarse que se observan en las dos últimas una desviación de la antigua unidad novelesca o de trama y que prepondera lo narrativo y de ambiente general sobre lo episódico y sobre el retrato minucioso de personajes, sin duda porque a medida que ha ido entrando en períodos más recientes, con mayores respetos y dificultades ha tenido que trabajar.

La historia de las muchedumbres ha ido ahogando poco a poco la novela propiamente dicha; más, a pesar de todo, en *La de los tristes destinos* capean fragmentos de una viveza, de una lozanía y de un movimiento descriptivo lleno de gracia y animación, aunque enturbiadas por ráfagas pasajeras de la iracundia sectaria, que han exacerbado al autor en estos últimos tiempos.

Más que a la historia formal, como se ha escrito hasta ahora, tendrá que acudirse al monumento galdosiano para guiarse en la intrincada selva de los pronunciamientos y sargentadas, y para penetrar en el espíritu de los viejos conspiradores románticos y barricadistas, que constituyen la extraña fisonomía del pasado siglo en nuestro país.

Entre las obras mixtas (crónicas de periódicos, impresiones, viajes, misceláneas) deben citarse: *Guiñol. Teatro para leer,* de José Francés, siguiendo por cuenta propia caminos explorados por Benavente; *Don Quijote en los Alpes,* por Alberto Insúa, enamorado del filósofo ginebrino Enrique Federico Amill; *Tierras altas,* de Joaquín Argamasilla; *Tributo a París,* de Luis Bello, rosario de crónicas, manchas y siluetas y «estados de alma», muy interesantes; *La feria de Neuilly,* por Martínez Sierra, paseo entretenido, con ribetes de humorismo trascendental; *El amor en la vida y en los libros,* confidencia autocrítica de Trigo; *Vieja España* de Salaverría... De todo un conjunto se desprende un momento de poetización y lirismo de la prosa y un continuo insistir y volver a la «*elegía castellana*» de estos años, nutrida en la soledad de las ciudades muertas, de las llanuras solemnes y pobres, de la estepa geográfica y espiritual, sobre las cuales se proyecta la sombra del hidalgo manchego y la sombra de un idealismo que no se resigna a morir, pero que no halla incentivos en la vida nueva del mundo.

Con esto pudiera cerrar la reseña, si no pareciese exigido dedicar un párrafo a la crítica y a los estudios literarios. Debe mencionarse por la prioridad de la aparición *La joven literatura hispano-americana,* antología coleccionada por Ugarte, y cuyo prefacio dio lugar a empeñada controversia, dadas las ideas del autor respecto a las relaciones entre España y América, así en lo político como en lo ideal o literario. Doña Emilio Pardo Bazán ha seguido publicando en «La España Moderna» su estudio sobre la literatura francesa contemporánea con dotes de claridad y afluencia, y su aptitud para la poligrafía, que formará siempre el primero de sus títulos, desde los días lejanos de *La cuestión palpitante* y el *Nuevo teatro crítico* hasta la fecha. Andrés González Blanco ha ofrecido un tomo, *Los Contemporáneos,* con semblanzas y estudios pertenecientes a la moderna generación española; semblanzas y estudios llenos de finas observaciones, aunque el criterio del autor sufra el agobio de una erudición extraordinaria que unas veces le guía, pero que otras le cohíbe y desorienta a fuerza de documentación comparativa. La nueva Biblioteca Rivadeneyra nos ha ofrecido, por último, el segundo volumen de *Los orígenes de la novela española.*

Este libro debiera quedar reservado a una revista de arqueología literaria; pero los trabajos del gran Menéndez y Pelayo, incluso los más minuciosos, didácticos y de investigación o bibliografía añeja, trascienden plenamente al campo de la literatura artística, por el ardor incomparable de su estilo, que hace a muchas de sus obras tan interesantes y aperitivas como puede serlo una novela de aventuras. Así sabe contar él las del pensamiento y creación estética y ofrecernos la visión orgánica y palpitante de diez siglos de actividad ideal. *

* Artículos publicados en «La Almudaina» de Palma de Mallorca los días 24 de marzo y 1 y 9 de abril de 1908.

A TRAVÉS DE UNOS LIBROS

I

La crónica de viajes reina y triunfa en todos los periódicos durante estos meses de verano. Paralizada la vida pública y la producción literaria; sin estrenos teatrales ni discusiones en el Parlamento; desparramados por playas y aldeas cuantos forman el estado mayor, y aun el mediano y el ínfimo, de la literatura periodística, acuden todos al recurso de la descripción de paisajes, escenas, excursiones, accidentes más o menos entretenidos y, en fin, de cuanto les sale al paso en sus correrías estivales. Semejante costumbre, que cada año va tomando mayor extensión y fijeza, nos proporciona abundante materia de lectura y, con ella, materia no menos copiosa de reflexiones. Porque yo digo: durante toda una centuria ha constituido nuestro tópico, ¡más que tópico! nuestra obsesión, la «proverbial ligereza» de los autores de viajes por España. Nos hemos quejado de su falta de documentación, de sus aturdimientos, de sus generalizaciones, de sus calumnias, de su incomprensión de nuestro carácter, de sus pretensiones e ínfulas de superioridad. Y, ahora, al tomar nosotros la ofensiva, al convertirnos de pueblo visitado en pueblo viajero: ¿habremos conseguido despojarnos de la ligereza, de la superficialidad, de la falta de preparación y observación tantas veces reprochadas a los extranjeros, de suerte que esas crónicas y descubrimientos de Londres, de Dublín, de Bruselas, de Ostende, de Amberes, etcétera, sean un modelo irreprochable de veracidad y penetración, sin desafinaciones ni «gasconadas»?

Y cuéntese que esa sospecha no ha tomado origen ante un texto cualquiera, vulgar y de última hora. Confieso con toda lealtad que ella se me ocurrió, hace algún tiempo, repasando las *Obras póstumas* de Moratín. Sus diarios de viaje y sus cartas de Italia e Inglaterra dejaron en mi ánimo esa perplejidad. ¿Hasta qué punto comprendió a aquellos países el autor de *La mojigata*? ¿Hasta qué punto su observación es elevada y superior o simplemente fina, y cómo logró substraerse a su propio prejuicio nacional, situándose en un medio psicológico diferente e interpretando el alma de cada país, no con arreglo a nuestra historia y situación geográfica, sino en vista de la suya? Se me dirá que Moratín era un hombre ilustre, un espíritu escogido, aunque limitado, por no decir estrecho. Sus gustos extranjerizados, su pretendido afrancesamiento, no pasaban más allá del amor a la regularidad escénica, según los modelos de Molière. Las diferencias de costumbres, que suelen ser el estímulo y la delicia de todo viajero de pura sangre, le molestaban no menos que pudieran molestar, cincuenta años después, a Jorge Sand en Mallorca. Hubiérase irritado Moratín de que alguien pusiese en duda la excelencia del *puchero* y se permitiera algún epigrama depresivo para la obra maestra de la cocina nacional. No obstante, entretiénese en presentar una lista formidable de los treinta y pico de adminículos que necesita una dama de Londres para servir el té a sus visitantes, no ocultando las muestras de una estupefacción netamente provinciana.

Quiere esto decir que casi nunca están conformes los pueblos con el retrato que se les presenta, como las señoras con la fotografía que se hicieron, aunque el jurado artístico más competente la declare una maravilla. Y quiere decir también que probablemente incurriremos nosotros, como viajeros por tierras extrañas, en las mismas o mayores aberraciones visuales que las que tenemos cien veces condenadas y reprendidas en los franceses... Pues bien; pensando y rumiando todo esto, entré en tentación de emprender un viaje imaginario a través de los libros de viaje, conocidos o por conocer, y darme el gustazo, algunas veces superior y mucho más intenso que la primera lectura, de buscar la nueva emoción de una obra desflorada en la infancia, o en la mocedad, en días lejanos, sin orientación fija, sin criterio personal y seguro de sí. ¡Cuántas sorpresas me ha proporcionado la lectura de un libro ansiado o de un libro cogido por primera vez en mala ocasión, a destiempo, y saboreado después con esa impetuosa delicia un poco acibarada por la reflexión de que cada hoja que se vuelve es un placer menos en este valle de amargura, y cada volumen apetitoso que se acaba algo así como un oasis a cuya sombra nunca más descansaremos, como un momento de oro que no volverá a repetirse!

Mas, volviendo a nuestros viajes, a los viajes por España durante el siglo pasado y lo que va del presente, conviene recordar que no pocas veces se ha hablado de oídas respecto a los mismos, recitando frases hechas y juicios de estampilla. Hubo durante algún tiempo, el tiempo de la Enciclopedia, como una verdadera conjuración para denigrar a España. De este período y por herencia ha quedado aquí algo como una manía persecutoria. Montesquieu en sus *Cartas pérsicas,* Voltaire en los *Ensayos sobre las costumbres,* M. Masson en la llamada gran Enciclopedia, esparcieron los conceptos matrices que todo el mundo conoce. En un sentido relativo y especial España les debe gratitud porque semejante agresión vino a surtir el efecto del más poderoso excitante o revulsivo de la actividad literaria, y suscitó una formidable legión de eruditos, investigadores y expositores de la antigua cultura que todavía no han agotado su asunto y que preparan un positivo aunque débil renacimiento.

Había habido aquí algo más que la guitarra dejándose oír sobre el fastidio de catorce millones de habitantes, desde los Pirineos hasta las columnas de Hércules; había habido, sin duda, algo más que el resplandor de las hogueras inquisitoriales y el mérito solitario de un libro, el *Quijote*, escrito contra todos los restantes; quedaba alguna personalidad escogida, aparte del conde de Aranda. Estas eran apreciaciones de las que un eminente hispanista francés ha llamado la época de la «sana filosofía». En nombre de la sana filosofía se declamó contra todo lo tradicional; a remolque de esta sana filosofía vinieron los ejércitos napoleónicos y se hizo el alzamiento y se puso en vigor la constitución de Cádiz. Treinta años más tarde Mendizábal consumaba la supresión de los conventos y la desamortización de manos muertas. Pero entonces ya no soplaban en Francia los mismos aires de sana filosofía. Entonces soplaba el huracán romántico que exigía carácter, contrastes violentos, «color local», es decir, todo lo contrario de la supradicha filosofía sana, todo o casi todo lo que esta filosofía acababa de condenar y execrar. De suerte que cuando vinieron los viajeros románticos, si alguna decepción experimentan, como veremos, es la de hallar aceptada la sana filosofía de los enciclopedistas en perjuicio del color local y de las emociones novelescas y trágicas que se prometían del viaje; lo cual demuestra que anduvimos a contrapelo y no supimos dar gusto cabal a los señores del siglo XIX por estar entretenidos todavía en complacer a los del siglo XVIII.

Sea como sea, aun dentro de esta centuria décimoctava continuó el españolismo literario que había inaugurado Brantôme dos siglos antes y había seguido Corneille hasta marcar el apogeo de aquella influencia. En la misma época de Montesquieu y M. Masson florece en lengua francesa la novela picaresca de los castellanos con el libro singularísimo de Le Sage; y el sainete español se elegantiza en escenas de *vaudeville* ligero y vaporoso, propias para decorar un abanico de encaje, con las dos comedias de Beaumarchais que dan el patrón de una España pintoresca y vistosa, colorida y alegre, ligeramente idealizada por la *vèrve* de nuestros vecinos, pero no calumniada ni ensombrecida como pretendió el bueno de García de la Huerta.

Diríase que el sainete de don Ramón de la Cruz pierde allí sus crudezas y se salpica frescamente con las espumas de los surtidores de Versalles. Diríase que las geniales violencias de Goya se esfuman y disuelven en las tintas rosadas de Watteau. Una punta de almíbar poético, una gota de idilio se combina gratamente con el sabor cómico extraordinario de *Le barbier de Seville* y *Le mariage de Figaro.* Huerta no pudo encontrar en la guía oficial de Madrid el título de conde de Almaviva; pero la conciencia popular ha adoptado esas obras, digan lo que quieran los impugnadores de su propiedad nimia, y se ha visto en ellas tratada con amor y halago, hasta el punto de haberles dado carta de naturaleza y haber tomado por pseudónimo el nombre del personaje principal, uno de los más famosos escritores que haya producido la Península en la época moderna. La interpretación de Beaumarchais, en la esfera artística, durará sin modificaciones hasta la guerra de la Independencia, esto es, hasta que acabadas las hostilidades, reintegrados a su hogar los combatientes y los proscritos de Cabrera,* den al público memorias, recuerdos y narraciones de sus campañas, despertando una nueva curiosidad avivada por el prestigio de la reciente tragedia.

* Se trata de los prisioneros hechos en las batallas contra los ejércitos napoleónicos y que fueron trasladados a la isla balear de Cabrera, iniciándose su instalación en mayo de 1909 y en la que estuvieron hasta mayo de 1914. De unos diez mil deportados sólo pudieron volver a Francia tres mil

II

Suele decirse que cada siglo toma una fisonomía especial, se caracteriza por un rasgo dominante, elabora un espíritu. El hombre necesita clasificar y organizar sus conocimientos con arreglo a una pauta y, no pocas veces, para satisfacer esta aspiración, coloca violentamente a la realidad en el lecho de Procusto de un sistema. Pero la historia no se preocupa grandemente de coincidir con las divisiones convencionales de nuestra cronología. En la evolución del pensamiento no se observa un turno cerrado ni una simetría como en la rotación de las estaciones y de las cosechas. De este modo, puede afirmarse que el siglo XIX, considerado como época intelectual, empezó mucho después del año 1 y que sus primeras décadas no fueron, por lo que toca a nuestro país, sino continuación del siglo XVIII.

Coronando la obra de los enciclopedistas había aparecido en 1784 el *Voyage de Fígaro en Espagne*, por el marqués de Langle, que revistió todos los caracteres de un líbolo, aunque obtuvo mucha popularidad y nueve ediciones en menos de veinte años, amén de ser traducido al alemán, al inglés, al danés y al italiano. Tratábase de una sátira durísima contra los españoles, escrita en estilo ligero y picante, que parafraseó y divulgó rápidamente, así por corresponder al espíritu de la época como por haberla prohibido el gobierno francés a petición del conde de Aranda. Era éste, acaso, el único español que salía bien librado de la pluma del viajero, hasta tal punto que semejantes elogios y ponderaciones, viniendo de un «asteista» y revolucionario furibundo, le habían de hacer más suspecto todavía a los españoles ran-

---

seiscientos, habiendo los demás perecido a causa del hambre y las enfermedades, según detalla M. S. Oliver en su obra *Mallorca durante la primera revolución*. (G. M.)

cios. Al mismo Aranda se atribuye una refutación del maligno viaje de Langle, además de la protesta que como embajador de S. M. Católica había dirigido a Vergennes. La polvareda que levantó este asunto fue extraordinaria y en la *Correspondencia* de Grimm pueden hallarse elocuentes testimonios de ella y un juicio reposado acerca de las declaraciones que contenía la obra contra el fanatismo, los prejuicios, la Inquisición, la falta de luces, etc., etc.

El siglo XVIII fue por excelencia prosaico. La «sana filosofía» excluyó toda emoción, prescindió de todo prestigio artístico, abominó de la «gótica feudalidad». Todavía cuando Jovellanos, en Mallorca, traza la historia del Castillo de Bellver, que le servía de prisión y que es un interesante monumento ojival, no comprenden los admiradores del proscrito que derrame las gracias de su talento «sobre una Bastilla desmoronada y solitaria», cuyo constructor no tuvo en cuenta ni a Vitrubio ni a Vignola. Aquellos próceres y abates ilustrados carecían en absoluto del sentido de lo épico, de lo grandioso, de lo popular. No comprendían las tradiciones y costumbres nacionales más que en oposición a su filosofía cosmopolita, abstracta y de gabinete. Así, pues, aun las obras inspiradas en notoria benevolencia, recayendo sobre un país histórico e inactual, como España, tenían que caracer de entusiasmo y de íntima comprensión. Basta repasar el *Nouveau voyage* (1788), publicado a nombre de Beurgoing (aunque en realidad escrito y compilado por el abate Girod sobre las notas del primero) para advertir lo que interesa a los lectores. Basta seguir las láminas: acueducto de Segovia, palacio de San Ildefonso, el Escorial, vista de Aranjuez, ataque de las baterías flotantes contra Gibraltar... Es decir, un poco de arqueología romana y todo lo demás reservado para la admiración burguesa de los reales sitios, para la arquitectura viñolesca o para el famoso y universal logogrifo estratétigo del Peñón.

Mucho más amor a la naturaleza y mayor novedad de itinerario revela la parte española de los *Travels during the years 1787, 1788 and 1789*, debidos al famoso agricultor inglés Arturo Young. Mina inagotable, estos viajes, para la historia de la Revolución Francesa, a ellos han acudido todos los narradores o comentadores de la terrible convulsión y cuantos han tratado también, en uno u otro aspecto, de las postrimerías del Antiguo Régimen, de las cuales una venturosa casualidad escogió a Young como espectador inteligentísimo. Recorriendo el Mediodía de Francia se internó en Cataluña, única España de que ha dado noticia en sus viajes, emprendidos con un objetivo utilitario y profesional antes bien que con intención artística. Su ruta comprendió desde Esterri y Rialp, Ribelles y Castellfullit, Calaf, Monserrat, Collbató y Esparraguera, hasta Barcelona, Mataró, Arenys, Pineda, Malgrat y Gerona, o sea las comarcas que tendrán durante mucho tiempo olvidados aquellos viajeros atraídos principalmente por lo pintoresco o por la sugestión oriental de los viejos califatos y emiratos de la península. Así también, Mallorca y todas las demás Baleares formaron un grupo especial en la bibliografía de los viajes, a causa de la dificultad de las comunicaciones. Los mismos viajeros españoles suelen prescindir de aquellas islas en sus itinerarios, y no figuran en obras tan extensas y minuciosas como la de don Antonio Ponz. Casi siempre han sido objeto de trabajos *ad hoc,* como la *Descripción* del marino Vargas Ponce a últimos del siglo XVII y el *Voyage dans les îles Baléares et Pithiuses,* por M. Grasset de Saint-Sauver, a principios del XIX.

Era Grasset agente consular de Francia, funcionario del Imperio, adicto al nuevo régimen y se había educado en las ideas reformistas que lo produjeron, templadas ahora por cierta circunspección gubernamental. No se concreta su libro al interés histórico o artístico de Mallorca; puede decirse que prescinde de él y que está fuera de su preocupación, de su curiosidad y de su competencia. La población, la agricultura, el comercio, las manufacturas, los intereses materiales, los gremios, las iniciativas de la Sociedad Económica de Amigos del País, los prejuicios nobiliarios, el fanatismo, la Inquisición y los claustros del convento de Santo Domingo, con sus *sambenitos* y retratos de judaizantes, absorben casi toda la atención del autor, así como las funciones teatrales, cuyas obras juzga empuñando la poética de Boîleau y resultándole intolerable el naturalismo plebeyo de los sainetes, el colorido popular de las *tonadillas,* y la conculcación de las reglas o unidades en los dramas de pretensiones. Es un humanitarista, un *teofilántropo,* un adepto de la nueva «sensibilidad», a lo Bernardino de Saint Pierre. Su obra toma apariencias del informe general, destinado a orientar al emperador y su diplomacia sobre la importancia de las islas y el papel que pudieran desempeñar acaso en futuros y mal insinuados proyectos de desmembración.

Casi al mismo tiempo, otro diplomático francés, M. Laborde, agregado a la embajada de Luciano Bonaparte en 1800, preparó desde esta fecha hasta 1805, su *Voyage pittoresque et historique de l'Espagne,* según el estilo de las grandes publicaciones con grabados que acababan de divulgarse por Europa al ejemplo de Hamilton, Caylus y, especialmente, de Choiseul-Gouffier. Quiso dar Laborde esplendidez inusitada a su edición; se rodeó de un numeroso grupo de colaboradores, arquitectos y dibujantes; recorrió todos los antiguos reinos; allegó materiales artísticos de toda especie; hizo dibujar y medir todos los monumentos de la Edad Media y del Renacimiento y comprometió su fortuna en la vasta empresa, que dedicó, según costumbre casi nunca infringida en aquellos años, al Príncipe de la Paz. La primera parte del tomo I apareció en 1806; la segunda en 1811. No obstante los cambios políticos y la guerra, que trajeron consigo la pérdida de subvenciones oficiales y de casi toda la subscripción, Laborde no desmayó, y en 1812 dio al público la primera parte del tomo II con el mismo lujo de siempre. Hasta 1820 no apareció la segunda parte. Para juzgar de la importancia de la obra, bastará decir que el rey de España se había suscrito por cincuenta ejemplares, a razón de 3.000 francos el ejemplar. En dichos cuatro volúmenes se reunió, por primera vez y hasta donde el gusto de la época y la virginidad del asunto lo consentían, un cuerpo o inventario monumental de la Península, habiendo empezado por Cataluña, precisamente, a la cual consagró el primer volumen.

Bien merece toda nuestra gratitud un empeño artístico que los azares del tiempo convirtieron en ruinoso para M. Laborde, y bien merecía también el caluroso artículo de presentación que Chateaubriand se apresuró a dedicarle en «Le Mercure de France». Por cierto que dicho artículo tuvo el privilegio de irritar grandemente al emperador y señaló una de las etapas más violentas de la enemiga implacable con que se miraron siempre esos dos grandes hombres: Napoleón y el autor del *Genio del Cristianismo.* Y la cosa no era para menos. Chateaubriand inauguró en Francia la galería de los Narcisos literarios embelesados en su propia contemplación, y no abandonó un instante, ni en la conducta ni en el estilo, la actitud y la pompa solemne del hombre que se ofrece en espectáculo a sus semejantes. Para hablar a sus lectores del *Viaje* de M. Laborde, se remonta a una especulación de filosofía literaria y en seguida la convierte en diatriba contra el coloso.

La poesía, dice, es algo que corresponde a la infancia de los pueblos; la historia corresponde a su vejez. La simplicidad de las costumbres pastorales o la grandeza de las costumbres heroicas necesitan de la lira de Homero; la corrupción de las naciones civilizadas reclama el pincel de Tucídides. «Cuando, en el silencio de la abyección, no se oye más que el ruido de la cadena del esclavo y la voz del delator, cuando todo tiembla ante el tirano y es tan peligroso merecer su favor como incurrir en su desgracia, entonces el historiador aparece encargado de la venganza de los pueblos. En vano Nerón prospera. Tácito ha nacido ya en el Imperio, crece desconocido cerca de las cenizas de Germánico, pero ya la incorruptible Providencia ha confiado a un oscuro niño la suerte del dominador del universo. Muy pronto todas las falsas virtudes serán desenmascaradas en los Anales; muy pronto no se verá, en el tirano endiosado, otra cosa que el histrión, el incendiario y el parricida...» No era fácil confundir la puntería de estos elocuentes dicterios. La contestación no se hizo esperar. «Le Mercure de France», en el cual colaboraba Chateaubriand desde que regresó de la emigración de 1800, fue suprimido por orden del emperador pocos días después del artículo (julio de 1807). El «Journal des Débats», que se había atrevido a reproducirlo, fue arrebatado a sus propietarios y Bonaparte amenazó al autor con hacerlo «degollar en las mismas escaleras de Palacio».

Tal fue el efecto fulminante de ese escrito que los curiosos pueden encontrar entre las *Melanges littéraires,* en la colección de obras completas. A dicho opúsculo, más todavía que a las breves páginas que cierran el *Itinerario de París a Jerusalén,* debe Chateaubriand sus títulos de hispanizante. De vuelta de Palestina, en abril de 1807, había desembarcado en Algeciras; seguidamente se dirigió a Cádiz y, de ahí, a Córdoba y Granada, donde admiró la Alhambra y donde absorbió los gérmenes inspiradores de *El último Abencerraje,* Chateaubriand fue el primer espíritu romántico que atravesó la península; el inmediato predecesor de lord Byron. Recorrió La Mancha, patria del ilustre caballero, y le pregona «por el más bravo, el más amable y el menos loco de los mortales». El autor de *Los mártires* quería ver en

España algo que en su tiempo había ya cambiado notablemente; una antitesis, un polo opuesto de la Francia jacobina, desgreñada e incrédula, la tierra clásica del «lealismo» monárquico, de la abnegación religiosa, de la restauración cristiana; el pueblo «noble y civilizado en donde al menos han quedado la fe y el honor después que la prosperidad y la gloria han desaparecido». Por un fenómeno de proyección psicológica, de dentro afuera, mejor que por una observación atenta de la realidad, le parecía ser aquélla todavía la España épica de Roncesvalles, el país heroico por excelencia donde se había conservado intacto el espíritu de las Cruzadas y la ley de caballería. Otros artistas y poetas se sentirán atraídos por el perfume exótico, por el interés novelesco, por la furia pasional que satisface a la nueva escuela literaria. Chateaubriand no ve en España más que el reflejo de sus propios ideales caballerescos y restauradores; el sentimiento que produjo la canción de Rolando y la crónica del sire de Joinville; una prolongación o supervivencia de aquella antigua Francia desaparecida, ahogada por la Francia del Terror, y que ya no es la patria de Juana de Arco, de Bayardo y de Turena. Este mismo sentimiento retoñará, cincuenta años después en Ozaman y se prolongará hasta nuestros días con la *Terre d'epopée,* de Suau.

III

No figura el nombre de Francisco Arago en la bibliografía de los viajes propiamente dichos, ni creyó preciso registrarlo Foulché-Delbosc en la suya, concerniente a España y Portugal. Pero la misión geodésica que desempeñó en nuestro país, por espacio de dos años y en compañía de Biot, desde 1806 a 1808; la universal resonancia que obtuvieron las peripecias de su fuga de Mallorca con motivo del levantamiento contra los franceses; las continuas referencias de otros viajeros a la peligrosa aventura del insigne astrónomo; la leyenda en que vino a parar, las declamaciones que motivó y el mismo interés, a trechos científicos, a trechos novelesco, que reviste la *Histoire de ma jeunesse,* sobradamente reclaman que se le traiga a juicio en una exploración como ésta, dedicada al conocimiento que el mundo intelectual ha tomado de España en los cien años últimos y a las acciones y reacciones que ese conocimiento o imagen exterior ha ejercido sobre nuestra propia psicología.

Arago había nacido en Estagel, Rosellón, ahora departamento de los Pirineos Orientales, aunque por la proximidad de aquel municipio a la capital se consideró siempre como perpiñanés. Una verdadera casualidad determinó su vocación, emprendiendo el estudio de las matemáticas y preparándose para el ingreso en la Politécnica, todavía muchacho, con empuje y extensión tales que hubieran bastado para asegurarle una cátedra. Siguió sus cursos en la famosa escuela figurando a la cabeza de las promociones y antes de salir oficial vacó la plaza de secretario del Observatorio, que le fue ofrecida por indicación de Leplace y que vaciló en aceptar, tanto por modestia o desconfianza de sus pocos años como por sus aficiones a la milicia. Admitió el cargo, por último, a título de interinidad y conservando su número en el escalafón de la Politécnica. Una vez entrado en el Observatorio se constituyó en colaborador de M. Biot para las investigaciones acerca de la densidad de los gases. Allí trataron de la gran conveniencia de continuar los trabajos de M. Méchain, interrumpidos por su muerte en Castellón de la Plana, que tenían por objeto prolongar hasta Formentera la medición del meridiano fijado anteriormente desde Dunkerque a Barcelona. La Comisión de Longitudes y el Gobierno francés acogieron con estusiasmo la idea, proporcionando los fondos indispensables; y a principios de 1806 salieron con dirección a la Península, Arago, Biot y el comisionado español señor Rodríguez.

De paso revisaron las estaciones indicadas por Méchain, introduciendo algunas importantes modificaciones en la triangulación que éste había proyectado. Por la dirección errónea de los reverberos puestos en la cima del Campvey, de Ibiza, resultaban muy difíciles las observaciones que se hacían en el continente, desde el Desierto de las Palmas. En cambio las luces del Desierto, exactamente orientadas, se veían todas las noches desde el Campvey. Estas vacilaciones dieron a Arago tiempo de vagar recorriendo las principales comarcas del reino de Valencia. La *Histoire de ma jeunesse* contiene diversos pormenores y recuerdos de Sagunto, una expedición a ese pueblo el día de la feria, un día de campo en compañía de ciertas señoritas de familia francesa, un conato de venganza, por celos, del joven valenciano prometido de una de ellas. Nos habla también de las cuadrillas de bandoleros que merodeaban cerca de Cullera, en Oropesa y por las márgenes del Júcar en la misma sierra donde Arago tenía montada una estación. Cierta noche llamó a su cabaña un hombre armado, de aspecto gallardo y terrible al mismo tiempo, pidiendo hospitalidad. Dijo ser un aduanero a quien la oscuridad había sorprendido en aquellos sitios desolados. Resultó ser el más famoso *roder* de cuantos ejercían el terror en diez leguas a la redonda, cuya «amistad» valió al joven matemático una inmunidad completa y un salvoconducto general en sus idas y venidas por abruptos parajes.

Arago y su episodio tuvieron mucha parte en la primera popularidad del bandido español a quien, en conversaciones y cartas, y después en la autobiografía a que me he referido, revistió ya de cierto interés novelesco y semirromántico. También consigna algunas observaciones sobre los frailes, trazando la silueta de dos cartujos del Desierto de las Palmas que iban a verle con frecuencia y apreciando su vida con arreglo a las ideas revolucionarias de un futuro miembro del Instituto; observa en los pastores y pastoras que encontró por aquellas montañas mayor sentido poético y menos distancia respecto del tipo imaginado por la literatura bucólica que en otros países. Sus canciones le parecían llenas de sentimiento y melancolía. Alguna llegó a conmoverle las entrañas. «¡Oh! —dice— ¡cuánta savia oculta en ese pueblo español y cuan triste que nadie se preocupa de hacerla fructificar!» Acertó a ver todavía, en Valencia (1807) un *auto* del Santo Oficio. Tratábase, según Arago, de una mujer a la cual se condenó, por brujería, a recorrer las calles con coroza y emplumada; sobre su cuerpo, desnudo de cintura arriba, una capa de miel retenía el plumón, que daba a aquella infeliz «el extraño aspecto de un pajarraco con cabeza humana...».

A principios de 1808 se hallaba Arago en Mallorca prosiguiendo sus trabajos. Había montado su estación en el Puig de Galatzó, ayudado por el señor Rodríguez y, al poco tiempo, sobrevinieron los sucesos de mayo y el alzamiento general. El día 29 o 30 de dicho mes llegó a la capital de aquella isla M. Berthémy, ayudante de órdenes de Napoleón, para intimar a las autoridades y a la escuadra española que siguieran en su obediciencia, respetando la abdicación de los reyes. Un tumulto popular recibió al edecán francés y hubo necesidad de recluirlo en el castillo de Bellver en garantía de su seguridad. Entonces se acordaron algunos del joven astrónomo que, de noche, encendía luces en Galatzó, lo cual el vulgo interpretaba como señales dirigidas a una escuadra enemiga. Avisado por Damián, el patrón del escampavías que el Gobierno había puesto a sus órdenes, Arago pudo escapar disfrazado de campesino, no sin cruzase con el grupo que iba en su busca; y logró despistar a los revoltosos gracias a la facilidad con que hablaba el mallorquín, como catalán de Francia que era él mismo. Conducido al puerto de

Palma por el escampavías, desde la cala donde fue a recogerle, pasó abordo del místico que mandaba don Manuel Vacaro, y, advertida su presencia por el pueblo y temiendo un asalto a la embarcación, solicitó espontáneamente constituirse como prisionero en el castillo de Bellver. «*On a vu souvent* —dice al pie de la letra— *des prisonniers s'eloigner à toutes jambes de leur cachot; je suis le premier, peut-être, à qui il ait été donné de faire l'inverse.*» Lealmente protegido por su escolta de marineros, fue trasladado a la orilla opuesta y subió a Bellver, seguido por las vociferaciones de algunos recalcitrantes que intentaban agredirle y que, según consigna en esos recuerdos de juventud, escritos más de cuarenta años después, llegaron a inferirle un navajazo en el muslo.

El general de Vives permitió su fuga, antes de dos meses, así que vio más aplacados los ánimos y así que tuvieron dispuesto Arago y M. Berthémy un laúd para pasar a Argel. Otra serie de aventuras les aguardaban antes de su regreso a Francia. El buque a que se confiaron en Argel salió el 13 de agosto para Marsella. Un corsario español de Palamós le dio caza y lo condujo a Rosas. Se discutió la presa, y reclamada la libertad por la Regencia de Argel, fueron al fin soltados el 28 de noviembre. Después de un temporal horroroso que tuvieron que correr a palo seco, el 5 de diciembre conocieron hallarse en las costas de Bugía. De ahí se empeñaron Arago y Berthémy en ir por tierra hasta Argel y lo consiguieron a costa de grandes peligros. Hasta el 21 de junio siguiente no pudieron emprender su nuevo viaje. Estando a punto de ser apresados otra vez por una fragata inglesa, lograron al fin, el 2 de julio, poner pie en tierra francesa. Actualmente se va de Argel a Marsella en cuarenta horas; de Mallorca a Marsella en diez y ocho o veinte. Ninguna guerra es capaz en nuestros días de producir tales entorpecimientos. Arago tuvo que consumir cerca de doce meses en su repatriación. Menos de un siglo ha bastado para una transformación tan radical e inverosímil de las condiciones de la vida.

Tal fue lo ocurrido en Mallorca, tema de infinitas vociferaciones futuras. Ya en otra ocasión tuve que comentar estos cargos, que llegaron a contaminar a no pocos españoles, por ejemplo Toreno, en su clásica *Historia;* y algo tendré que repetir, renunciando a parafrasearme. No en tiempos azarosos, sino en épocas normales y pacíficas, la multitud indocta, los campesinos iletrados de todos los países reciben con reserva a exploradores, ingenieros, botánicos y demás hombres de estudio. Arago, por otra parte, se había presentado como oficial del Imperio; realizaba trabajos del más alto valor científico, inasequibles al vulgo; montaba instrumentos raros; encendía reflectores. Los acontecimientos de Madrid arrebataron en ira a todos los pueblos de España y la deslealtad de la invasión hizo ver un *espía* en cada extranjero, antes acogido con la más perfecta hospitalidad. Pero, aun sin tales consideraciones, ¿no estaba reciente el recuerdo de los peligros que, en las mismas cercanías de París, amenazaron a los primeros campeones de la ascensión aerostática y el de las pedreas y rechiflas que recibieron a Fulton y su primer buque de vapor?

Arago no había alcanzado una plena celebridad; talento precocísimo, sólo sus profesores y compañeros adivinaban entonces cuanto valía. La gloria universal vino después y el Instituto le abrió sus puertas a consecuencia, precisamente, de aquellos trabajos del meridiano. Las turbas mallorquinas no persiguieron, en un momento de furor, al *sabio* ni al *grande hombre,* creyeron tener delante a un enemigo de su seguridad y a un instrumento de la perfidia napoleónica. No obraron, siquiera, como catorce o quince años antes las turbas de París. Porque cuantos declamadores han extremado sus cargos pidiéndonos cuenta, en nombre de la civilización, por haber puesto en peligro el tesoro de aquella vida;

cuantos llenaron de vilipendio a las Baleares por sí el ilustre Arago hubiese sucumbido llevándose a la tumba el secreto del fotómetro, de la titilación de los astros, del diámetro de los planetas, del magnetismo por rotación, de todos los descubrimientos y maravillas que le reservaba el porvenir, con omisión, que arguye mala fe, olvidan los mil desprecios y vilezas a que acaban de ser sometidos por la capital del mundo revolucionada las más grandes figuras de su tiempo: Laplace, Monge, Fourcroy, el gran cirujano Desault; los días en que la guillotina segaba la cabeza del más exquisito de los poetas, Andrés Chénier, y la cabeza del padre organizador de la química Lavoisier, a quien no pudo concederse un aplazamiento de la ejecución para terminar unas experiencias empezadas porque, según el presidente Coffinhal, la *República no necesitaba sabios.*

Por medio de Arago se puso en contacto con España la pléyade científica de comienzos del siglo pasado, el espíritu «politécnico» de aquella legión de matemáticos, astrónomos, naturalistas y químicos, desde Lalande a Orfila, que fueron los legítimos herederos y descendientes del enciclopedismo, mucho más que los filósofos de profesión y que los literatos y poetas, quienes muy pronto olvidaron la tradición octocentista, reaccionando contra ella unas veces en sentido religioso, otras veces en sentido político, y siempre en sentido estético o de apreciación de la belleza. La discrepancia resulta ya profunda por lo que llevamos visto de Chateaubriand; más evidente resultará todavía de las opiniones, entusiasmos y diatribas sarcásticas de Byron, a las cuales pasaremos inmediatamente. Arago era rosellonés, hermano nuestro de raza, habló el catalán antes que lengua alguna, estuvo en aptitud de aprender inmediatamente sus variedades mallorquina, ibicenca y valenciana, que sacaron de repetidos apuros al viajero en su escapatoria. Ya anciano, escribiendo en París arrullado por la gloria universal su *Histoire de ma jeunesse,* se complace en recordar y transcribir unos fragmentos de cierta canción popular de Ibiza. Parece que todo esto debía remover, en lo más hondo de su alma, el vestigio subconsciente de una patria dormida, de una nacionalidad frustrada en la historia... Y, sin embargo, sobre una de aquellas costumbres que señalaban la intersección de Cataluña, Aragón y Valencia, lanza a los aires un ditirambo, que suena como una apostasía; a la Convención que había descuartizado en departamentos la Francia del Antiguo Régimen y aconseja a los españoles hacer otro tanto, si quieren poner las bases de su progreso y felicidad. El gran «geómetra», geómetra en la doble acepción del vocablo, fue atendido allá por 1833. Los frutos del error geométrico están a la vista y no sabemos por donde empezar para enmendarlos.

IV

De Byron debía recibir España el bautismo de fuego de la poesía moderna, en el instante supremo de la lucha contra Napoleón, mientras las legiones imperiales hollando el suelo de la Península despertaron en ella cuanto conservaba de energía tradicional, de impulso progresivo, de salvaje independencia, de aspiraciones a lo futuro o de atávica obstinación misoneísta. Todo se puso en agitación y remolino, obrando o reobrando a la vez los elementos y principios opuestos que llevaba en las entrañas. ¡Qué interés no había de ofrecer a la imaginación desenfrenada de los nuevos poetas el espectáculo de unos pueblos acéfalos, abandonados a sí mismos por la legitimidad histórica, y de una lucha espontánea, irregular, primitiva, no parecida a otra alguna de las que acababa de presenciar el mundo! ¡Cómo no había de seducir a los ingleses cuyo temperamento fundamentalmente *sportivo* les lleva a la contemplación de todo pugilato o combate, por lo que en sí mismo tiene de emocionante y estético, esto es, como libre juego y despliegue de la fuerza y del heroísmo elevados a la condición de categorías independientes y soberanas, no sometidas a ninguna finalidad!

La *Peregrinación de Childe-Harold* responde a ese linaje de emociones bastante más que al prejuicio nacional de la política inglesa. El artículo despectivo y en absoluto desorientado con que la «Revista de Edimburgo» recibió el primer tomo de versos del joven lord, *Horas de pereza,* juzgando como una aparición vulgarísima y grotesca al que dentro de dos años empuñaba el cetro de la poesía universal, constituye para la crítica de profesión un bochornoso recuerdo. Viene a ser algo así como digno rival o hermano gemelo de aquel otro artículo del «Times» demostrando la imposibilidad absoluta del ferrocarril pocos meses antes de que la locomotora corriese en triunfo sobre los campos asombrados. El genio del vate es irritable por naturaleza; cuando, además, ese vate se llama Byron, es decir, orgullo y potencia a la altura del orgullo, hay que santiguarse pensando inmediatamente en las represalias. Herida dolorosa le causó aquella mordedura de viborezno, capaz de reducir para siempre al silencio una de las inspiraciones más portentosas que han conmovido a la humanidad si no hubiese ido emparejada con un carácter indomable. El desquite fue terrible: con *Los bardos de Inglaterra y los críticos de Escocia* consumó un destrozo bárbaro y brutal entrando a saco en las viejas escuelas, unas veces con hacha de abordaje, otras con lento y minucioso bisturí que se recrea en el primor de las incisiones. Lo que contenía de genial, de elocuente, de sarcástico, hizo olvidar su misma condición de libero o *pasquinade.* Sobre ese montón de escombros, girones y astillas, se levantó vencedor, como sobre un pedestal, el númen solitario y misantrópico del nuevo poeta, de toda la nueva poesía.

La afrenta injustamente sufrida obró para él los efectos de un reactivo poderoso. Lanzóse al tumulto de los viajes y en ellos, etapa por etapa, fue produciendo en raudal jamás interrumpido poemas, dramas, elegías, reflejos inmediatos casi siempre de las impresiones y de los países que tenía a la vista. Una explosión de obras maestras, una erupción de lava magnífica y luminosa salió de aquel volcán para sepultar al pequeño roedor de la «Revista de Edimburgo». Su primera expedición fue de Inglaterra a Grecia, pasando por Portugal, España, el Epiro y la Acarnania. De aquí la *Peregrinación Childe-Harold*, ténue disfraz del subjetivismo, de la personalidad incoercible de lord Byron, Hamlet redivivo, con dos siglos más de experiencia y pesadumbre, pero hablando el mimo monólogo grandioso a través de todos sus personajes, creaciones y hechuras. Childe-Harold huye de su patria, para huir de sí propio. La orgía y la disipación han agostado todas sus ilusiones a la edad en que otros empiezan a tenerlas; ha vivido un año en cada hora. «Para mudar de teatro y ambiente hubiera sido capaz de descender al mismo reino de las sombras», si el mar inmenso y proceloso no se hubiera ofrecido a su inquietud. Pronto aborda a las costas lusitanas. Su admiración del paisaje se trueca en ira contra los hombres a quienes tal paraíso cupo en suerte y residencia. La diatriba es violentísima e injusta. Por unos momentos aquel poeta tan poco patriotero y tan poco grato a los *chauvinistas* de su país, se acuerda de sus recientes humillaciones en Portugal, de los asesinatos de ingleses, de la Convención de Cintra... Lisboa, que le ha parecido admirable desde el mar, vuélvesele repugnante de cerca. Todo lo encuentra sumido en abyección, esclavitud y vileza. Huye y salva a caballo, como un centauro antiguo, la distancia entre Lisboa y Sevilla.

Al poner pie en tierra española, junto a la orilla del Guadiana, quisiera sumergirse como para una ablución heroica en las aguas de este río que arrastra también el caudal del viejo romancero. «Sus riberas vieron un tiempo acumularse innumerables legiones de moros y caballeros cubiertos de espléndidas armaduras; aquí se detuvieron los intrépidos; aquí sucumbieron los fuertes; aquí rodaron confundidos, en las ondas ensangrentadas, el turbante musulmán y el casco del cristiano.» Entonces desborda de efusión; y la musa del siglo XIX, consagra y adopta por primera vez, con su ósculo y saludo, aquel suelo épico, aquella tierra prometida de los nacientes ideales. «¡Oh, bella España! ¡Sol glorioso y *romántico*!» ¿No fue aquí donde se desplegó el estandarte de la Reconquista después que el miserable padre de la Cava hubo llamado a las feroces hordas del Islam? Henchidos vienen los cantos populares de tan gloriosas gestas. Cuando el granito se deshace en polvo entre nuestros dedos y los testimonios de la historia se disuelven y evaporan, la canción del labriego en la sementera suple los anales desaparecidos... Todo el canto primero de *Childe-Harold* es un canto fulmíneo, un himno de combate, una arenga digna de Tirteo, entrelazada con la visión de un país que por ser histórico e inactual, según llevo dicho, y por la temeridad de su alzamiento contra Napoleón, entró de lleno en la geografía romántica, al nivel de Italia y Oriente. Byron trasladó a la poesía lírica la admiración del ministro Canning ante la embajada de los asturianos y la palabra de fuego de Sheridan en los Comunes.

Al pasar por Talavera recuerda el reciente combate de los ejércitos aliados. Pasa también por Albuera, sin sospechar que tan en breve la señalara el destino para teatro de sus horribles hecatombes, para festín de los cuervos. La estrofa que dedica a esa última batalla fue interpolada en la segunda edición del canto I. «¡Oh Albuera!, glorioso campo de aflicción! Mientras el peregrino recorría tu llanura, oprimiendo los flancos de su corcel, ¿quién pudo decirle que tan pronto te abrieses a la mortandad y la sangre?...» En su ruta hasta Sevilla no encuentra más que devastaciones, rastros de incendios, trincheras abiertas, pirámides de granadas y bombas. Su acemilero canta de noche, canciones patrióticas, con estribillos de *¡viva el Rey!*; alguno de los pobres himnos de Arriaza, por ventura, que comparados con el oro derretido de los versos byronianos, no dejan de ofrecernos ahora un peregrino contraste. No obstante ese furor y apresto marcial, con la amenaza revoloteando en torno de su espléndida Giralda, Sevilla entrégase descuidada a sus placeres; sus noches arden en verbenas y saraos; el crótalo de las danzas populares resuena hasta la aurora en las márgenes del Guadalquivir; la alegría y la locura de la juventud agitan sus cascabeles y sus panderetas, como para ahogar la lejana trepidación de la artillería de Soult rodando por los desfiladeros; el jazmín y el azahar envían su perfume a las altas estrellas.

No obstante, la tragedia ya tiene allí sus testimonios. Parece que Byron acertó a ver, en Sevilla, a la heroína de Zaragoza, que excitaba la curiosidad de las gentes paseándose por el Prado. En Turquía, y después al pie mismo del Parnaso, escribía el viajero sus estrofas dedicadas a Agustina de Aragón. «He aquí por qué la joven española empuña el acero, suspendiendo de un sauce la silenciosa guitarra... Ella, que palidecía a la vista de un rasguño, a quien el chillido de la lechuza hacía temblar de espanto, contempla después, con ojo tranquilo, el bosque de erizadas bayonetas y la espada centelleante; Minerva intrépida, avanza sobre los cadáveres todavía calientes, por donde el mismo Marte vacilara en seguir... ¡Oh, si la hubieseis visto en más dulces tiempos! Si hubieseis visto sus ojos negros brillar a través del negro encaje de su mantilla, si hubieseis conocido en la intimidad de su tocador aquella voz ligera y alegre, aquellos largos cabellos que desafían la habilidad del pintor, sus formas encantadoras, su gracia ultra-femenina, no hubierais podido creer que un día las torres de Zaragoza la vieran mirar cara a cara al Peligro y su cabeza de Medusa, sonreírle, aclarar las filas enemigas y guiar a los combatientes por el terrible sendero de la gloria...» Su amante ha caído y ella no derrama lágrimas inoportunas; su jefe ha muerto y ella le reemplaza en el puesto fatal... ¿Quién mejor que ella aplacará sus manes inultos?... Y, sin embargo, esas mujeres de Hesperia no son Amazonas feroces; creadas nacieron para el amor y sus delicias. Si hoy toman el gladio y se confunden en la horrible falange, es con el arrullo de la paloma que hiere con su pico de ágata la mano rapaz extendida contra su compañero...

Así resonó en la Gran Bretaña y en el mundo entero el elogio de la barcelonesa Agustina, a quien Southey dedicó también hermosos párrafos en su *Historia de la guerra peninsular* y Woerdworth en su trabajo sobre la Convención de Cintra, y cuyo retrato pintó Wilkie, entregándola a la admiración de la sociedad londinense. ¿Cómo acordarse de las beldades del Norte, exclama Childe-Harold, frías, incoloras, no obstante los artificios de su vocecilla aflautada y su hablar dengoso y de media lengua?... Pero donde sale de quicio su entusiasmo báquico, su desenfreno de libertino, es en Cádiz, la ciudad radiosa y blanca surgiendo de un mar de turquesa, la mansión de las gracias, de la voluptuosidad y del deleite, cuyas auroras llegan siempre a tiempo de iluminar inextinguibles orgías. ¡Cuán sombrío y fastidioso le parece allí el recuerdo del domingo en Londres, con sus menestrales vestidos de fiesta, sus salidas a Hampstead, a Breutford, a Harrow, y sus barquillas del Támesis paseando petimetras emperifolladas! En Andalucía el toril abre sus puertas, una muchedumbre impaciente se precipita por las gradas y una lidia preñada de emociones ofrece la visión de la sangre, de la valentía, de las fuertes costumbres de otra edad, heroica y caballeresca... Allí, en aquel ambiente, germinó la deliciosa canción *A Inés*, impregnada de tanta amargura, de tan ejemplar desolación, y allí se despidió para siempre de España, continuando su viaje a Oriente y llevándose en el alma los contados elementos locales de su futuro *Don Juan* y la sugestión de *Lara* (cuyo único españolismo se contiene en la resonancia de este nombre) para dar incesante alimento a aquel orgullo o soberbia que tuvo, según Menéndez, más todavía de teatral que de satánico.

La musa de Byron, que en Inglaterra apagó los últimos arpegios de los *lakistas,* fue la primera que integró a España en los dominios de la poesía romántica haciéndole conocer el *tædium vitæ* de los nuevos ángeles rebeldes y caídos en la desesperación, de los Prometeos que osaron arrebatar el fuego divino y a quienes el buitre simbólico, roerá eternamente las entrañas. En vano buscarán paz y olvido en lejanas tierras, en ciudades ideales, en las bahías luminosas del Oriente; en vano pedirán a una nación esclava su estandarte para guiarla al triunfo o para morir en Missolonghi entre su banda de *suliotas.* La paz, la serenidad, la resignación han huido de su espíritu. Como Macbeth han matado su sueño. Sus páginas espléndidas, sus poemas inmortales constituirán para la humanidad un ejemplo desgarrador y un espectáculo doloroso y lleno de enseñanzas. Ni el genio, ni la fortuna, ni el amor, ni la gloria, pudieron conseguirles la felicidad. Buscáronla donde no estaba, fuera de sí mismos. De ahí esa tristeza total e irremediable que ha podido ser definida como el verdadero sentimiento del vacío.

V

Entre el *Childe-Harold* de Byron y *Las orientales* de Víctor Hugo (1829), media un período de veinte años completamente silencioso para la literatura hispanizante de índole poética o artística, aunque muy fecundo en cuanto a memorias militares o diplomáticas, dietarios y reseñas de la guerra pasada, que brotan de un doble origen: invasores o aliados, franceses o ingleses. Esta producción recibe nuevo impulso, después de la Santa Alianza, con la expedición del duque de Angulema y los Cien mil hijos de San Luis, y se prolonga hasta la primera guerra carlista con el tributo de aventureros y espectadores de la contienda, que acuden a presenciar como un pueblo se destroza a sí mismo ofreciendo a Europa el espectáculo, anacrónico y olvidado ya, de la discordia civil y del fratricidio en grande.

No tienen cuenta las *Adventures, Letters, Travels, Accounts* y *Joruneys in Spain;* las memorias y recuerdos de oficiales, de prisioneros, de inválidos ingleses y aun de alguna que otra joven *lady* andariega y valerosa, por el estilo de las que Pérez Galdós introdujo en sus *Episodios* de la primera serie. Numerosos son también los libros de polacos, alemanes o suizos al servicio de Francia, como el general Von Brandt, como Schuemberg, como Richter. Más abundantes todavía resultan las publicaciones genuinamente francesas respecto a los años 1808 a 1814. La bibliografía de los prisioneros de Cabrera formaría, por sí sola, una nutridísima sección. Políticos, mariscales, simples subalternos consignan sus impresiones de la guerra o de la efímera dominación del rey José. Memorias del coronel Gonneville que volverá a España en 1823 y seguirá escribiendo; memorias del general barón de Marbot; memorias del conde Miot de Melito; del mariscal Suchet, duque de Albufera; del general Saint-Cyr Nugues; de Laura Junot, duquesa de Abrantes; memorias de Fée, que repetirá su visita, como pacífico viajero, en 1859, dándose el gusto de describir *L'Espagne à cinquante ans d'intervalle*; memorias y campañas de Teresa Figuer, exdragón del 9 y 15 regimientos, rival de las monjas alférez y de las heroínas coruñesas y zaragozanas...

Entre esa producción inagotable descuellan las *Mémoires du général Hugo, «gouverneur de plusieurs provinces et aide-major général des armées en Espagne»*, porque vienen a constituir el enlace de aquel género histórico y castrense con la literatura propiamente dicha, representando la inmediata transición al españolismo de los grandes románticos de Francia. El tomo segundo de dichas memorias va precedido de un «resumen histórico de los acontecimientos que condujeron a José Napoleón hasta el trono de España», firmado por Abel Hugo, hijo del general y hermano mayor del celebérrimo poeta de las *Odas y baladas.* Del mismo Abel es el capítulo que figura en el tomo tercero sobre el «carácter de los españoles», como presagiando y anunciando su futuro extracto del *Romancero general* (1822), que tuvo sobre el público una influencia más rápida y extendida que la de los eruditos e historiadores de las literaturas meridionales a la manera de Bouterweck, Sismondi o Ticknor. El «hispanista» de la familia fue, en todo caso, Abel Hugo, no obstante la leyenda que en Francia ha venido atribuyendo a su famoso hermano el señorío de aquella especialidad, señorío de que dio tan buena cuenta Morel-Fatio en uno de sus más acabados *Études sur l'Espagne.*

Porque la España de Víctor Hugo, la España de las *Orientales,* de *Hernani,* de *Ruy Blas* y de la *Leyenda de los siglos,* no es una idealización de la realidad, ni siquiera una interpretación poética, es un producto original, una creación o engendro de vate alucinado por alta calentura, es como una proyección de su fantasía portentosa capaz de animar y hacer surgir de la nada a todo un pueblo imaginario, de la misma suerte que otros crean un personaje o un carácter individual. Nada resiste al menor análisis en ese maravilloso continente arbitrario, ni la geografía, ni la historia, ni la flora, ni la indumentaria. El poeta se deja conducir por el prestigio exótico de las palabras, por la sugestión musical de los sonoros nombres castellanos, por el no sé qué misterioso que duerme en la eufonía de los apellidos o en determinadas designaciones de comarcas. En sus enumeraciones de lugares, pasa de Tordesillas a Reus y de Gerona a Setúbal, como en sus toques de historia pondrá en los tiempos heroicos instituciones del siglo XVII y hará a los *corregidores* personajes contemporáneos del conde Lucanor.

No será difícil hallar un caballero de Alcántara departiendo con Carlomagno ni un bosque de sicomoros en Salamanca o Tudela, si la opulencia de la rima, el movimiento de la hipérbole o la fuga de la imaginación caldeada arrastran al poeta en este sentido. La lógica y la verdad de su creación nacen de dentro y no de fuera. Hay que buscarlas en el ensueño y la inventiva del autor, no en los libros ni en los cánones de la exactitud según puede entenderlos un concienzudo arqueólogo de provincia. Sus reconstrucciones literarias nada tienen que ver con el procedimiento erudito de Walter Scott y hay que tomarlas o dejarlas íntegramente, no como una imagen más o menos embellecida de la verdad, sino como una erupción o levantamiento volcánico. En su «romancero» de la *Leyenda de los siglos*, en sus *Orientales*, en las piezas de tema español de sus *Odas* y *baladas*, toma a menudo un lema castellano, el punto de partida de un romance morisco, una informe tradición local, pero muy pronto los abandona para lanzarse, en pleno frenesí fantástico, por donde nadie le esperaba ni nadie pudiera seguirle. Algunas de esas leyendas y baladas empiezan como pudiera empezarlas Schiller, con su noble decoro, con su generosa y acompasada serenidad. Casi en seguida deja este andamento y de un rapto se planta en la región vedada a los demás poetas, abierta a su imaginación única. Entonces los versos corren como un torbellino agitando nombres, recuerdos, paladines, ciudades, consejas, estandartes, clarines, castillos y bosques centenarios, en inmenso *totum revolutum*. ¿Qué importa la impropiedad?, ¿qué importa el anacronismo?, ¿qué importa el salto geográfico?

El Cid, en sus eternas quejas contra el rey, podrá lanzarle en cara sus ingratitudes, increparle por sus felonías:

Je pourrais y mettre un terme;
je t'enverrais, roi des goths,
d'une chiquenaude à Lerme
ou d'un soufflet à Burgos.

. . . .

Vous avez fouetté des femmes
dans Vich et dans Alcalá;
ce sont des choses infames
que vous avez faites là!

El lector de buena fe podrá sentirse un momento perturbado por esas incongruencias, por esas inesperadas y gratuitas asociaciones. Tal vez se habrá propuesto anotarlas pacientemente para documentar el acta de una tan omnimoda y constante sofisticación. Tal vez ha entrado en la lectura con espíritu prevenido y de fiscal. No tardará en dejar el lápiz, sin darse cuenta de ello, y en sentirse arrebatado por el vuelo del poeta y transportado a la visión terrible o espléndida que ampliamente desarrolla ante sus ojos. El vate triunfa. Esa España poética no es la que conocemos objetivamente y por estudio; pero el gran visionario nos impone *su* España, como nos impone toda su geografía poética, con el sortilegio de una rima, verdadero celaje de aurora, juego de colores y luces simulando lejanías, campamentos, lizas, cabalgatas triunfales y burgos coronados de almenas donde suena a los cuatro vientos el clamor de oro de las trompas heráldicas. Cuando el poeta se incorpora sobre su Pegaso y echa a volar, nada le resiste como nada resiste al Cid en las llanuras épicas, conmoviéndose el carbonero en su choza y el rey en su alcázar:

Et tout tremble, Irún, Coïmbre,
Santander, Almodóvar,
sitót qu'on entend le timbre
des cymbales de Bivar.

. . . .

D'ombre en vain tu t'environnes;
ma colère un jour pensa
prendre l'or de tes couronnes
pour ferrer Babieca.

Nadie consigue sustraerse a la magia de esas evocaciones, a la sensación a la vez luminosa y musical de esas palabras diamantinas. ¿Qué suponen las estrafalarias genealogías de reyes, reyezuelos, infantes y barones de *Le Cid exilé* o de *Le petit roi de Galice*? Baraje enhorabuena a Nuño *Saz* y Calvos, a los infantes de Irún y Alvar Rambla, a Atón, conde de Nimes, y el rey de Acqs-en-Adour Santos el Rojo. Desfilen ante nuestros ojos asombrados el rey Blas; Juan, duque de Cardona; Gil, rey de Luz, y Jesufal el Cruel, y Gilimer, y Barbo, y Francarel, y Favila... Ni en los peores tiempos de los libros de caballerías, ni en las *Sergas de Esplandián,* ni en *Don Florismarte de Hircania,* pueden hallarse mayores incoherencias ni una selva de nombres y una topografía tan delirantes; convenido. Mas el lector se habituará muy pronto a toda esa generación ideal y palpitará de angustia por la suerte del niño secuestrado en poder de sus tíos feroces, admirando la acción de Rolando y las proezas de su espada Duranda, justiciera y sin mácula como un cisne. Muy pronto se enternecerá ante la patriarcal figura del Campeador en su destierro de Oyarzún, donde el emisario del rey, que va a desagraviarle, le sorprende acariciando a su caballo bajo las arcadas del castillo, en una forma en que lo legendario popular acaba por coincidir plenamente con lo homérico:

La jument, grasse alors comme un cheval de moine,
regardait son seigneur d'un regard presque humain;
et le bon Cid, prenant dans l'auge un peu d'avòine,
la lui faisait manger dans le creux de sa main.

Lo mismo, exactamente lo mismo podría repetirse de *Le cycle pyrenéen* y la disparatada Cataluña de los tiempos precondales que allí aparece en torno de Masferrer, del cual se diría que es una informe amalgama de Tallaferro, Garí y Serrallonga, salvando siglos y reduciendo distancias. Por un conde don Acanio más o menos, hijo de otro fabuloso don Jaime y habitando la torre de Arcol construida por don Maldrás, no se echará a perder seguramente el maravilloso efecto de *Paternité.* Aunque saliendo de tan ridícula nomenclatura y prosapia, don Jaime, educado en la excelsa religión del honor, abofetea a su hijo que vuelve, con su mesnada, de una espantosa correría, manchado con la sangre de niños y mujeres, harto de botín y violencia sacrílega. El padre baja a la cripta donde está enterrado el suyo. Solloza sobre la gigantesca estatua de bronce; oculta su rubor y su vergüenza, abrazado a las rodillas del coloso; y, entonces, la estatua se conmueve y la mano de bronce acaricia en silencio la mejilla del anciano, húmeda de lágrimas... Nada hay imposible, ni nadie puede resistirse a la potencia de imaginación que ha concebido y ejecutado *Paternité* y *L'aigle du casque*; y hasta parece que sus incongruencias, sus anacronismos, su toponimia arbitraria, sus nombres de parodia, vayan puestos expresamente para probar la eficacia de la fantasía que con tales ingredientes nos sirve un bebedizo mágico y nos transporta a las regiones de lo maravilloso, de lo estupendo y de lo terrible.

En suma, la versión poética de Víctor Hugo es absolutamente voluntaria y caprichosa. Su pretendida «documentación», que los franceses acataron como artículo de fe hasta hace veinte años, más le estorbaba que le servía. En todo caso, su España bárbara y caballeresca parece vista a través de la gesta de Rolando y del falso Ossian; su España musulmana a través del *Divan* de Goethe, agrandado y magnificado todo en el espejo hiperbólico de su propia mente. Baste decir que confundió los *romances moriscos* y fronterizos con una verdadera epopeña popular de los sarracenos y habló de las dos *Ilíadas* españolas, *gótica* la una y *árabe* la otra... No obstante, sus rimas pasearon en triunfo por todo el globo estas voces sonoras, y estas reminiscencias de diez meses de vida madrileña, cuando el poeta no contaba más allá de nueve años, y puso decididamente en moda a la Península como país épico y trágico, reservando la parte pintoresca y amorosa para los Gautier y los Musset. Cantó de oídas a Granada y «las treinta ciudades», compuso cien crónicas para su uso particular, cien genealogías para las necesidades de su versificación suntuosa, cien mapas nuevos para sus conveniencias descriptivas; pero a lo mejor y de improviso, de entre tantas convenciones y disparates, un rasgo, una estrofa, un período levantan su vuelo hacia las regiones de la belleza pura y extienden sobre el mundo una emoción más duradera y definitiva que todas las exactitudes, llevando a los últimos rincones del planeta el polvo de oro de las viejas leyendas y de los famosos monumentos en ruinas:

L'Alhambra! l'Alhambra! palais que les Génies
ont doré comme un rêve et rempli d'harmonies,
forteresse aux créneaux festonnés et croulants,
oú l'on entend la nuit de magiques syllabes,
quand la lune, à travers les mille arceaux arabes,
sème les murs de tréfles blancs!

VI

Cambia y se suaviza la decoración en las visiones poéticas de Alfredo de Musset, no por ello menos arbitrarias y caprichosas. De la fantasía algo femenina y lánguida del cantor de las *Noches* surge un nuevo país literario: país de amoríos en noche de luna, la España de mandolina, escala de seda y barcarola, todo rejas floridas y balcones de Julieta, todo suspiro y aventura; muelle y graciosa región imaginaria para colegiales y damiselas filarmónicas; país de romanza y arpegio, patria de la Malibrán y de su hermana Paulina García en el apogeo del espasmo melódico y *belcantista* a la italiana. De Italia, en efecto, parecen la voluptuosa morbidez de la pintura, la tibia sensualidad del ambiente; como una prolongación de las serenatas venecianas y de las mascaradas espléndidas, propicias al lance de amor y fortuna, de venganza y perfidia, con el puñal escondido entre violetas y la gota de veneno en la sortija cincelada. Así debía comprenderlos el autor de *Lorenzaccio y Mimi Pinzon.* Hijo enfermizo de la musa romántica, siempre al retortero de alguna Circe encantadora, intérprete poético de las celebridades femeninas de su tiempo, buscaba la luz de España en las pupilas de sus mujeres sin preocuparse tampoco de otros datos ni de otra geografía.

Avez-vous vu, dans Barcelone
une Andalouse au sein bruni?
Pâle comme un beau soir d'automne!
C'est ma maitresse, ma lionne!
La marquesa d'Amaëgui.

Los dislates de Musset en cuanto a nomenclatura española, pasaron hace tiempo a la condición de clásicos. Su Don Páez, de los *Contes d'Espagne et d'Italie,* es el resumen más completo de las impropiedades, desafinaciones y licencias poéticas que tanto indignaron algún día a los temperamentos austeros y *ad pedem litteræ.* «Dona Casales» y «Don Etur de Guadassé», quedarán para siempre en la historia de la literatura como ejemplos de color local a estilo de los primeros románticos. Musset cuidaba muy poco de lo objetivo. Un ensueño moroso y sensual le bailaba dentro; y esa es la España cantábil que fue desgranando en poemas de escalamiento y desafío o en letras para rondo. Todo el monte le parecía orégano y toda la Península pululaba, en su mente, de duquesas y marquesas andaluzas, de pie diminuto y tez ambarina. Todas las ciudades eran igualmente meridionales y musulmanas, «desde Tolosa a Guadalete». En toda casa había un balcón y en cada balcón una hermosura conquistada o por conquistar; Juana, Inés, Julia:

> *Or si d'aventure on s'enquête*
> *qui m'a valu telle conquête,*
> *c'est l'allure de mon chéval,*
> *un compliment sur sa mantille,*
> *puis des bonbons à la vanille*
> *par un beau soir de carnaval!...*

Casi por la misma fecha de los *Contes d'Espagne et d'Italie,* hacía Próspero Mérimée su primera excursión a la Península, si bien databa de más antiguo su afición hispanizante. El *Teatro de Clara Gazul* apareció en 1825, esto es, cinco años antes del primer viaje de su autor. En ese *Teatro,* mero capricho o mistificación erudita y de gabinete, se anuncia la poderosa intuición de Mérimée, su temperamento de explorador espiritual, nacido para comprender todo exotismo y para explicar toda psicología remota. Alma de viajero guiada por una curiosidad simpática e insaciable, considera como un goce supremo la «diferencia» de las costumbres sin sentirse por ella molestado ni sorprendido. No pertenece a la vulgarísima familia de los que salen de París en busca de emociones nuevas y, luego, en cada diligencia, en cada fonda, en cada parador, declaman indignados porque todo el mundo no es París y porque los pueblos y lugares que atraviesan no resultan una prolongación de la calle de Rívoli y del boulevard de la Magdalena.

Con todo y su carácter de superchería o fraude bibliográfico, el *Teatro de Clara Gazul* se hace leer de una sentada y casi todas las piezas que atribuye a la joven y malograda actriz de su invención —cuentos en forma dramática, mejor que comedias propiamente dichas—, se sostienen aún por su rapidez, su energía y su limpieza de contornos. Así, por ejemplo, *Los españoles en Dinamarca* debe considerarse todavía como el mejor tributo literario que haya obtenido la célebre retirada del marqués de la Romana. *Inés Mendo, La familia Carvajal, La ocasión, La carroza del Santísimo Sacramento,* todos esos dramas breves, revelan, en fin, una poderosa imaginación intuitiva y una gran aptitud para penetrar en los secretos del alma de un pueblo, aun en medio de la vacilación propia de quien aborda su asunto sin otro documento que la lectura y antes de haber entablado comercio con la realidad, En el *Teatro de Clara Gazul* diríase que Mérimée ha oído campanas, y con bastante claridad y de bastante cerca. Poco tiempo necesitará para orientarse, así que entre en la Península, quien demuestra esa facilidad de asimilación, a pesar de que en tales obrillas no andan tan equilibrados como en las de su segunda época el mérito literario y la representación local, quedando ésta por debajo de aquél.

Mérimée no escribió un viaje en sentido estricto, pero fue el más señalado de los viajeros y devotos de España, en la cual puede decirse que siempre tuvo un pie, habiendo pasado la frontera más de quince veces. Sabía conciliar sus aficiones y profesión de arqueólogo —fue durante mucho tiempo inspector de los monumentos de Francia— con todas las curiosidades y avideces mundanas del observador y del literato puro. De la estirpe de Stendhal, pero más *escritor,* bastante más artista, su estilo era la misma perfección, la sobriedad y la transparencia llevadas al colmo de la eficacia. En lo social y en lo literario ofreció, como nota distintiva, una reserva de buen tono. Cuantos le conocieron y encontraron en la vida atestiguan el fondo generoso de su alma envuelta en cierto aire contenido y *distante.* Su misma correspondencia amorosa y de amistad, reunida después en los dos tomos de *Lettres à une inconnue* revela esa continua vacilación, ese continuo temor del ridículo, ese impasible análisis de sí mismo y de la mujer superior y fascinadora a quien escribía, de suerte que se pasan años y años en una disputa incesante aunque llena de ingenio. Huyó, sistemáticamente, del entusiasmo exterior y del énfasis como de los peores enemigos que pueden encontrar el hombre y el artista. De este modo consiguió mantener, en pleno romanticismo, aquella posición peculiar y distinguida desde la cual asistió, más como espectador que como partícipe, al desenvolvimiento de la fiebre y del delirio general; y de este modo también obtuvo una influencia y nombradía más intensa que extensa, una selecta celebridad que se prolonga más por la duración que por el número de los adeptos.

Generalmente no conoce el público más producción española de Mérimée que *Carmen,* según el libreto de la ópera de Bizet. Y, sin embargo, su colección está llena de referencias y trabajos interesantes de aquel género, desde las tres cartas dirigidas a la «Revue de París» en 1830 y 31, hasta las frecuentes epístolas familiares *À une inconnue,* que figuran fechadas en Barcelona, en Madrid, en Carabanchel, en Sevilla. Unas veces se ocupa de graves materias arqueológicas, como en su artículo *Sur un tombeau découvert a Tarragona,* dejando entrever, con imperceptible ironía, la figura del erudito local

Hernández Sanauja; otras veces diserta sobre la literatura española en general, a propósito de la aparición del libro de Ticknor, o sobre la historia, a propósito del de Prescott relativo a Felipe II, obra de la cual hizo siempre muy poco aprecio. En *Les sorcières espagnoles,* entretenida narración de viaje por Valencia, dibuja un tipo lleno de viveza y exactitud local, el de su guía Vicente, advirtiéndose desde la primera línea la seguridad con que distingue la topografía y la psicología peninsulares y el primor con que se hace cargo de los matices de cada comarca. Ora le hallamos sentado en un gabinete del antiguo archivo de Barcelona, mirando a la galería gótica y al patio de los naranjos, mientras preparaba su *Histoire du roi Don Pedro le Justicier,* o el Cruel, de Castilla, y poniendo a tributo las crónicas y diplomas catalanes, lo cual en España mismo no solía acontecer por aquellas fechas; ora le vemos, años después, en un palco de cierto teatro de Madrid, mientras se hablaba del matrimonio de Eugenia Montijo con Napoleón III, sorprender la exclamación de cierta señorita agriada: «En este pueblo no hay porvenir.» Una noche cena con duques y marquesas, con Narváez y González Bravo, o asiste a alguna sesión de la Academia de la Historia, preparada en su honor, y, dos días después, departe con gitanos y acemileros bajo el porche de una venta andaluza, lugar en que siempre confesó haberse hallado a gusto.

Su facilidad para los idiomas fue portentosa. Además del francés, sabía griego antiguo y el moderno, el latín, el inglés, el castellano, el italiano, el alemán y el ruso. Dominaba perfectamente el *caló* de los gitanos. Descifraba el provenzal y el catalán de los códices. Había metido la nariz en todo dialecto fronterizo, en todo *baragouin,* en toda historia dramática. Así le interesará la de César en la antigua Roma, como la del amante de María Padilla en España, como la de los falsos Demetrios en Rusia; de cada una de estas preocupaciones resultará un libro de la mayor elegancia. Las correrías a que le obligan sus trabajos eruditos, producen casi siempre alguna hijuela estrictamente literaria. Preparando uno de sus *Études sur l'histoire romaine,* tratando de rectificar el lugar atribuido a la batalla de Munda *Munda Bœtica,* cerca de Montilla, encuentra en sitio desolado, junto a un manantial, al pobre enamorado de *Carmen,* desertor, contrabandista y semibandolero. De su estancia en Sevilla para el estudio de don Pedro el Cruel, obtendremos *Las ánimas del Purgatorio,* o sea la leyenda de don Juan de Maraña, en una versión llena de colorido y que parece ser el inmediato precedente de Espronceda y Zorrilla en sus respectivos episodios.

Es curiosa la pasión de Mérimée, por todo lo violento, casi por lo espeluznante. De sus cartas de España a la «Revue de París», una está dedicada a los toros: el picador Sevilla y los matadores Romero y Montes, el genio de Chiclana, son objeto de un estudio trascendental, contrastando esta prolijidad con el silencio que reservó el autor para toda la literatura española contemporánea. Veinticinco o treinta años después, escribiendo desde Madrid donde acaba de ver a Cúchares, lamenta la decadencia espantosa del toreo y sale desconsolado de la plaza. La segunda carta está dedicada exclusivamente a describir la ejecución de un reo, que presenció en Valencia. Se trataba de un huertano que había dado muerte a un alguacil. Mérimée anota concienzudamente todas las particularidades del acto, así como lo vio desde un balcón, junto a una linda señorita. Las ejecuciones eran de horca, todavía. La figura del ajusticiado, el retrato del verdugo, el cortejo de encaperuzados y sacerdotes, el rezo de la multitud, la despedida, el perdón... no se olvidan fácilmente. La tercera y última de estas correspondencias refiérese al bandolerismo: es una semblanza del famoso José María, alias «El Tempranito», con indicación de las causas semi-románticas de su extravío, con su indulto, con su nuevo cargo de escopetero para custodia de las diligencias que antes asaltó, con su muerte a manos de un lugarteniente antiguo que no supo perdonarle su apostasía. La boda que describe Mérimée en el cortijo de Andújar, la súbita aparición del bandolero, con ánimo de consumar una venganza; el airoso desenfado de José María aceptando un puesto en el banquete; la discreta intervención de la novia pidiéndole, al oído, la gracia de no manchar con sangre aquella fiesta; el brindis del salteador, al levantar su vaso de Montilla, y la generosa reconciliación con el invitado a quien buscaba y que había estado a punto de delatarle a los lanceros, constituyen el esbozo enérgico de otro cuadro que, en manos de Bizet, hubiera hecho igualmente gran fortuna teatral.

Sin abandonar un instante su dilettantismo, con aire tranquilo, con su absoluta imperturbabilidad de *dandy,* refiere Mérimée los más intensos dramas pasionales, desde los celos de España a las *vendette* de Italia, interesándose por todo lo indómito o fuera de lo normal, trátese de contrabandistas gibraltareños o de cosacos y atamanes de Ucrania; trátese de escenas del *maquis* corso, del buque negrero, del vivac de los *saporegas* o de la vida semi-feudal en los castillos lituánicos. *¡Carmen, Colomba, Tamango, Lokis, Mateo Falcone!* No es posible reducir mayor intensidad dramática a menor volumen, ni encerrar tanto horror en un número de páginas tan limitado. No desmiente Mérimée su derivación stendhaliana, pero tenía sobre Beyle el arte del diálogo y de la presentación confluente y movida. ¿Quién que haya leído ese cuento breve de *Mateo Falcone,* no sintió erizársele materialmente los cabellos y correr por su espalda un escalofrío? Y, no obstante, no puede darse mayor simplicidad de recursos ni menos retórica. El autor de las *Nouvelles* es el narrador más sobrio, mesurado y elegante que hayan tenido la violencia y las pasiones y atavismos populares. Con elementos de folletín y de romance de ciego aderezaba obras de suma perfección; y en este género es todavía el especialista insuperable.

VII

No es *Carmen* una imitación literaria por el estilo de *Gil Blas,* sino algo nuevo, fruto de observación personal y directa. Mérimée logró concretar en esa obrilla (maestra por el conjunto y por casi todos los pormenores) no ya un aspecto histórico, sino el drama vivo de España y como la pasión fundamental de la psicología de este pueblo. Diríase que, para Mérimée, toda la originalidad de la nación se había refugiado en las últimas capas sociales, habiendo perdido su fuerza e interés representativo las manifestaciones superiores del arte, de la literatura, del pensamiento contemporáneos, desviados de su propio genio por los siglos de imitación extranjera. El alma popular era lo único que continuaba viviendo en este país, por sí mismo y según su propia ley. Lo demás era una superposición de modas o influencias externas. De la Rusia de su tiempo preocupa a Mérimée la profunda revolución literaria que allí descubre, siendo el primero de sus reveladores desde París. Presenta o traduce a Puskine, a Gogol, a Turguenieff. De España no le preocupa otra cosa que la arqueología literaria y monumental o el espectáculo de la vida ingenua y sin artificios de las últimas capas sociales.

De ellas extrajo esa historia de *Carmen,* poema de amor y muerte, de voluptuosidad y de sangre, de veleidad femenina, perdición de un hombre honrado. Jamás el drama tabernario y de navaja, fue tratado por mano tan hábil y pulcra ni contado tan diestramente. En escenas sueltas aparecen las dos figuras principales, describiéndolas el autor, como desprevenido del efecto final. Los ha ido encontrando en sus excursiones; al don José en una posada, a Carmen en una nevería de Córdoba; ha entrevisto la pasión del ex sargento, hombre del norte, «natural de Elizondo, en el valle del Baztán», mareado por la serpiente gitana y meridional, caprichosa y maligna, que le dice en vascuence sus primeras seducciones. Le ha visto olvidar el rastro de su antigua hidalguía; ha conocido desertor y por último bandolero, al infeliz dragón de Almansa. Piérdelos de vista por algún tiempo a uno y otro y su recuerdo queda archivado en la memoria de las cosas triviales. Mas he aquí que un día el viajero vuelve a Granada y un fraile del convento en cuya biblioteca prosigue su estudio, le anuncia que a la mañana siguiente va a ser ahorcado un pobre contrabandista. Mérimée, acude a ver al reo en la capilla, le ofrece cigarros, le recuerda sus encuentros anteriores y, entonces, el sentenciado cuenta al visitante la historia de su amor por Carmen, desde la escena de la fábrica de tabacos hasta las ceguedades y crímenes que le han conducido al patíbulo. En efecto no puede ser más patético en medio de su naturalidad y sencillez; y cabe sostener que *Carmen,* por el mismo carácter de miscelánea o episodio de viaje a que parece reducirla el autor, lleva ventaja a *Colomba,* formalmente concebida y escrita como novela imaginaria, aunque de un modo tan perfecto y tan artístico.

De esta manera consiguió Mérimée condensar en un drama tipo la violencia de la pasión española, poniendo en contacto a José y la cigarrera, esto es, al capricho de un día y la obstinación taciturna y para siempre, a la veleidad y el amor invencible, a la ligereza volátil y el furor homicida y sangriento de los celos desesperados. Observador de profundas dotes tenía que ser quien de este modo llegaba a la entraña nacional, no por vía de reconstitución literaria como en el *Teatro de Clara Gazul,* sino por intuición directa, por examen e impresión de la realidad vista sin intermediarios ni intérpretes. Y esto fue, en efecto, un viajero nacido para tal, que no habla de las penalidades de sus correrías, ni se enfurece y regatea con los mesoneros, ni entretiene al lector con la eterna lamentación de su hambre mal satisfecha o de su sueño mal reparado; que no se ocupa de sí mismo sino de la objetividad y que, en fin, al visitar esos países pintorescos o pasionales en el primer tercio del pasado siglo, sabía de antemano a qué atenerse en cuanto a satisfacciones del lujo, de la gula o de la simple comodidad.

Todo lo contrario de eso hallamos en *Un hiver à Majorque*, de Aurora Dupin, o sea el famoso escritor conocido por Jorge Sand, que visitó aquella isla y residió en ella durante el invierno de 1837 a 1838, acompañado de sus hijos, entonces de corta edad, Mauricio y Solange, y del ilustre compositor Chopin. En aquella fecha la célebre novelista se hallaba en pleno tumulto romántico, como mujer no menos que como artista. Hacía ostentación de su ingenio triunfante lo mismo que de sus elegancias y excentricidades de *lionne;* y por no meditar la elección o por misterioso designio de la suerte fue a enterrarse en el seno de una isla silenciosa, entre gentes tímidas, reservadas y de costumbres tradicionales, que no conocían los grandes escenarios del mundo ni el temple de alma y los pujos de emancipación proclamados a la faz de Europa con *Lelia* y *Valentina*. La postración intelectual de Mallorca estaba entonces en su colmo. Se había perdido la tradición de la antigua cultura local y no había despuntado aún el movimiento restaurador y romántico, eco del de Cataluña, que dos años después (1840) iniciaron don Tomás Agulló y don José María Quadrado en el periódico «La Palma», cuyo último número debía servir, precisamente, para la excesiva y virulenta *Vindicación* contra Jorge Sand, primer ensayo del futuro colaborador de Balmes y polemista de «El Pensamiento de la Nación».

Quadrado atenuó, dos años después, en la reimpresión y continuación del tomo de Piferrer sobre *Mallorca,* aquella fulminante réplica, en la cual manifiesta haberse tomado «la indebida libertad de imitar al autor» del famoso *pamphlet.* Libelo es, efectivamente, la relación de Jorge Sand en todo lo que atañe a la pintura de las costumbres y al juicio que le merecen los habitantes de la isla; y en cambio, a una página llena de recriminaciones e injurias, sucede otra página desbordante de entusiasmo, de número y de calurosa elocuencia así que la contemplación de la naturaleza consigue aplacar la irritación de la mujer de mundo humillada por una sociedad oscura, pero fiel a sus hábitos, a sus creencias religiosas y a su sentido moral, y que no ha dado carta de naturaleza todavía a las pasiones irregulares ni a las amistades ambiguas, sobre todo para acatarlas ostensiblemente y recibirlas en triunfo como quería Mme. Dudevant. De aquí el choque y la iracundia, más todavía que de la exagerada prevención contra el tísico, que por tal se tenía a Chopin, enfermo realmente y enviado a un país cálido por los médicos de París. Es cosa que suspende y desencanta ver a una mujer, superior en tantos aspectos, que rebaja súbitamente un estilo lleno de fervor y fantasía, hasta el cuchicheo de las comadres.

Nadie había expresado hasta entonces aquella magnífica impresión del paisaje: «la verde Helvecia, bajo el cielo de la Calabria, con la solemnidad y el silencio de Oriente». Jovellanos no había hecho más que descubrir, también en Valldemosa y viviendo con los «silenciosos hijos de San Bruno» en la misma cartuja que habitó Jorge Sand casi inmediatamente después de la reforma de Mendizábal; no había hecho más que descubrir, repito, el aspecto apacible y sedante de la naturaleza, pero no sus extremos grandiosos, imponentes y sublimes, cuyo sentido se desarrolla en la literatura desde Chateaubriand. Jorge Sand desentraña la belleza de Mallorca en la parte que conoció —valle de Establiments, Esporlas, Valldemosa, Miramar— con todo su hechizo moderno y romántico. De los olivos milenarios del camino de Valldemosa deja una página inolvidable que acaso influyó más que la realidad misma sobre las fantásticas interpretaciones de Gustavo Doré. El misterio de las noches estrelladas y tibias, los pequeños episodios de torrentes bullidores y puentecillos rústicos, de casas entre breñas y de vegetación fresca y rumorosa junto a los manantiales y molinos de agua, toda aquella anotación de un país de *villegiatura* a la moda de 1835, contrasta con el odio que reserva para los pobladores de ese jardín de las Hespérides, custodiado según Jorge Sand por inmundos guardianes de la raza perruna.

El poderoso talento del escritor no consigue desprenderse de las bajas tendencias de la mujer a la murmuración y al chisme de fregadero; su elevación de estilo ante los grandes panoramas y sinfonías del mar y del bosque acaba por abatir el vuelo y encarnizarse en la expresión de pequeñas rencillas de cocina, en la obsesión burguesa de la planchadora, la criada, la manteca, el carbón. Páginas enteras consagra a contarnos sus disputas con el propietario de casa de Establiments y con su vecina María Antonia en la Cartuja. Que si el aceite, que si la leche, que si los huevos, que si el pescado... Todo le resulta intolerable y nauseabundo menos Mendizábal. Mendizábal será para Jorge Sand lo que Aranda había sido, en el siglo anterior, para los enciclopedistas. Ni Mérimée, ni Gautier se entusiasman con la exclaustración, como tampoco llegó a entusiasmarse con ella Dumas. Jorge Sand, entre todos los viajeros de su tiempo, exceptuando a Edgardo Quinet, es quien mejor representa el espíritu militante y agresivo de la revolución filosófica, el proselitismo declamador y como el eco de aquella fermentación humanitarista y sansimoniana que removía las entrañas de París y del mundo entero. A manera de intermedio coloca en su libro un diálogo semifantástico sostenido entre las ruinas del «convento de la Inquisición» de Barcelona, por el viajero y un exclaustrado, en el cual diálogo palpita el germen de *Spiridion*, escrito después en Mallorca, bajo el mismo cielo y al amor de las mismas espesuras y soledades que cobijaron en el siglo XIII la contemplación estática de Ramón Lull y el florecer de su utopía de *Blanquerna*. Desde sus especulaciones teístas y filantrópicas, el autor de *Consuelo* desciende al bajo mundo de los habitantes de la isla, que se espantan de los acordes del Pleyel pulsado a altas horas por la mano febril del insigne polaco, en la celda de un convento que acaban de abandonar los cartujos.

«Nuestro enfermo»: he aquí la justificación, el pretexto, la víctima que vengar. Aquellos analfabetos campesinos de Valldemosa en 1837 no juzgaban de la celebridad como los lectores de París, no ofrecían a las pasiones románticas la complacencia de los gondoleros de Venecia, adiestrados ya en la tercería de los amores furtivos, para uso de toda gran emancipada y de «su lánguido *Stenio*». Las privaciones, las dificultades, la mala calidad de los alimentos, la aprensión de los ignorantes que temen al contagio, todo eso pone en peligro, según Jorge Sand, una existencia, verdaderamente preciosa, a la cual debemos los *Preludios* y las *Polonesas*. Ante tal cúmulo de contrariedades, mortificaciones y deficiencias de *confort*, no consiguió revestirse de aquella apacible serenidad que, muchos años después, restituida a sus antiguas propiedades, hizo de ella «la buena dama de Nohant». Su furibunda diatriba contra Mallorca es una ofrenda al amigo, un desquite violento de las horas de amargura y sobresalto, una venganza jurada a las pequeñeces que la envolvieron, por su culpa o por las ajenas. Pero la salud y la felicidad de un gran artista ¿dependen exclusivamente de la buena manteca de vacas, de unas vidrieras que ajusten, de un *poel* bien encendido, de un camarote ancho, de una cama mullida a la francesa? ¿No podrá perdonarse el atraso de los medios de hospedaje en una isla incomunicada y modesta entonces, y debemos, en cambio olvidar las genialidades e inconstancias de la *lionne,* que rodeando maternamente al elegido de pieles y de estufas, sabía como puede ser destrozado un corazón, desgarrada una juventud, envenenada para siempre una vida e inspirada a un poeta tamaño como Musset la patética *Nuit d'octobre*?

Je la nommai cent fois perfide et deloyale,
je comptai tous les maux qu'elle m'avait causés.
Hélas! au souvenir de sa beauté fatale
quels maux et quels chagrins n'étaint pas apaisés!
. . . .
Perfide! audacieuse! est-il encor possible
que tu viennes offrir ta bouche à mes baisers?
Que demandes-tu donc? par quelle soif horrible
oses-tu m'attirer dans tes bras épuisés?
Va-t'en, retire-toi, spectre de ma maîtresse!
Rentre dans ton tombeau si tu t'en es lové;
laisse-moi pour toujours oublier ma jeunesse
et, quand je pense à toi, croire que j'ai rêvè!

VIII

Esa calentura romántica no las gastaba de otra suerte y exigió de Mallorca para Chopin el mismo halago que había pedido tres años antes a Venecia para Musset. Que *Lelia* resultara al fin de todo inconstante, veleidosa, tornadiza, eso ¿qué importaba? Lo imperdonable era que un pueblo de costumbres sencillas y vulgares no reconociera los fueros sagrados de una pasión a plazo fijo y no se prestara a coronarla de flores. De las espinas ya se cuidaría, en todo caso, la bella interesada. Al aire su melena olorosa, fumando su *narghilé,* ofreciendo en espectáculo a los ignaros campesinos su pantalón bombacho y su albornoz de artista, sentándose a media noche en las gradas de la cruz que adornaba el cementerio de los cartujos y escribiendo románticamente a la luz de un farolillo, se asombra del asombro de aquellas gentes. Quince o veinte años después, amargada por las genialidades, correrías y disgustos de su hija Solange Clessinger, formará acaso un juicio retrospectivo menos severo de la reserva de los insulares, lo cual no supo explicarse en ocasión oportuna distinguiendo cuánto encerrase de espontáneo decoro y cuánto de gazmoñería provincial.

Con harta delicadeza trató de indicárselo, a raíz de la publicación de *Un hiver à Majorque*, el benemérito romanista e investigador de la antigua literatura catalana M. Tastu, valioso auxiliar de Torres Amat y de Raynouard en sus trabajos, que había precedido a Mme. Dudevant en el viaje a Mallorca y que le había facilitado galantemente todas las notas de erudición e historia que figuran en el libelo, aunque no siempre bien aprovechadas. La probidad de M. Tastu no pudo tolerar en silencio y sin protesta el rapto de ira de Jorge Sand contra Mallorca y tuvo que explicar su voto con tanta sinceridad como nobleza y respeto para la exaltada escritora. Quiere ésta deducir de su viaje una moraleja, a saber: que no basta al hombre la contemplación de las maravillas del universo ni el encanto del paisaje ni las delicias todas de un paraíso sin rival, cuando falta la comunicación con nuestros semejantes y, sobre las hermosuras inanimadas e impasibles, no se extiende el hálito generoso de la fraternidad humana. Con lo cual claudicaba el discípulo de Juan Jacobo y todo el sistema de retorno a la naturaleza y la sencillez bebido ávidamente en las páginas de *La nueva Eloísa* y *La cabaña indiana*; porque, en efecto, habíase entregado en cuerpo y alma al redentorismo tracendental de los Saint-Simon y La Mennais y al hervor de utopías sociales y falansteriaans que por doquiera inflamaba a los espíritus vehementes, preparando el universal estadillo de 1848.

Muy lejos de esa literatura declamatoria y de arenga discurren los *Souvenirs d'un voyage d'art à l'île de Majorque* (1840), por Buenaventura Laurens tipo del viajero, mitad escritor, mitad dibujante, de los tiempos románticos, que anota sus impresiones en la posada, a la luz de un candil, mientras se le prepara la cena, y esboza un croquis ante el castillo en ruinas o ante cualquier episodio pintoresco que su ruta le haya deparado. Así viajarán, casi al mismo tiempo, a través de Mallorca, Piferrer y Parcerisa, preparando el tomo de sus *Recuerdos y bellezas de España*. Estamos en el apogeo del romanticismo arqueológico; en uno de los momentos más interesantes que hayan ofrecido la evolución de las modas artísticas y la historia de la sensibilidad humana. Piferrer señala el vértice de esa parábola y su nombre evoca el recuerdo de las largas divagaciones nocturnas por el interior de los claustos abandonados y silenciosos, la interrogación de las ruinas donde crece el jaramago, el *clair de lune* de la poesía ojival y de la ópera italiana de la generación de Bellini. Es el viajero insomne que reproducen las litografías de la época, sentado sobre un capital caído ante el monumento que se desmorona; la figura que medita ante la portalada de una catedral que florece en imágenes, doseletes y hornacinas; el espectador sobrecogido de espanto que contempla la nave grandiosa, junto a la primera columna, apoyado lánguidamente contra el baptisterio, o que, alumbrado por una antorcha, penetra en las profundidades de la gruta fantástica. ¿Qué lector no conoce su levita acampanada, su alto corbatín de tres vueltas, su pantalón *colán*, su barbilla de convaleciente, el mechón puntiagudo de sus cabellos coronando una frente pálida?

El «genio de Escocia» ha dado un bebedizo a esa generación, que suspira por los «bardos», por las «baladas septentrionales», por las escenas de castillo feudal, por los torneos y la airosa gorrilla de los trovadores de teatro. *Ivanhoe* y *Quintín Durward* han servido de alimento a todos esos jóvenes que inician la restauración espiritual de Cataluña y para los cuales la Edad Media no es más que un espejismo de su propia visión interior y de su inconsciente nostalgia de una patria disuelta. De aquí la dictadura, casi exclusiva, de Walter Scott y la preponderancia del romanticismo histórico en la escuela de Barcelona, mientras prevalecía en la de Madrid el romanticismo subjetivo o filosófico de lord Byron y Víctor Hugo. De aquí también el espiritualismo cristiano de los románticos de Cataluña, ajenos a toda satánica desesperación y teñidos tan sólo de una melancolía flébil y de suspiro que, aun siendo de este modo, no mereció la aprobación del grave Milá y Fontanals, pues la juzgaba peligrosa y mortal como «la sirena». Todo ese ciclo se mueve y resucita al nombre de Piferrer, y se nos pone de manifiesto en sus tomos de *Cataluña* y *Mallorca,* escritos con la amplificación y el estilo sentimental característicos del poeta-arqueólogo, estilo que rebrotó, purificado, treinta años después, en las leyendas y narraciones de Bécquer.

Si Mérimée representa el tipo más perfecto entre los viajeros que cruzaron por España en la pasada centuria, el *Voyage en Espagne,* o *Tras los montes,* de Teófilo Gautier, representa el viaje tipo, el ejemplar de mayor carácter y colorido de época de cuantos pertenecen a dicha rama de la literatura. De este libro se ha hablado mucho, pero de oídas, y muy a menudo le hemos visto incluido en la categoría del de Alejandro Dumas, lo cual es verdaderamente injusto. Se observa, en este punto de los viajes y de la literatura hispanista, que gran número de los elementos que la componen, traducidos a tres y cuatro lenguas extranjeras, no tienen traducción castellana o no la han tenido hasta hace muy poco. ¿Cómo interpretar este hecho? Diríase que hay aquí un pueblo seguro de sí mismo, al cual no le interesa gran cosa el juicio ajeno, contentándose con saberlo de fama pública y por referencias. Por referencias se ha enterado del viaje de Gautier y le ha atribuido un convencionalismo y unas desafinaciones de que se halla exento y que, si aparecen por excepción, no perjudican a la fidelidad del conjunto. Cuando, por primera vez, trabé conocimiento con sus páginas compartía el prejuicio general y me parecía tener que encontrar cada dos por tres, las andaluzas de Barcelona y los Don Páez de costumbre.

En el libro de Gautier refleja, movidísima y variada, la España *pintoresca* del 35 al 45, humeante todavía de los estragos de la guerra civil, con los últimos restos de sus facciones, con su abrazo de Vergara, con el esplendor de su bandolerismo, de sus diligencias, de sus mayorales, postillones, zagales, migueletes y escopeteros; con la riqueza de episodios del viaje de Irún a Madrid por Astigarra, Pancorbo y Burgos; con el indispensable vuelco del *correo real* y el primer sabor del «puchero» y del Valdepeñas en los paradores donde se cambia de tiro; con el encuentro de figuras vestidas a usanza nacional: charros, pasiegos, maragatos, alcarreños y huertanos de Valencia; con sus carretas de bueyes, sus aguadores, sus buhoneros trashumantes, sus cruces de madera señalando el lugar de una muerte en los despoblados... Todo ello es un trasunto de los mismos costumbristas castellanos estilizado por la pluma encantada y encantadora del maestro de la descripción, el más poderoso *escritor* que los primeros románticos ofrecieron a la prosa del siglo XIX y que influyó en diversas escuelas y trascendió por igual a las evoluciones parnasiana y naturalista.

Los lectores que acojan con reserva esta afirmación, no tienen más que acudir a Mesonero Romanos, a El Solitario, a Larra, a Segovia; leer seguidamente el volumen de Gautier y comparar impresión con impresión, imagen con imagen. Resultará tan fiel y tan justa como las otras y desde luego menos caricatural que la de alguno de esos escritores y festivos y mucho más benévola que la de *Fígaro.* El autor de *Esmaltes y camafeos* emprendió su viaje seducido por la aureola novelesca de que el romanticismo iba rodeando a España. Al pasar el Bidasoa, que ningún viajero cruzará en adelante sin recordar el matrimonio de Luis XIV, Gautier expresas sus temores de una prosaica decepción. «Un paso más —dice— y acaso pierda para siempre una de mis ilusiones y se disuelva en el aire uno de mis sueños, la España del romancero, de las baladas de Víctor Hugo, de las novelas de Mérimée y de los cuentos de Alfredo de Musset. Al franquear la línea divisoria entre los dos países me acuerdo de lo que el bueno y espiritual Enrique Heine me decía en el concierto Listz, con su acento alemán, lleno de *humour* y malicia: ¿Cómo diablos lo haréis para hablar de España después de haber estado allí?»

IX

A su valor literario, une el libro de Teófilo Gautier un gran interés de época. Viene a condensar y evocar la imagen de unos años a que se referían nuestras madres y abuelas en las conversaciones por muchos de nosotros oídas durante la niñez. Es un grandioso desfile de cosas entrevistas y olvidadas en viejas colecciones de periódicos, en láminas antiguas, en dibujos de Ortego; un recuerdo de costumbres y tipos populares que pertenecen ya a las especies extinguidas: el aguador, el trapero, el faccioso, el periodiquín de la traza de Fray Gerundio. Al conjuro de las páginas de Gautier vuelve a nosotros una sensación de modas arcaicas, de perfumes desvanecidos, de melodías no vueltas a oír en muchos años. Tal es el destino de la literatura pintoresca y del arte festivo en general: convertirse, andando el tiempo, en elegía y lamentación, que llora la caducidad de lo terreno y nos anticipa, con mudo sarcasmo, la visión que tendrá de nosotros, y de nuestras preocupaciones y fiebres, esa posteridad para la cual creemos trabajar alguna vez y en cuya conquista son tantos los que se empeñan y tan pocos los que triunfan.

Gautier se entrega por completo, en España, a sus facultades descriptivas, buscando «color local». Pero la rapidez impuesta a sus impresiones de viaje por la índole misma del trabajo, hace que el libro resulte escrito con más graciosa ligereza que otras obras de gabinete del mismo autor, preparadas y sobrecargadas con su insistencia de *virtuoso* del colorismo. Compone sobre la marcha; y esa improvisación hace más leve que de costumbre su estilo cromático y suntuoso. Así como Mérimée se preocupaba principalmente de la psicología nacional, en lo que tiene de trágico y violento, Gautier busca lo pintoresco exterior, las costumbres, las notas brillantes, lo vistoso, en suma; y prescinde casi siempre de cuanto afecta a la vida elevada de los españoles: literatura, política, alta sociedad, como si esas manifestaciones carecieran de valor suficiente para interesar a su público y fijar las miradas de Europa. Sólo por incidencia y muy de pasada alude alguna vez a tal o cual escritor entonces en voga. En Vitoria asistió una noche al teatro y vio *El zapatero y el rey,* de Zorrilla. En Valladolid vio *El pelo de la dehesa,* de Bretón, título que traduce al francés por *Le poil du pâturage.* También concurrió a una representación de *Hernani,* traducido por don Eugenio Ochoa. De todo ello habla con gran reserva, que casi parece estudiada, excusándose en el mérito principalmente gramatical o de lenguaje de las producciones corrientes y en el incompleto dominio del castellano por lo que a él afecta. Pudo conocer también *La pata de cabra,* en el momento de su mayor popularidad, y el *Carlos II el Hechizado,* de Gil y Zárate, limitándose a consignar que el rey del drama español habíale traído a la memoria el Luis XIII de *Marion Delorme.*

Sólo una excepción de tal reserva, para con los contemporáneos, aparece en todo el libro: es el elogio lleno entusiasmo que dedica al actor Julián Romea, haciéndolo extensivo a Matilde Díaz y a Guzmán, el gracioso. Romea le parece un artista de un talento admirable; no le encuentra rival entre los cómicos de su tiempo, fuera de Federico Lemâitre en un género radicalmente distinto. A juicio del autor de *Le capitaine Fracasse,* es imposible llevar más lejos la ilusión y la verdad. Descontado, pues, este elogio absoluto y sin restricciones, ninguna admiración hallamos en todo el volumen que no se refiera a la España histórica o al colorido popular. Romero, Montes, el picador Sevilla, el volapié, le interesan infinitamente más que los poetas románticos y que los oradores del Congreso. El espectáculo de los toros le emociona vivamente y hace del mismo una opulenta y magnífica descripción. De la misma manera, también, encuentra agrado en una infinidad de pueblos y pequeñas ciudades de Castilla y Andalucía, mientras Madrid le produce una impresión desolante una vez que se han agotado las delicias del museo de pinturas y el hechizo del paseo del Prado, de la mantilla, del abanico y de los «políticos» de la Puerta del Sol.

Gautier se hospedó en la Fonda de la Amistad, en la cual vivía también la esposa del general Espartero, frescos todavía los laureles de Luchana. Hablábase por doquiera de la reina niña, de la «inocente Isabel». Estaban en su auge el Jardín de las Delicias y el Nuevo Recreo. Discurrían de un lado a otro los aguadores; vociferaban los muchachos por el paseo ofreciendo *¡fuego, fuego!* para encender el cigarro. Los cafés eran poco más o menos los que Larra había descrito, muy preferidos los destartalados, sucios y malolientes; sin un alma aquel que por azar se abriese ofreciendo un local adornado con gusto, elegancia y espléndida iluminación. Gautier habla del café de la Bolsa, del Nuevo, donde se reúnen los *exaltados*; del que servía de punto de cita a los *cangrejos*, del de Levante, del del Príncipe... Allí se leen los periódicos de la parcialidad cuyos nombres han pasado a la historia o al olvido: «El Eco del Comercio», «El Nacional», «El Diario»; se habla de la guerra y como años antes se preguntaba ¿qué hay de Gómez? se pregunta la concurrencia qué hay de Cabrera, de Balmaseda y de Palillos. La guerra del Maestrazgo es un elemento de amenidad nacional... Frecuenta también el viajero algunas «tertulias»; describe las casas y los muebles, de gusto *mesidor* o de gusto *pirámide*; echa de menos el amor de la comodidad en los españoles. Observa que España no existe en el aspecto unitario: «*Ce son toujours les Espagnes, Castille et Leon, Aragon et Navarre, Grenade et Murcie...*», y entona un verdadero ditirambo en obsequio de Goya.

¡Goya! Fue acaso el último de los grandes nombres de la península definitivamente incorporados a la gloria universal, el último grande de España; y las páginas que le dedicó la pluma ilustre de *le guide de l'amateur au Musée du Louvre*, en el orden cronológico, vienen a ser la primera consagración y testimonio literario de esa celebridad, que ya parecía clásica en los mismos días del viaje de Gautier por mucho que se refiriese a un hombre fallecido doce años antes. «Un croquis de Goya, cuatro golpes de punta en una mancha de aguatinta, dicen más acerca de las costumbres del país que una larga descripción.» Todo le parece extraño, genial y propio de los grandes tiempos del arte en el pintor aragonés, incluso sus excentricidades y rarezas, incluso sus extravagancias de taller. Que distribuya el color por medio de una esponja o de un escobón, que sus procedimientos sean expeditos y perentorios, que haya pintado con ayuda de una cuchara el terrible *Dos de Mayo*, ello no obsta «a la elocuencia y a la furia incomparables» de dicha improvisación.

«La individualidad de este artista —dice Gautier— resulta tan fuerte y poderosa que no es muy difícil dar de ella una idea aunque no sea más que aproximada. No es un caricaturista como Hogarth, Bamburg o Cruishanck. Hogarth, serio, flemático, exacto y minucioso como una novela de Richardson, dejando entrever a todas horas la intención moral; Bamburg y Cruishanck, tan notables por su exageración bufonesca, por su afluencia maligna, no tienen nada de común con el autor de *Los caprichos*. Más se le acercaría Callot, mitad español, mitad bohemio; pero ese mismo Callot es límpido, claro, preciso, fiel al natural, no obstante lo amanerado de sus contornos y la extravagancia fanfarrona de sus agrupamientos... Las composiciones de Goya son como noches profundas en las cuales un brusco rayo de luz esboza pálidas siluetas y extraños fantasmas... Los dibujos de Goya están ejecutados al aguatinta, reforzados con toques de aguafuerte; nada más franco, libre y fácil; un rasgo indica toda una fisonomía; un velo de sombra hace las veces de fondo, o deja adivinar lúgubres paisajes apenas indicados; desfiladeros de la sierra, teatros preparados como para un homicidio, para un aquelarre o para un rancho de gitanos; pero esto es muy raro porque el fondo apenas existe en las producciones de Goya. Como Miguel Ángel desdeña por completo la naturaleza exterior y no toma de ella más que lo estrictamente necesario para colocar las figuras, y aun no pocas veces las coloca entre nubes. De tiempo en tiempo un lienzo de pared cortado por un gran ángulo de sombra, una fúnebre arcada de prisión, un tugurio apenas señalado, hélo aquí todo.

»Hemos dicho que Goya era un caricaturista, a falta de una palabra más justa. Es una caricatura la suya del género de Hoffmann, en el cual la fantasía se combina siempre con la sátira y que llega frecuentemente hasta lo lúgubre y lo terrible; diríase que todas esas fisionomías contraídas por una mueca, han sido dibujadas por la uña de Smarra en la pared de una alcoba suspecta, a la luz vacilante de una lamparilla que agoniza. El contemplador se siente transportado a un mundo inaudito, imposible, y, no obstante, real... En la tumba de Goya fue enterrado el antiguo arte español, el mundo desaparecido para siempre de los toreros, de los majos, de las manolas, de los contrabandistas, de los bandoleros, de los alguaciles y de las brujas, todo el color local de España. Llegó, casi exacto, a la hora de recogerlo y fijarlo todo. Creyó no hacer más que caprichos, pero hizo la historia de la vieja España, no obstante creer que servía a las ideas y esperanzas nuevas. Las caricaturas pasarán muy en breve a la categoría de monumentos históricos.» Goya fue saludado por Gautier como un predecesor y recolector de cuanto buscara él mismo, como hubiera saludado a don Ramón de la Cruz si la habilidad, la gracia y la llaneza del sainetero estuvieran realzadas por una fuerza superior de satírico o de cronista capaz de colocarle en la esfera del arte elevado.

X

Este elogio de Goya, tan audaz y exuberante, no es la única anticipación de carácter crítico que nos ofrece el libro de Gautier. También sus apreciaciones acerca del Greco anuncian la futura rehabilitación del pintor que, andando los años, ha pasado a ser el más «representativo» en el orden de la nacionalidad. Gautier observó perfectamente en las obras del ilustre candiota, la expresión de una España austera, enjuta, frenética, a menudo, de frenesí interior. Supo entrever en los rostros ascéticos y demarcados, en las frentes pálidas, en el vislumbre de los ojos febriles, cierto resplandor de epopeya teológica, como si cayeran alternativamente sobre aquella muchedumbre de monjes, hidalgos, guerreros y golillas una luz de lo alto y un velo de la sombra del Escorial. Una vez conocido el Museo de pinturas y realizada la excursión a Toledo, una vez presenciada la indispensable corrida de toros, Madrid no tiene interés para el gran escritor. Por cierto que la descripción de la corrida es una hermosura de fidelidad, de dibujo y de esplendidez. Se necesita leer con toda la prevención de los maniáticos, para hablar, ante las páginas de Gautier, de la siempre repetida «España de pandereta».

Porque si algún temperamento, si alguna pluma han existido capaces de sentir y expresar la parte estética del espectáculo taurino, ese temperamento y esa pluma fueron los de Teófilo Gautier. El deslumbrador colorista de *Le roman de la momie* encontraba en la realidad un asunto vibrante, emocional, adecuado a la potencia de su estilo. Desde la animación de la plaza y el revolteo de los abanicos sobre las mantillas hasta la última suerte, la lidia de los toros le proporcionó el tema más en armonía con su habilidad de expresión. Cuanto puede percibir un espectador extranjero, eso lo recogió aquella retina prodigiosa, convirtiéndolo en imagen estilizada y perene de la tauromaquia de Montes. A la exactitud de Mérimée añadió la pompa, la plenitud de paleta, aquella abundancia de matices, toques y chispas que hacían de sus adjetivos otras tantas piedras preciosas engarzadas con sabia combinación. Únicamente la Alhambra volverá a proporcionarle un tema tan adecuado a sus facultades y a los juegos de agilidad, de precisión y de magia en que sabía combinar todos los recursos del lenguaje humano y todos los tesoros de un léxico riquísimo vertido sobre el papel como saliendo del cuerno de Amaltea.

Y, no obstante, este escritor tan poderoso, este artista tan admirable se presenta en su libro con gran modestia y discreción. Apenas habla de sí mismo; no se ofrece en espectáculo ni a sus lectores ni a la tierra extranjera que le recibe; no ostenta sus títulos de «hombre de letras» como invocando el derecho a la estupefacción de las gentes; en Granada se encuentra a su placer y muéstrase íntimamente agradecido a los obsequios y a la franqueza de buen tono con que le agasajan algunas familias distinguidas, llamándole «Don Teófilo». Es el más humano y natural de los talentos del romanticismo, el más sensato y apacible de los viajeros, y pueden mucho más en él las aficiones artísticas y arqueológicas que los placeres de la comodidad y la gala. No le vemos discutir con mesoneros y fondistas, ni pelear con mayorales y postillones, ni regañar a los criados, ni promover conflictos de orgullo y amor propio en cada población, en cada resguardo, en cada estafeta de correos, a la manera de Dumas. Cuando anota una impresión desfavorable, o que puede parecerlo a la suspicacia nacional, es sin ánimo de deprimir, por envolver interés pintoresco; y muy a menudo le contrapone alguna observación comparativa de análogas deficiencias o vicios en Francia u otro país extranjero.

Así, se considera casi defraudado porque, a pesar de la fama del bandolerismo en Andalucia y de las muchas leguas que ha recorrido, no ha encontrado en las carreteras más que escopeteros y guardas rurales encargados de la vigilancia. Si le llaman la atención las cruces que señalan el lugar de una muerte a mano airada, advierte también la piadosa poesía de esa costumbre y confiesa que si se extendieran a otras naciones los alrededores de París, se hallarían atestados de esas fúnebres memorias. Su espíritu benévolo no claudica nunca, y, como ya advertí, no hay costumbrista castellano de aquellas fechas que nos ofrezca un retrato más severo. Gautier buscaba, por encima de todo, lo pintoresco: era su materia, su asunto, su preocupación. Cuanto tendiese a destruir ese interés le parecía impropio de España y no le entusiasmaba. En cada ciudad, en cada pueblo, halla la plaza mayor convertida en Plaza de la Constitución; visita muchos conventos vacíos y las ruinas de otros que fueron incendiados. Su descontento no se oculta ante esas pruebas de progreso de que tanto se envanecían algunos españoles con quienes habló. Había llegado el momento de la «sana razón» que nos predicaran e inventaran los escritos franceses del siglo XVIII; y ahora venían los del XIX pidiéndonos «color local», o sea lo contrario. De todas maneras, no extrema la nota y se limita a hacer constar sus preferencias de artista, sin excesos ni irritaciones.

Le voyage en Espagne merece ser considerado como la joya de mayor precio que debe la Península a la literatura extranjera de la centuria pasada y como uno de los hermosos libros de viajes, según el gusto moderno, que se hayan escrito y escribirán en muchos años. Fue para Gautier una fortuna que existiera tal país y para este país no menos fortuna que existiera Gautier. La compenetración del artista y su asunto fue completa e inmediata. La espiritual paradoja de Heine quedó sin aplicación; y el autor de *L'Orient* pudo hablar y habló gallardamente de España después de haberla recorrido. He aquí como se despide de ella y de los días venturosos y encantados que le debió su juventud: «El día siguiente a las diez, entrábamos en la pequeña rada por donde se extiende Port-Vendres. Estábamos en Francia. ¿Os lo diré? Volviendo a pisar el suelo de la patria, sentíme los ojos bañados de lágrimas, no de alegría sino de contrariedad. Las torres bermejas, las cumbres de plata de Sierra Nevada, los laureles-rosa del Generalife, las lentas miradas de húmedo terciopelo, los labios de clavel en flor, los pies diminutos y las manos pequeñas, todo eso volvió a mi espíritu con tanta viveza que me pareció que esta Francia, en la cual iba a encontrar a mi madre, era para mí un país de destierro. El ensueño había terminado.»

Tres años después Edgardo Quinet emprendía su viaje, *Mes vacances en España*, que contrasta con el de Gautier, como contrastan los temperamentos de ambos autores. Quinet es un espíritu militante, preocupado por las ideas, por la política y por la crisis religiosa, mucho más que por el arte y los recuerdos históricos, aunque sin dejar de sentirlos. Quinet anda con «el espíritu del siglo» y no cede como Gautier a la morosidad estética del artista puro. En sus impresiones y relatos pone todo el fuego propio de un historiador de revoluciones, de un traductor y secuaz de Herder. Entra en España a guisa de observador trascendental, para entonar un panegírico al tribuno don Joaquín María López, como Jorge Sand lo había dedicado a Mendizábal y los enciclopedistas al conde de Aranda. Por esta razón su libro no vivirá la vida del de Gautier. Hay en las *Vacances* mucho más de circunstancial que de permanente; hay demasiadas arengas; hay demasiados apóstrofes y una excesiva preocupación de lo «contemporáneo» que ahora, en virtud de las implacables ironías del tiempo, suena a muchos oídos como cosa viejísima, remota, fósil.

Esa misma figura de don Joaquín M. López, que llena tantas páginas y palpita ocultamente en todo el libro, pertenece ya al mundo muerto de la condición política; se ha borrado de la conciencia nacional viva; es un nombre que requiere largas explicaciones previas para ser introducido en la conversación o el comentario periodístico. Y en todo ello hay una saludable advertencia: que la novedad aparente, como la moda, envejece por estaciones y llena las ropavejerías del porvenir. El libro de Quinet, tan atento a la actualidad, está ahora lleno de cachivaches y antiguallas incomprensibles, y en algunos puntos recuerda los «calendarios del año pasado» que tanto gustaba de recordar Sainte-Beuve. No quiero decir que esta obra carezca de valor, que se haya marchitado por completo. Marchita parece al lado del viaje del «buen Teófilo»; pero conserva, no obstante, trechos y trozos de los cuales no se ha evaporado la frescura ni ha desaparecido la animación. Lo que sobrevive es, precisamente, lo más desinteresado, lo menos tendencioso, lo menos tribunicio. Allí donde se apaga el entusiasmo oratorio y el espíritu de proselitismo del autor, allí donde la prosa pierde sus ardores de polémica, allí se conservan casi siempre rasgos y observaciones felices.

Quinet no disimula su hondo republicanismo; no transige ni siquiera con la «inocente Niña», con la «inocente Isabel» de las proclamas y de los himnos de 1843. Hace de la joven soberana una pintura poco galante y que no corresponde a la general cortesía de los franceses; no cabe compaginar la revolución española de la cual dice, acaso acertadamente: «una revolución sin ideas revolucionarias», con el fondo indestructiblemente monárquico que reconoce en el país. No comprende una revolución moviéndose dentro de la órbita monárquica y dentro de la ortodoxia religiosa. No le satisface el carácter de imitación extranjera que se da a la reforma política de España y hubiera preferido el camino de la originalidad nacional convirtiendo en Estado de derecho el estado de hecho de la sociedad española, que halla ser profundamente democrático, en vez de levantar una clase media, una plutocracia al estilo de la Revolución Francesa.

XI

Es claro que siendo, como eran, esencialmente políticas y militantes las aficiones de Edgardo Quinet, hubo de sentirse atraído por una personalidad tan intensa como *Fígaro,* cuya obra flotaba todavía sobre la España de 1843, como su más alta expresión y actualidad, principalmente, a los ojos de un extranjero. Es posible que no atine Quinet en cuanto a los verdaderos motivos de la «popularidad» de Larra, y aún fuera hacedero demostrar que su generación no tuvo de él un concepto trascendente, limitándose a considerarlo como un escritor «festivo», que le divertía, y nada más. Lo excepcional y hondo de aquella figura ha sido proclamado mucho después; lo que tuvo de anticipación respecto de su época y de distinción respecto a sus contemporáneos, eso no se ha apreciado colectivamente hasta ahora; y aún ahora mismo vemos establecer en cuanto al malogrado satírico comparaciones en absoluto desatinadas y que no tienen otro punto de partida que el elemento externo de su obra, el hacer reír, pero que olvidan su grandeza y unidad de espíritu inconfundibles. Séame permitido traducir y extractar el juicio de Quinet, antes de pasar más adelante:

«Ni los *pronunciamientos*, ni la guerra civil han espantado a los poetas españoles; lejos de esto, se me asegura que el gran estilo del siglo XVI ha reaparecido, de pie, entre dos horcas y en medio de la confusión de los partidos. Imagínese lo que podía ser, de 1833 a 1837, la musa española entre el fragor de los fusilamientos; fantaseadla como queráis; os doy ciento de ventaja. Seguramente os la representareis fusil en mano, una mancha de sangre en la frente, señalando con ademán declamatorio la tumba de un faccioso en un desfiladero. ¡Pues bien! esta representación ideal es precisamente todo lo contrario de la verdad. El espíritu que desde Vizcaya hasta Andalucía, se hace escuchar en estos años siniestros, que reina sin contradicción en todos los partidos, que rivaliza con la popularidad del cadalso, es, debo decíroslo, un espíritu jocoso, abierto, un biznieto de Rabelais o de Cervantes... Sobre esta tierra impregnada de sangre, en el intervalo de dos descargas, comunica una risa de demente a los liberales y a los serviles, a los jueces, a los condenados y al mismo verdugo.

»Este escritor de burlas, el primero en España que ha tenido emancipada su lengua, se encubre bajo el nombre de *Fígaro.* Pero si el héroe de Beaumarchais no tenía derecho de hablar de nada, éste tiene el de decirlo todo. Literatura, costumbres, política, tradiciones, todo el campo cerrado durante tres siglos hásele abierto de una vez y se interna en su anchura llenándola con la risa de los dioses. ¡No le pidais aventuras amorosas o galantes! En el siglo décimonono las únicas aventuras que busca son las de los pueblos; se sitúa debajo del balcón de España y le ofrece sus burlescas serenatas. España, tinta de sangre, atiende y ríe a sus anchas entre sus mismos estertores; ha reconocido en las malicias de *Fígaro* algo de la mansedumbre y del buen sentido de Sancho Panza.

»Una revolución que se consuma burlándose de sí misma: esta es la originalidad de Mariano José de Larra. Se ignora en Europa que los españoles han sido los primeros en reírse de su disfraz constitucional, de la impotencia de las cartas o textos escritos, del énfasis de las juntas, de las fanfarronadas de los vencedores, de las homéricas lentitudes de la guerra civil, de la inutilidad de los patíbulos. Juzgando por el tono de algunas proclamas se les creía engolfados en la administración de sí mismos; y he aquí que el escritor que surge de esa época y que recoje la prosa española a punto de perecer ahogada en una balsa de sangre, ese escritor es, precisamente, un maestro en picardías graciosas. En el momento en que una sociedad vieja en un abrir y cerrar de ojos cambia de vestido y de fisonomía, mil ridiculeces salen al exterior, que Larra percibe y recoge con imperturbable aplomo. Sigue, paso a paso, a esa Revolución enfática como Sancho Panza al caballero de la Triste Figura; comenta a su modo cada pretendida victoria de ese magnánimo defensor de los débiles y oprimidos. Qué de páginas de una fuerza cómica implacable sobre el espíritu devastador de la muchedumbre, que permanece el mismo, no obstante, la carta constitucional: sobre la Junta que ordena, bajo pena de muerte, un entusiasmo de tres días consecutivos desde las seis de la mañana hasta las diez de la noche; sobre la planta que produce los *¡facciosos!...* Tanta sangre fría dentro de lo irónico, en medio de pasiones de tal manera desbordadas, eso es lo que no se ha visto hasta ahora en otra parte. ¿Quién esperaría encontrar la amarga frialdad de Pablo Luis Courier, a la primera mañana de la Constituyente?

»Diversión siniestra, a pesar de todo, como la charla de los sepultureros en *Hamlet;* y temo que el suicidio no se esconda, a la postre, bajo tan cruel hilaridad. Se adivina en estas páginas, que hoy se han convertido en clásicas o poco menos, un pueblo amante de la libertad, pero amante sin esperanza. Desde su primer paso fuera de la antigua ruta, encuentra a su lado a un joven que, en la flor de su edad, tiene por misión arrancarle una a una las ilusiones políticas comunes a los otros pueblos. Gracias a Larra el pueblo español anda hacia el porvenir, pero al revés, o sea de espaldas. Será engañado, pero al menos lo sabe y lo ve; se aturde a sí mismo, amargamente, y se abraza riendo a la sombría fatalidad. Forzado a imitar a sus vecinos, consuélase su orgullo haciendo mofa de la imitación; y se resigna a aceptar las luces de los modernos a condición de murmurar de ellos sin piedad. Ha faltado tiempo al escritor para que pudiese dar una plena madurez a sus obras; pero tal como es, ese comentario irónico de la Revolución por un revolucionario quedará como uno de los grandes rasgos del carácter nacional en una crisis de pasión. Si esos *pamphlets* no tienen la elegancia calculada de los de Pablo Luis Courier, poseen, en cambio, un acento por ventura más vivo, más natural, más hábilmente popular. Larra no necesita hacer esfuerzo alguno para encontrarse en el siglo XVI. Oidle comentar la filosofía de la historia de la revolución española y los ensayos abortados de sus constituciones. La franca familiaridad y el buen sentido recuerdan al gobernador de la ínsula Barataria.

* *

»Este lenguaje era entendido a media palabra. Entre las galeras y el calabozo España se desquitaba por tal procedimiento de varios siglos de gravedad sepulcral. Tras cortina Larra enseñaba al público como debía verse en la Revolución una comedia de "capa y espada" con su intriga de dama y galán, el embrollo de entradas y salidas, los cambios de decoración, los encuentros en la callejuela, las estocadas en la obscuridad y el público que, impacientado por ella, ilumina una noche la Península con conventos, a cuyo resplandor silba a un comediante que no puede soportar: el gobierno.

»En medio de las risotadas generales desfilan los personajes advenedizos, el patriota que no tiene en su hogar más que dos cosas; su opinión liberal, "con la que se da a todos los diablos", y una silla para sentarse; el bachiller que prosigue sus estudios de Derecho persiguiendo el ejército de Gómez; el ministro que, con castellana sangre fría, se limita a decir a propósito de toda calamidad, hambre, bancarrota, cólera, degollina: *esto no es nada, absolutamente nada;* el poeta obligado a buscar su público en el cementerio. Como complemento de esta sociedad nueva aparece el folletista español que debe reunir en una sola persona las virtudes de los tres reinos de la naturaleza: la sobriedad del camello, para pasar semanas enteras sin comida y andar, con la frente alta, a través del desierto; el olfato del perro para sentir la caza en la madriguera y ladrar contra los pobres; el instinto del topo para hacerse el muerto durante la borrasca; el paso de la tortuga, la marcha del cangrejo, el oído del jabalí...

»Desde lo alto de las ruinas de España, Larra contemplaba a Europa, descubriendo, bajo distintas apariencias, los síntomas del mismo trastorno radical. Todo este siglo diez y nueve, mitad día, mitad noche, ni de pie, ni sentado, vestido de blanco, vestido de negro, se resumía para él en una sola palabra suprema; repitiéndola hasta la saciedad encontró una vez la *verve* de las letanías de Rabelais. Veía a los pies de esta columna de miserias, en Francia, un pueblo casi-libre, que no ha podido hacer más que una casi-revolución; sobre el trono un casi-rey, casi-asesinado, que representa una casi-legitimidad; una Cámara casi-nacional que sufre de nuevo una casi-censura, casi-abolida por la casi-revolución...; en Holanda, un rey casi-furioso; en Constantinopla un imperio casi-agonizante; en Inglaterra un orgullo nacional casi-intolerable; en España una vieja nación que tiene sus cabellos blancos un día sí y otro no; un país que se dice no está maduro y que, no obstante, se encuentra pasado, puesto que cae del árbol; en las provincias una casi-Vendée, con un jefe casi-tonto; y por desgracia muchos hombres casi-ineptos, una casi-intervención consecuencia de un casi-tratado, casi-olvidado, con naciones casi-aliadas...

»A menudo que aumentaba el buen éxito de Larra como publicista, que la alegría irradiaba en torno suyo, la tristeza le devoraba el corazón. Condenado a provocar la risa perpetuamente, esta servidumbre se le hacía más insoportable cada vez. A fuerza de jugar con la muerte, ella le invadía el alma; y la desesperación llegó a ser la compañera de este profesional de la risa... Su hipocondría era tan grande y veía las cosas tan por lo negro que el advenimiento de la burguesía, le dejó no poco que desear; la flamante aristocracia francesa de fabricantes y mineros no le parecía lo más a propósito del mundo para sustituir a los antiguos hidalgos. Por lo demás, conservador cuando le abrumaba el tedio, cambiaba de partido, como hombre descontento, sin ganar nada en ello y únicamente como el enfermo que se revuelve cambiando de postura...»

XII

La semblanza del *pamphletaire* español trazada por Quinet, aunque muy justa en sí misma, no correspondía entonces al sentimiento general de los lectores de este país. Puede asegurarse que, exceptuando una corta minoría, no concedieron a Larra trascendencia mayor que a los demás escritores festivos y de costumbres, y que toda su popularidad se fundaba, precisamente, en las condiciones externas del género que cultivó, en la parte formal de su obra, en la fuerza inusitada de sus agudezas. El «mal del siglo» y el mal de la patria, que combinó en una sola y terrible dolencia; aquel invencible descontento de la realidad y aquella constante inadaptación que le convirtieron en un *europeísta* anticipado y en un supernacional; todo eso no podía ser comprendido hasta más tarde por las muchedumbres optimistas. Se han necesitado las lecciones tremendas de un 1898 para iluminar la posición espiritual de Larra en 1836. Fue el único discrepante en alta voz en medio de un pueblo sugestionado por la oratoria, por la embriaguez verbal, por un patriotismo fácil, contento de sí mismo y que pidió exclusivamente a la revolución *política* una transformación y creación de substancia, riqueza y cultura.

Quinet llegó a España en días solemnes y se halló en Madrid a tiempo para presenciar unas sesiones acaso las más famosas de nuestras modernas Cortes. Esto le da ocasión para ofrecernos, no sólo un retorno al ambiente de la época, sino también una galería de bustos y medallones de los personajes principales enlazados con la historia constitucional en aquellos albores del reinado de la «inocente Niña», de la «angelical Isabel», cuya mayor edad acababa de ser declarada. Martínez de la Rosa, Olózaga, Cortina, Joaquín María López, González Brabo, Madoz, van apareciendo sucesivamente bajo la pluma del viajero, cuyas impresiones momentáneas alcanzan en muchos puntos un valor de duración y fijeza fuera de lo acostumbrado. Así la memorable acusación contra Olózaga con motivo del decreto de disolución de Cortes y de la supuesta violencia con que lo arrancó a la augusta Niña. Ninguna de las versiones que llevo leídas acerca de aquella tempestad parlamentaria en historias, en libros anecdóticos, en recuerdos personales, en los *Episodios* de Pérez Galdós, llega a la viveza del relato de Quinet ni da una noción tan clara del asunto, del estado de los ánimos, de la trágica atmósfera de aquellos días. Las páginas de *Mes vacances* consagradas a dichas sesiones, fueron por su destino y en su primer momento una simple correspondencia de periódico, llegando a alcanzar después, por su intensidad de observación y de expresión, la categoría de un capítulo histórico irreprochable. Las escenas resultan trasladadas enérgicamente al papel y palpitantes de verdad, de emoción, de interés dramático. Pocas veces se habrá dado en un Parlamento otra ocasión en que anden tan confundidos como lo estuvieron en la persona de don Salustiano y en la acusación de que era objeto, la honra personal, los principios políticos, la palabra de una reina y de una mujer, el porvenir de un régimen, el sacrificio de un hombre a la razón de Estado. Todo lo resume y expresa Quinet en forma tan eficaz como diáfana y movida.

Mucho más que sus predecesores —casi únicamente atraídos por lo pintoresco y arqueológico— ahondó Quinet en el estudio de la España contemporánea y de sus manifestaciones intelectuales y de progreso. Asistió al teatro, trató a los principales representantes del romanticismo, dedicó capítulos enteros a Alcalá Galiano, a Zorrilla, a Espronceda, y formuló casi en el mismo instante de la aparición de aquella escuela un juicio que, si puede ser recusable por la tendencia política, resulta perfecto en cuanto a observación y anotación objetiva de los hechos: «Yo comprendería perfectamente, dice, que a la vista del peligro de la Iglesia española, el poeta hubiese sentido renacer dentro de sí, con la piedad, el fermento religioso de las antiguas edades. Proteger, vengar esas ruinas, convertirse en la voz de súplica o de amenaza de ese pasado, en el verbo de esa multitud de frailes errantes y con disfraz; lanzar en su nombre el anatema contra el siglo naciente, tal actitud hubiera sido grande y trágica. En ella encontró M. Chateaubriand la fuente de su inspiración primera; y a nadie hubiera maravillado que el poeta español, estrechando en sus manos un crucifijo roto, hallara también el raudal de la emoción entre el sacrilegio de las devastaciones.

»Nada de esto ha ocurrido. Dispersas las reliquias, los monjes fugitivos o asesinados no ha habido nadie en España que lanzase un grito de dolor. En vano he buscado y revuelto en toda la literatura contemporánea; en medio de ese aluvión de tragedias, de odas, de romances, de poemas, ni una sola estrofa ni un solo verso hallé donde aparezca el rastro de una queja ni de una añoranza. ¡Cuántas veces me he detenido entre las ruinas de las cartujas y monasterios castellanos! No quedaba allí más que el Santo Cristo, combatido por los cuatro vientos. Yo escuchaba aguardando si algún gemido ascendía de entre el polvo de los antiguos santos españoles... Este ligero soplo ¿no era un suspiro de Santa Teresa, de Luis de León? No. Es el viento de la tarde susurrando entre las altas ortigas. Silencio profundo, y nada más. Ni una sombra murmura. ¿Qué es entonces este cadáver que se desploma sin rendir un aliento? Han venido los poetas; se han sentado sobre las ruinas como si fuera sobre montones de rosas; han levantado un teatro en el sitio de los quemaderos... En lugar de estas situaciones opuestas, ¿cuál ha sido el pensamiento de los nuevos poetas españoles? No han hecho hablar a la Iglesia ni a la Revolución; se han sustraído igualmente a la influencia de una y otra. Esto es, han prescindido del gran duelo de nuestra época y, con él, han suprimido la grandeza del drama. Indiferentes en medio del choque, no han tenido la audacia de una creencia firme...»

El autor de *Ahasperus* y de *Prométhée* se aviene mal de su grado con esta posición ambigua de los románticos de España. No comprende que en el instante crítico, en el instante definitivo de poner la mano sobre el tabernáculo, para atacarlo o defenderlo, los poetas se hayan limitado a «divertir». Cuando hacía falta armarse del látigo de Cristo contra los mercaderes, dice, han empuñado la bandolina del trovador. La misma timidez que ha reprochado a los políticos, aparece también en los literatos; y por rigurosa consecuencia y a pesar del talento de toda una legión de escritores ¿cuál es el carácter innovador de la revolución, pregunta, en el genio de esta raza? La armonía del estilo, el rejuvenecimiento de las antiguas formas nacionales, una poesía brillante y serena que se abre sobre las tumbas y, no obstante, ninguna obra que presente el sello profundo y el alma de la época; en la tribuna, una elocuencia ardiente, pero sin teoría; en la escena, un arte placentero, pero sin emoción. Sólo un autor dramático se había atrevido a llevar a las tablas los conflictos candentes de la religión y del absolutismo: Gil y Zárate con su *Carlos II,* rompiendo con la tradición monárquica y casi cesarística del teatro castellano. El ruido que metió la obra fue de ocasión y no de mérito; en éxito semejante las circunstancias de lugar y tiempo entraron por mucho más que la fuerza intrínseca del ensayo, relegado después a la condición de número obligado para veladas conmemorativas y homenajes a veteranos de la libertad. Esto no pudo verlo Quinet y, por tanto, resulta perdonable el término de la comparación que escogió para ilustrar su tesis del arte militante, tendencioso y (permítaseme el adjetivo) actualista.

No admitía que las pasiones y conflictos contemporáneos fuesen armas vedadas para el arte, ni que el arte pudiese triunfar sin el auxilio de las pasiones y conflictos de nuestros días. Gran parte de verdad hay en esta proposición, sólo que del alegato del profesor francés se desprende que el arte debe llamar a su dominio esas pasiones y conflictos en el instante de su mayor tumulto, como elemento de arengas disfrazadas y casi diríamos sin esperar la depuración y nobleza del momento estético, distinto casi siempre del momento histórico y actual. Quinet deseaba que los poetas españoles dejaran para las nebulosas imaginaciones septentrionales el mundo de los anticuarios. Que el escritor permanezca neutro y sin entrañas en Weimar, aunque se trate de todo un Goethe, le parece bien; no puede consentirlo en manera alguna respirando en Madrid. Si hay un poeta a quien siente mal la indiferencia, ese poeta es el español, se lo concede todo menos que carezca de pasión y entusiasmo. «Dejad —dice— las bibliotecas a los doctrinarios de Francia o Alemania; vuestra misión es reinar por la fantasía, crear, imaginar, beber a boca llena en el gran torrente de la vida libre.» No basta la restauración de las viejas formas de Calderón y Lope, ni templar de nuevo al sol de Castilla sus versos a la vez magníficos y populares. Es necesario, añade, recalentar el fermento monárquico, religioso o caballeresco del siglo dieciséis o, en otro caso, renovarse a sí mismo por medio de pasiones nuevas.

XIII

Al lado de estas reflexiones y comentarios, palidece en el libro de Quinet la parte estrictamente descriptiva. No porque dejara de sentir la poesía arqueológica, ni porque careciese de la emoción del paisaje, ni porque no se hallara mejor preparado que casi todos sus antecesores para discurrir por las Alhambras y Generalife, por la mezquita de Córdoba y el alcázar de Sevilla, mediante la ayuda de su erudición en materias orientales e histórico religiosas. Era Quinet, por encima de todo, hombre de su tiempo y no se despojaba de su ardor militante para reducirse a la pura contemplación estética, al modo de Gautier. El estado de revolución en que halló a la Península, desde Barcelona a Cádiz y desde Madrid a Lisboa, absorbió toda su atención y desvió acaso sus propósitos de artista puro en sentido del apóstrofe tribunicio y de la continua proclama. Sus páginas son, por lo que respecta a las relaciones entre España y Francia, un desquite liberal de las *Memorias de ultratumba* y la elocuencia de Chateaubriand, de la intervención de 1823, del doctrinarismo, del «justo medio», de todas las soluciones o tradicionalistas o moderadas que se recibían ahora de París como antes se habían recibido los impulsos de la revolución.

La fórmula española del *despotismo ilustrado* le parece más sincera que el *juste milieu* y la prefiere a él como se prefiere la franqueza a la hipocresía. El libro es un constante manifiesto, una constante arenga y uno de los casos más evidentes del proselitismo humanitario y universalista de los franceses. Véase el párrafo de despedida de *Mes vacances*: «Voy a llegar. He aquí los Pirineos, con sus verdes laderas. Oigo, del otro lado de Roncesvalles, a través del desfiladero un soplo lejano; vibra como si saliese del pecho de un herido. Los transeúntes me dicen: Esto no es nada; es el mugir de un torrente que se agota. Y yo os digo: españoles, portugueses, italianos, polacos, vosotros todos que aguardáis o esperáis alguna cosa de lo porvenir, ese rumor es el cuerno de Rolando; es la respiración de Francia; es el soplo de un gran pueblo, libre, doliente, que vuelve de su letargia para llamar y atraer a sí todo lo que sufre y padece, todo lo que quiere revivir sobre la tierra.»

Más elementales y sencillas fueron las preocupaciones de Alejandro Dumas en su célebre correría de *París a Cadix,* como que se redujeron a la exhibición de una vanidad inofensiva a fuerza de ser pueril y superior a todo encarecimiento. El viaje del autor de *Antony* y *Los tres mosqueteros* ha venido a dar el tono a todos los demás que se escribieron en la pasada centuria. Con este rasero ha sido medida la producción literaria de que voy tratando. El descrédito del libro de Dumas en España ha caído de rechazo sobre los demás y especialmente, y con injusticia notoria, sobre el de Gautier, al cual suele ir enlazado y emparejado en toda clase de citas y reconvenciones patrióticas. Dumas vino a España (1846) con motivo del matrimonio de la reina y de la infanta que se celebraron el mismo día, provisto de una comisión semi-oficial y a título de cronista literario de ese acontecimiento que tanto interesaba a la familia reinante en la vecina nación. El viaje fue organizado en forma aparatosa y teatral, rodeándose el popularísimo novelista de todo un estado mayor de pintores y literatos, que no pudiesen hacerle sombra de momento: su hijo Alejandro, Augusto Maquet, Adolfo Desbarrolles, Eugenio Giraud, Luis Boulanger, Amadeo Achard y el criado negro Eau de Benjoin, al cual, por ser cosa propia y materia de lustre y fatuidad, llega a dedicar en el curso de la obra más párrafos que a las corridas de toros y a la Giralda.

Con tan solemne y vistoso acompañamiento atravesó la Península y se ofreció en espectáculo a los españoles, al mundo entero, a la posteridad asombrada. El asunto de su excursión no es España, es Dumas en persona tomando a aquélla por pedestal, un pie sobre cada columna de Hércules, para deslumbrar con una nueva postura gloriosa a su público de conserjes y peluqueros sentimentales. Diríase que no es Dumas quien va a España, a juzgar por los capítulos de *París a Cadix,* sino que la montaña va a Mahoma. El suelo de Castilla y el suelo de Andalucía trepidan de asombro bajo el peso del titán que arroja sobre ellos la balumba de sus trescientos volúmenes. La figura del autor aparece siempre en primer término, en el primer plano, rodeado de su escolta de artistas, de su séquito de albornoces, melenas, sombreros tiroleses y escopetas del último modelo, seguido de su impedimenta de maletas y equipajes. La sorpresa de un oficial del resguardo o de un empleado de aduanas que al revisar el pasaporte descubre el apellido famoso; las atenciones de un auxiliar de correos que se turba al reconocer al grande hombre; el entusiasmo de los compatriotas que advierten su presencia en un teatro o en una posada; las fiestas dadas en su honor; los agasajos que se le preparan; los números especiales y las poesías, impresas con letras de oro, que le dedican los periódicos de Granada o de Sevilla; el arrullo de la fama que cree advertir en todos lados; las muchedumbres suspensas de sus labios y absorbidas por el honor de su visita, como si en las bodas reales que se celebraban en Madrid tan fastuosamente, fuese Dumas la verdadera desposada..., todo eso nutre dos terceras partes del libro.

Siguen, en importancia y extensión, las quejas de carácter gastronómico: el aceite, la fritura, la mala provisión de los mesones, la ración escasa, la leche que no se encuentra, la mantequilla que no existe, los huevos que no pueden ser habidos, cien relatos diferentes del mismo asunto que acaban siempre por un banquete improvisado mediante expropiaciones forzosas en la despensa, por derecho de conquista, y luciendo el autor sus condiciones de gran cocinero. Otra serie de anécdotas son las que se refieren a sus continuas disputas con mayorales de diligencia y caleseros, los lances heroicos en despoblados, los vuelcos mortales de necesidad y el continuo amartillar de escopetas a la voz de mando del jefe de la expedición. Otra serie es la de incidentes de orden público: por si una piedra ha caído cerca, por si un muchacho ha gritado, por si quisieron entrar en un café a deshora, resuelto todo con visitas al intendente de policía, intervención del cónsul y complicaciones semidiplomáticas... Es una vanidad tan grande que por su misma franqueza llega a parecer simpática; vanidad de niño prodigio o «negro catedrático» y como transformación literaria del antiguo *miles gloriosus*.

Parece que todo esto debía hacer intolerable la lectura. Y, sin embargo, el libro se lee de un tirón gracias a la habilidad insuperada de Dumas en el arte un poco basto, pero arte al fin, de dramatizar las cosas más triviales y de secuestrar al lector con el «don de interés», que suplía la falta de estilo, de esmero, de pulcritud y, en una palabra, de *literatura* propiamente dicha. Dumas fue el prototipo de esos ingenios feraces del período «editorial», dotados de facilidad fácil —no difícil, como la del poeta venusino—; fautores de argumentos, inagotables en la sorpresa y la inventiva, prestidigitadores que escamoteaban un personaje y jugaban con la ansiedad de los públicos durante tomos enteros; que improvisaban ciclos novelescos inextricables como una manigua tropical y en los cuales el viejo hechizo de los libros de caballerías intentó su última rehabilitación. Artagnan es el postrer descendiente de los Amadises y Tirantes; y Dumas y sus imitadores los que cierran el período de la novela de aventuras. Todo lo veía, pues, en forma de aventuras, lo pasado y lo actual, y todo lo reducía a narración en «estilo cortado» o de punto y aparte, así se tratara de la vida del vizconde de Bragelone, como de un paseo por las calles de Madrid o de una mala noche en el parador de Aranjuez.

Para contar el incidente más ordinario de la vida práctica, la dificultad de encontrar asientos en la plaza de toros, el retraso sufrido por el coche en que debían llegar sus compañeros, el encuentro con una persona conocida de antiguo en ocasión o lugar que lo hiciesen inesperado, la carta no recibida a punto; para contar todo eso desplegaba sus recursos y secretos de profesional, su maestría en el arte de peripecia, de la incertidumbre, de la digresión estudiada, del rastro perdido y de cuantas habilidades sirven para preparar una anagnórisis, un desenlace o un efecto. Todo lo que falta de profundidad en la observación, de finura en las emociones o de delicadeza y gracia en el estilo, se halla compensado en el viaje de Dumas por el predominio del «interés» que fue el secreto sostén de aquella escuela efectista, escenográfica y de grandes brochazos. Sus degeneraciones actuales y el arraigo que todavía obtienen entre todos los vulgos, parecen responder, de un modo informe y primitivo, a un ansia permanente de la humanidad que pugna por salir de lo trivial y por desdoblar su vida invadiendo las zonas y regiones de lo imaginario y de lo imposible, como si buscara allí un olvido o una exasperación, una anestesia o una hiperestesia.

XIV

Don Víctor Balaguer y don Wenceslao Aiguals de Izco en sus respectivas traducciones al castellano del viaje de Alejandro Dumas, intentaron una refutación de sus errores, ligerezas y supercherías. Yo respeto los móviles de esa refutación y admiro la buena fe que ponen de manifiesto trabajos de tal especie, pero no creo en su eficacia. La celebridad es un arma poderosa, que se convierte en arma invencible cuando no puede oponérsele otra de la misma potencia. Ni es susceptible de refutación, por otra parte, aquello que no puede reducirse a proposiciones concretas, a datos, a cifras, a hechos determinados. Una falsa visión de conjunto, un vicio radical de interpretación y expresión literaria, no consienten el método dialéctico ni ofrecen campo firme a la polémica. Ésta puede satisfacer un momentáneo amor propio nacional, de fronteras a dentro. Pero el daño se ha cometido más allá de las fronteras, en Europa, entre el público universal y donde no alcanza la triaca, como no la ofrezca también una mano gloriosa e igualmente célebre.

Dumas se hallaba entonces en el apogeo de su celebridad y no había en España quien pudiese luchar con ella ni contrarrestar su difusión o irradiación sobre todos los pueblos a que alcanza el poder de la palabra escrita. He aquí por qué la expresada celebridad puede convertirse a menudo en monopolio inicuo. El autor de las *Memorias de un médico* no pudo ser nunca un viajero, en el sentido espiritual de la palabra; carecía del don de la impersonalidad, esto es, de aquella curiosidad objetiva e impasible que nos hace observar las cosas y someternos a ellas, en vez de querer subordinarlas a nuestro prejuicio, a nuestras ideas, a nuestros gustos. Además, los gustos, las ideas y los prejuicios de Alejandro Dumas estaban bastante lejos de la distinción. Su personalidad era vigorosa, pero todo lo contrario de escogida. Su temperamento era exuberante, fecundo, pletórico, pero eminentemente vulgar. Al lado de Mérimée ofrece el contraste de la mediocridad ostentosa junto a la exquisitez, la selección, la elegancia sencilla y suprema, aquella elegancia de espíritu que poseyó en su más alto grado el creador de *Carmen*.

Así, Mérimée, repite a menudo que no recuerda haberse hallado más a su placer que en una venta española, departiendo con trajinantes y sirvientas campesinas. En esas ventas, paraderos y fonduchos se irrita, por el contrario, el creador Don Mortés (la manera de alpicar el *don* distingue a las dos familias de hispanistas) y sale a berrinche por comida. Aquella famosa «sobriedad española» resulta intolerable para Dumas las hazañas de cuyo apetito llenan páginas y más páginas del volumen. Esas páginas parecen un eco de las de Jorge Sand, sólo que en ellas habla la gula con toda franqueza, mientras la acompañante de Chopin disimula sus invectivas bajo pretexto de altruismo, abnegación y cuidados para con un enfermo ilustre. En una palabra, Dumas viene a condensar y resumir el criterio ramplón e inartístico de los que corren mundo para variar de cocina, no para ensanchar su alma con los espectáculos del paisaje, con la observación de las costumbres, con la sensación de lo exótico e inesperado, con la observación de las costumbres, con la sensación de lo exótico e inesperado, con la variedad de panoramas que ofrecen la naturaleza y la vida. Más que de un viajero sus impresiones son las impresiones de un *viajante*, de aquellos años, se entiende, y sin la preparación que va distinguiendo a los de ahora.

Algunos de sus compañeros de expedición no quisieron ser menos que el aparatoso y solemne caudillo y también señalaron su paso por la Península con diversas publicaciones. De esta manera Desbarrolles y Giraud dieron a luz en Le Panthéon littéraire, y después en ediciones sueltas, *Les deux artistes en Espagne*, texto del primero e ilustraciones del segundo; Amadeo Achard escribió y publicó también *Un mois en Espagne*. Pero tales relaciones fueron eclipsadas por la de Dumas, como eclipsó las de otros varios escritores y viajeros de menor cuantía que habían asistido a las bodas reales de 1846. Desde esta fecha hasta 1852, ningún nombre visible en la historia de las letras menciona la bibliografía de los viajes, no obstante haber aparecido éstos en gran número. Diarios de «turista», notas de aficionado, álbums a la inglesa, guías, hállanse con abundancia pero sin tener más que un valor circunstancial y ajeno a este estudio. En 1852 vino a España el notable publicista y profesor de historia literaria Ozanam. Proponíase recorrer toda la Península, pero, en virtud de un accidente inesperado, tuvo que limitar a Burgos su expedición, que tituló *Un pélerinage au pais du Cid.* En el opúsculo de Ozanam se explana y desenvuelve la visión dada en síntesis por Chateaubriand en su *Itinerario.* Ozanam era un escritor profundo y elocuente a la vez, y de una gran competencia en asuntos de literatura medieval. Su visita a Burgos le ofrece ocasión de exponer todo un panorama de la España caballeresca o, mejor dicho, de la España épica del poema del Cid y de los otros ciclos castellanos.

Aquí doy por terminada la primera parte de mi reseña concerniente a viajes y viajeros, a fin de hacer un alto, y proseguirla hasta terminarla en otra ocasión *. No es éste el momento, todavía, de resumir lo que hemos ido anotando ni de sacar una aplicación o consecuencia del conjunto de opiniones e impresiones a que hemos pasado revista. La nueva lectura de los textos a que me ha obligado este trabajo, afírmame en la creencia, que ya debí de expresar antes de ahora, de que la visión e interpretación de España que nos ofrecen los «jóvenes castellanos» es, en buena parte, importada mejor que autóctona, sugerida por los extranjeros antes que nacida espontáneamente. La España violenta y color de sangre, de Mérimée; la España de la voluptuosidad y de la muerte, interpretada por Barrés como una prolongación de aquél; la España de los aguiluchos y conquistadores del oro, en el poema de Heredia; la España «en maceración» expresada por el Greco; el sentimiento oculto de la llanura castellana, todo eso ha venido a las letras de aquí por influencia o sugestión extranjera, principalmente.

Mucho más clara aparecerá esta opinión mía,

* De entre los artículos localizados y no publicados en ninguno de sus libros, no ha aparecido ninguna otra serie referente al tema. (G. M.)

cuando más adelante, aprovechando otro período de calma periodística, pueda entrar en la serie de trabajos de índole hispanista más cercana a estos tiempos y señalar la aparición sucesiva de los cuatro o cinco conceptos capitales que nutren ahora la psicología del pueblo español y la conciencia que tiene de sí mismo, representada por las más eminentes personalidades de la nueva generación. *

* Artículos publicados en «La Vanguardia» de Barcelona del 22 de agosto al 5 de diciembre de 1908.

ESCRITORES CATALANES EN CASTELLANO

I

El tema de las relaciones entre Cataluña y las letras castellanas, no agota nunca su interés ni su actualidad. En diferentes ocasiones y en estas mismas columnas he abordado dicho estudio. Voy a insistir en él, ahora, pasando sumariamente revista a la producción catalana en castellano, desde la crisis lingüística del siglo XVI hasta los comienzos del XIX. *

Ticknor, en su conocida *Historia,* comenta la extinción de las literaturas occitánicas, y especialmente de la de Cataluña, no como un cambio de idioma, sino como la desaparición de todo un continente intelectual. La parálisis del idioma, se tradujo en parálisis del espíritu. Se dio entonces el espíritu doloroso de un caso de *afasia* nacional. La tesis de Ticknor ha sido negada o desconocida repetidamente. Cataluña, hasta las postrimerías del siglo XV había rivalizado fraternalmente con la producción castellana. Se habían producido aquí las inimitables crónicas; se había hecho hablar por primera vez a la filosofía en una lengua romance por medio de las formidables enciclopedias de Llull y Eximenis, indemnizándonos del elemento *épico,* tan prodigioso en Castilla. Se había llegado al elegante humanismo

* Este ensayo inicialmente fue una conferencia que dio el 29 de abril de 1909 en la Associació d'Estudiants con el títulо «La producció castellana a Catalunya. Segles XVI-XVIII» (Imp. Horta, Barcelona 1909). También reproducida en la «Revista Estudis Universitaris Catalans», volumen III, Barcelona 1909.

de Bernat Metge, a la realista y graciosa malignidad de Jaume Roig, a la explosión del lirismo metafísico de Ausias March, a la voluptuosa plenitud de estilo del caballero Martorell... ¿Cómo pudo hundirse bruscamente todo esto y paralizarse la evolución, cuando las auras del renacimiento grecolatino debían infundirle vida nueva y mayor empuje?

De buena fe, con toda voluntad, obedeciendo al espíritu de la época, se prestó Cataluña a ese cambio de medio espiritual, creyendo que en la lengua castellana encontraría el propio pensamiento una resonancia más poderosa y que, con esta aportación, se resolvería la literatura castellana en una fórmula superior de literatura íntegramente española. Veamos lo que fue de este ensayo, y si la abnegación que suponía obtuvo un precio digno de ella. Consultemos el testimonio histórico para aquilatar los resultados obtenidos en el transcurso de tres centurias. Repásense las colecciones, las antologías, repertorios clásicos, las historias de la literatura española, las alusiones de los grandes maestros, todos los signos externos de las preferencias del público y de la popularidad infalsificable. Véanse las bibliografías puramente eruditas desde Nicolás Antonio a Gallardo, ondeando las contadas notas de apreciación de mérito que nos ofrezcan. Acúdase al *Teatro de la elocuencia española*, de Capmany, a los setenta macizos volúmenes de la biblioteca Rivadeneyra, recordando que uno y otra fueron preparadas por manos cariñosas y catalanas.

Pues bien: de toda esta gran serie de testimonios, despréndense tan solo tres o cuatro nombres, siempre los mismos, eternamente los mismos. No figuran en el Rivadeneyra más que Boscán, Setantí y Moncada; en el *Teatro* de Capmany hállanse únicamente algunas páginas de Moncada. Cierto que los diccionarios bibliográficos puntualizarán una legión inacabable de versificadores, de historiadores y analistas, de jurisconsultos, ascéticos y hagiógrafos. Si se trata de repertorios regionales como el de Torres Amat para Cataluña, el de Bover para las Baleares, el de Jimeno o Pastor y Fuster para Valencia, no olvidarán ni un sermón, ni una novena, ni una letrilla, ni un villancico del XVII y XVIII, por mucho que nunca hubiesen logrado traspasar la celda conventual en que fueron engendrados. Igualmente cierto que en el campo de la investigación histórica o de la arqueología, de la lingüística o del derecho, encontraremos una porción de hombres utilísimos y hasta eminentes que se valieron del latín o del castellano. Pero yo me refiero a los artistas puros, a los *escritores* propiamente dichos; y es claro que un Bastero, un Caresmar, un Finestres y hasta un Masdeu, no entran en el campo de dicha apreciación.

Sólo a título de curioso precedente se puede citar a los poetas catalanes y valencianos anteriores a Boscán que rindieron tributo a la poesía castellana. El interés que ofrecen es puramente exterior, histórico y de fecha. Tratábase de un *dilettantismo* lingüístico, de un alarde de ingenio, igual y contrario al de los castellanos, navarros y aragoneses que, como Villasandino, o Valtierra, o Díez, habían trovado en catalán cuando ésta era la moda y la elegancia. No puede verse en ello más que un pasatiempo y una curiosidad; no una dirección reflexiva. Es un signo de admiración e influencia, pero no todavía una conversión formal.

El predominio de una literatura suele acarrear inseparablemente el de su idioma, como lo demuestra la turbamulta de *italianizantes* que, en Inglaterra, España o Francia, no contentos con haber recibido el sello imborrable del dantismo y del petrarquismo extendiéndolos a todos los vientos de la tierra, quisieron ensayar por sí mismos la delicia de la versificación toscana. En esta condición entran, pues, las poesías castellanas de autor catalán que figuran en el cancionero de Stúñiga, en el *Jardinet d'orats* y en el *Cancionero general* de Hernando del Castillo (1511). Así son también las coplas sobre las *calidades de las donas*, de mosén Pedro Torrellas, y las muestras castellanas de Civillar, Jordi de Sant Jordi, Crespí de Valldaura, Fenollet y tantos otros, que anuncian la preponderancia del nuevo gusto y la rápida castellanización de Valencia, región divisoria y fronteriza así en el aspecto geográfico como en el etnográfico o de población.

La crisis definitiva y su fecha vienen simbolizadas en el nombre famoso de Juan Boscán, nacido probablemente en 1501. Pero Boscán no es el iniciador de la desbandada. La importancia de su figura ha hecho que, generalmente, se le atribuyera esta significación. Se le ha convertido en una de tantas abstracciones, propias de la historia de manual, que necesita abreviar los conceptos y depositarlos bajo la salvaguardia de una personificación nemotécnica. Las deserciones abundan ya poco antes de Boscán y durante su vida, cuando la obra que desarrolló era poco menos que ignorada y no había tenido influencia ni había cristalizado en concepto a *posteriori*. Era la ley oculta del tiempo; y, aun más que esas corrientes contemporáneas, obedeció el ciudadano honrado de Barcelona a un hecho puramente individual: su larga presencia en la corte de Castilla, a la cual seguía por razón de oficio, como servidor de la casa real y ayo del duque de Alba.

Temerario resulta hablar hoy de Boscán después del libro de Menéndez y Pelayo. No cabe más, so pena de atrevimiento y petulancia, que recordar las líneas generales de aquel precioso estudio. El mérito preeminente de Boscán es de orden formal, mejor que substantivo, sin negarle por eso capacidad artística. Pertenece más a la *técnica*, al procedimiento y a la morfología literaria que al contenido interior, si bien inclinó la balanza en el sentido de una comprensión interna y más cabal de la canción petrarquista. Aprovechando los insistentes consejos de Navaggiero, las doctas humanidades de Marineo Siculo, el contacto con las obras de Castiglione, promovió una renovación de las formas métricas, y hasta de la misma inspiración, en sentido italiano. Esta reforma triunfó, no por medio de sus obras personales, sino en las de su dulce amigo Garcilaso. Rebosa por todas las páginas el afecto con que está escrito el libro de Menéndez; representa, además, un gran esfuerzo de atracción espiritual, siguiendo el sentido ampliamente *iberista* y de integración que el escritor de Santander infunde, desde hace cuarenta años, a su labor hercúlea. Así y todo, resume de la siguiente manera:

«No creo haber cedido en demasía al natural afecto con que todo biógrafo suele mirar el personaje de quien trata, dedicando tan largo estudio a un autor cuyo mérito no quisiera exagerar en lo más mínimo. Estimo que Boscán fue un ingenio mediano, prosista excelente cuando traduce, poeta de vuelo desigual y corto, de duro estilo y versificación ingrata, con raras aunque muy señaladas excepciones. Reconozco que no tiene ni el mérito de la invención ni el de la forma perfecta. La mayor parte de sus versos no pueden interesar hoy más que al filólogo, y a nadie aconsejaré que emprenda por vía de pasatiempo su lectura. Pero con toda su medianía es un personaje de capital importancia en la historia de las letras; no se puede prescindir de su nombre ni de sus obras... Su destino fue afortunado y rarísimo: llegó a tiempo; entró en contacto directo con Italia; comprendió mejor que otros la necesidad de una renovación; encontró un colaborador de genio, y no sólo triunfó con él, sino que participa, en cierta medida, de su gloria. ¡Triunfo glorioso de la amistad, que hizo inseparables sus nombres en la memoria de las gentes! Nadie lee los versos de Boscán, pero Boscán sobrevive en los de Garcilaso, que están llenos de su recuerdo y que algo le deben, puesto que él los hizo brotar con su ejemplo y con su admiración solícita, y él los salvó del río del olvido y del silencio de la muerte.»

II

Tal es el sitio, algo agrandado todavía por la indulgencia, que corresponde a Boscán en la historia de las letras castellanas y que no siempre le concedieron de buen grado sus contemporáneos, como lo prueban, aparte de las impugnaciones poéticas de Castillejo en defensa de la métrica tradicional, las malignas alusiones del Pinciano, o de don Francesillo de Zúñiga —bufón sarcástico o como si dijéramos un mosén Borra del emperador Carlos V— en la graciosa y entretenida *Crónica burlesca*. Sus proporciones no pasan de lo dicho, por más que los versos cortos de Boscán y sus coplas castellanas sean tan fáciles como cualesquiera otros del *Cancionero general*, y que únicamente el expresado Castillejo le lleve ventaja en este punto. Afirman respetables autoridades que su traducción del *Cortesano* de Castiglione contiene unos pocos italianismos, pero ningún catalanismo y que las durezas de sus endecasílabos no son mayores que en los de don Diego Hurtado de Mendoza y nada tienen que ver con su idioma nativo. Sea en buena hora. De todos modos la figura más importante entre cuantas dio Cataluña a las letras de Castilla y una de las muy contadas que logran entrar en las antologías o en las historias de la elocuencia.

El conde de Osona, don Francisco de Moncada, nació en Valencia el año 1586; mas por amplitud de criterio, se le incluye entre los escritores catalanes propiamente dichos, así atendiendo a su gloriosa estirpe como a la época en que vivió, en la cual no se había roto todavía la unidad espiritual de la vieja Confederación. La *Expedición de catalanes y aragoneses contra turcos y griegos* figura en el volumen

XXI del Rivadeneyra, habiendo reproducido Capmany algunos de sus fragmentos en el tomo V del *Teatro de la elocuencia española.* Pertenecía el autor a la familia literaria de aquellos virreyes y capitanes que fueron al mismo tiempo doctos humanistas, como don Carlos Coloma, historiador de las guerras de Flandes y, como él, enamorado de la sentenciosa concisión de Tácito y Salustio. El libro de Moncada es en realidad una muestra de buen gusto que hace presentir la futura nerviosidad y energía de Melo y que obtuvo cierta fortuna editorial, habiendo sido una de las obras tan bellamente reimpresas en Madrid por Antonio Sancha (1777). Sus editores y panegiristas comparan el estilo de Moncada con el de la *Guerra contra los moriscos de Granada,* de Hurtado de Mendoza, deduciendo ventajas a favor del primero, aunque tachándolo de frecuente en descuidos, de poco castigado y de falto de lima. Con todo, la caída de las cláusulas es noble y casi siempre musical, los períodos se enlazan con fluidez y no le falta elevación ni cierta elegancia austera de muy legítimo efecto en asuntos de historia.

Pero lo que no supieron ver en el libro de Moncada sus panegiristas es la relación y dependencia en que se halla de la crónica de Ramón Muntaner, porque dicha relación caía fuera del espíritu del tiempo. No se comprendía entonces el encanto de estas obras ingenuas y primitivas, producto de la vida, hijas de la emoción directa, pero que presentaban un desorden semibárbaro, prefiriéndose cien veces las transcripciones o amplificaciones *ore rotundo,* de aula y biblioteca, en que la historia se viste de pontifical y se hace solemne y magnífica. Así, por ejemplo, el público castellano prefirió durante un largo período el énfasis de Solís, escribiendo de segunda mano y a un siglo de distancia de la conquista de Méjico, y no comprendió el hechizo candoroso, superliterario y de cosa vivida que campea en Bernal Díaz del Castillo, uno de los trescientos de

Hernán Cortés y por ventura el último de los *cronistas* propiamente dichos. Tuvo que ser Heredia, el poeta de los *Trophées,* quien vindicara su mérito modernamente, con su imitación de *Les conquerants de l'or* y con la traducción francesa de todo el libro.

Figura también en el Rivadeneyra el *conceller* de Barcelona Joaquín Setantí. Entre los poemas líricos de los siglos XVI y XVII (t. 42) se incluyen sus *Avisos de amigo* y otra composición en verso libre. Entre los filósofos (t. 65) se reproducen las *Centellas de varios conceptos,* colección de máximas en estilo lapidario, según corresponde a semejante especialidad. Por más apreciable que resulte este género, pecará siempre de insuficiente y poco holgado para que en él pueda manifestarse un gran escritor, ni siquiera un escritor completo. De «La Rochefoucauld español» ha sido calificado Setantí por méritos de este cuadernillo de sentencias, en las cuales se manifiesta discreto e ingenioso, llegando alguna vez a la verdadera profundidad.

Mas el círculo de la aforística o paremiología es demasiado restringido para que dentro de él pueda moverse y desplegarse una personalidad compleja. No permite lucir otra cosa que la transparencia y la condensación. Apenas tienen cabida dentro de este género las imágenes y representaciones del mundo sensible. Los conceptos tienen que presentarse en forma lógica y abstracta, desnudos y sin figuras. Todo se formula llanamente, ordenadamente, entre oraciones primeras de activa o de verbo sustantivo, dosificado en cápsulas, dividido en pildorillas, con toda la simétrica apariencia de una vegetación de hongos. Los *Avisos de amigo,* en forma métrica, pertenecen también a esa misma rama y acaban de ser hábilmente restituidos a la lengua materna, en elegante edición, por la pluma del distinguido bibliófilo y crítico señor Moliné y Brasés. Basta lo dicho para comprender que Setantí, espíritu de un fondo esencialmente catalán, no ofrece como estilista, ni puede ofrecer dentro de tales limitaciones, otro interés que el de la fría corrección y la pureza gramatical, suficiente a incluirle en un catálogo de *autoridades* de la lengua, pero no en el de los artistas superiores, palpitantes y vivos.

Y cuéntese ahora que, hasta Capmany, todo es sequedad y desierto. Los historiadores no catalanes más benévolos y que más cuidado ponen en alentar esta producción, no pueden menos de atribuirle un valor siempre muy relativo y circunstancial. «Hay que saltar —dicen— desde Boscán hasta las postrimerías del siglo XVIII para encontrar poetas catalanes que escribiesen medianamente en nuestro idioma.» Ya se comprende, sin necesidad de comentario, lo que quiere decir en esta ocasión el adverbio *medianamente.*

Aún más: si se pasa revista al conjunto de nombres recogidos por los repertorios bibliográficos, hallaremos que unos, como fray Bartolomé Ordóñez, autor de *La Eulálida,* o el poeta místico fray Arcángel de Alarcón, incluido en la mansa categoría de los *apreciables,* llevan inconfundibles apellidos castellanos. Que otros, como Jerónimo de Heredia, de abolengo aragonés, autor de la *Guirnalda de Venus;* como Juan Dessi, traductor de Dubartas, y como Francisco de la Torre y Sebil, epigramático y divulgador de las *Agudezas* de Owen, son hijos de Tortosa, ciudad de espíritu no catalán en todo el curso de su historia, * quedando, por lo mismo, como poetas de más pura estirpe local, además del expresado Setantí, Marco Antonio de Camós, «buen prosista en

* Es incomprensible y gratuita esta radical opinión de M. S. Oliver sobre Tortosa, contradicha con obras escritas y acciones personales que a través de la historia han demostrado precisamente todo lo contrario, sin que ello quiera decir que Tortosa, por su especial constitución histórica, y situación geográfica, no haya mantenido unas características singulares, pero nunca lo suficientemente diferenciadas como para ser objeto de aquella opinión. (G. M.)

su curiosa *Microscomia o gobierno universal* pero endeble versificador en *La fuente deseada*»; Vicente Moradell, autor de una vida rimada de san Raimundo de Peñafort; fray Anselmo Forcada, cantor de su monasterio de Montserrat, y el padre José Morell traductor, en versos de colegio, de diversas piezas de Horacio y Marcial. Así se pasa todo el siglo XVII y se prescinde de tratar del XVIII para no evocar «la fatídica sombra de Comella».

Es muy difícil penetrar en el conocimiento directo de esta bibliografía, por la dispersión o rareza de las ediciones y por no haber sido reproducidas o extractadas en nuestro tiempo, lo que viene a demostrar también que no cuentan con la sanción de la posteridad. Alguna tentativa de exhumación de esa literatura catalana en castellano puede registrarse, a pesar de lo dicho, como la pequeña colección de *Poetas baleares de los siglos XVI y XVII*, publicada en Mallorca el año 1870, por el benemérito lulista y Maestro en Gay saber don Jerónimo Roselló, quien no creía, y lo hace constar de ese modo, «enriquecer con nuevas joyas el Parnaso español».

De todos los autores coleccionados solamente el padre Antonio Gual, fallecido en 1655, atrae por un momento la atención con su larguísimo romance *Ensayo de la muerte*, que no desentona entre los otros romances de asunto moral o ascético, a la manera de Lope de Vega y Quevedo, que puedan oponerle los demás poetas contemporáneos de segunda fila. El padre Gual había residido casi siempre en la corte, había viajado largamente por Italia, fue el amigo confidente y huésped del duque de Medina de las Torres y tenía, por tanto, educación y hábitos palaciegos. Su castellano es bastante desenvuelto y seguro, aunque el estilo tiende al retruécano y al conceptismo semiescolástico de la decadencia. Preséntase francamente gongorino en el poema heroico-mitológico *El caduceo;* y otro poema, *La oronta,* ofrece la originalidad de tratar un asunto actual y coetáneo del autor: una especie de «novela ejemplar», que recuerda vagamente *La española inglesa* o *La gitanilla,* y en la cual no falta el acostumbrado episodio de amor, interrumpido por un asalto de piratas, con naufragio de galera y *anagnórisis* final, o encuentro y reconciliación de los amantes, unidos ya para toda la vida.

III

Descartado, pues, el padre Antonio Gual y el *Ensayo de la muerte,* que obtuvo una efectiva divulgación por toda España como lectura piadosa, nada queda digno de aprecio en esa antología de poetas baleares antiguos. Todo lo demás, como el *Sacro trofeo de Cristo,* por Jaime de Oleza, (hijo del otro Oleza del *Menyspreu del món* y de la *Nova art de trobar,* que se había mantenido fiel a la lengua materna); como los *Cantos épicos* de Desclapés y Jaime Pujol, como las odas o canciones lulianas de Nicolás Mellinas, como los sonetos laudatorios para las historias de Binimelis, Mut o Dameto, todo, es de un barroquismo que desconcierta y de un encogimiento e ineptitud que pregonan ya la plena aparición de lo *provinciano* y la pérdida del viejo sentido nacional.

Se necesitaría el énfasis de un Bover o de otro erudito local del mismo fuste, para comparar el *Sacro trofeo* con *El paraíso perdido* de Milton y atribuir grandeza épica al prosaismo repulsivo de aquella *justa* o torneo, con distribución de divisas y libreas, de maestros de campo, despejadores y aventureros, que quiere simbolizar la eterna lucha entre el principio del Bien y el genio de las Tinieblas. Esta última degeneración de la caballería constituye asimismo el asunto de los demás *Cantos épicos,* cuyos autores no se inflaman ya a la vista de un Godofredo señalando a sus cruzados con centelleante espada, sobre el lejano horizonte, la luminosa aparición de Jerusalén; sino que juzgan materia más digna de sus inspiraciones esas proezas de simulacro y esas corridas de *estafermo* dignas de pasar, inmortalizadas en áureos versos, a la admiración de la más remota posteridad. Y eso es lo que cantan y puntualizan los elegidos de la musa provincial, herederos de los panegiristas de Bizancio, en forma que así subleva el sentido estético, como el patriótico, como el simple sentimiento de la dignidad humana.

Tanto había llegado a decaer el temple de una raza viril. La vida y el arte que le servían de expresión, habíanse convertido en representación teatral y en mero espectáculo. La nobleza, órgano vital de la sociedad de origen y que había desempeñado en ella una función efectiva, prestábase ahora al propio suicidio reduciéndose a elemento decorativo y adulatorio de la pequeña corte de los virreyes, a eterna aliada de todos los cesarismos en la obra de desnaturalización de los pueblos. Todo desfallece, todo se rebaja. La gran historia desciende a historia regional, a noticiario, a dietario. Empezadas en catalán muchas de ellas, las segundas partes o las segundas ediciones se escriben o publican ya en castellano, como las de Pujades, de Beuter, de Binimelis, de Fontclara.

¿Qué puede contra todo ello la tardía protesta de un Calça o de un Despuig? La ley del tiempo nos era absolutamente desfavorable; el espíritu de imitación arrastrábanos, quieras que no, sin infundirnos la aptitud indispensable para luchar dignamente. Cuando estalla la guerra de los Segadores y es preciso tomar la pluma para sostener la controversia doctrinal, surgen teólogos, juristas, argumentadores, patriotas ardientes; pero en todo el conjunto de opúsculos, de alegaciones y *pamphlets* que va desde la *Proclamación católica* de Sala (aragonés, por cierto) hasta la *Noticia universal* de Martí, desde el *Memorial* de los Concelleres hasta *Cataluña defendida de sus émulos,* no se encuentra, artísticamente hablando, una página de elocuencia, ni en castellano ni en catalán, que se eleve a la altura del desastre y pueda sostener el tono, no ya de Quevedo en la *Rebelión de Barcelona,* sino del mismo real cronista Pellicer de Tovar en sus refutaciones áulicas y de oficio.

Y era que en lugar de hacerse el genio de Cataluña ambidiextro en los idiomas, el natural y el de adopción, se encuentra zurdo de las dos manos. Fueron necesarios muchos años de peregrinación por el desierto, entre arena o pedregal, antes de llegar al primer oásis de lozanía y frescura, al primer anuncio de fertilidad que aparece en la obra de Capmany durante las postrimerías del siglo XVIII. Figura eminentemente representativa de su tiempo, Capmany distribuye su actividad entre dos direcciones en apariencia contradictorias; de una parte el patriotismo histórico de Cataluña y la vindicación de su pasado en el aspecto social, económico, de prosperidad mercantil y de genio marítimo, hasta presentársenos como el verdadero precursor de los futuros regionalistas; y de otra parte el purismo lingüístico de Castilla, de cuyo idioma se constituyó en intransigente guardián y cancerbero contra los afrancesados y modernizadores, y en custodio de lo *castizo* como no llegó a serlo nunca Hermosilla ni preceptor alguno. ¡Sorprendente amalgama de vocaciones que respondía a cierto sentido patriótico muy común entre nuestros bisabuelos y que he oído formular todavía, en mi niñez, mediante este aforismo: «¡de Castilla nada, menos la lengua; de Cataluña todo, menos la lengua!»

En este mismo instante y como desautorizando a Capmany se levanta, visible de un extremo a otro de la Península, «la fatídica sombra de Comella», el infortunado y famélico dramaturgo de Vic, famoso en la historia del teatro español con aquella celebridad invertida y grotesca que acompaña a los grandes poetastros y grafómonos, cuando tienen la desventura de encontrar un impugnador o satírico de talento que los convierte en encarnaciones ejemplares de lo deforme, en clásicos al revés. Tal fue nuestro don Luciano Francisco, el inagotable proveedor, *pro pane lucrando,* de los teatros de la coronada villa; autor de los dos *Federicos,* de las dos *Cecilias,* de la *Jacoba,* de *La moscovita sensible,* del *Fénix de los criados* y de cien engendros más, desarrollados en Cracovia, en Moscovia, en Pomerania y otros países de la misma geografía teatral.

Tuvo el triste privilegio de resumir y eclipsar a la pléyade de los Valladares, Moncín y Zamora. A su propia deplorable fecundidad sumó la de su hija, la célebre jorobadilla que tanto dio que reír a los desalmados de las tertulias literarias. Ni el cura de Fruime, ni Nifo, ni Rabadán el librero de viejo, ni ninguno de los escribidores de aquella época que se inmortalizaron en los fastos de la chapucería, gozaron de una popularidad semejante. Hizo presentir a Carulla y contenía en potencia los ripios más espléndidos de Camprodón. Su labor fue apreciada, no sólo como un tejido de inepcias, sino como una intrusión de los pajarracos del Llobregat que, después de dos centurias de mutismo, osaban invadir el vergel de las castizas musas del Manzanares y lastimar con sus torpes movimientos y sus discordantes graznidos la fina percepción castellana. «¡Buen potaje —exclama Moratín— para bodegón de Cataluña!» Moratín encarnó, inconscientemente y por automatismo de raza, la repulsión contra esas ingerencias y Lastardías.

La comedia nueva es al mismo tiempo una sátira terrible contra la corrupción del gusto y un acto instintivo de defensa contra los advenedizos del litoral, que hasta entonces habían respetado el coto matritense. Las dos columnas de aquella producción, don Eleuterio Crispín de Andorra y el pedante don Hermógenes, proporcionaron a Moratín estas regiones hasta entonces durmientes y mudas que, al romper a hablar, hacíanlo tan sin garbo y con tan poco dominio de la gracia en Castilla elaborada por una incesante tradición. El infeliz poeta vicense y el abate y poeta mallorquín don Cristóbal Cladera, diéronle hechas y acabadas sus dos creaciones; los alfilerazos satíricos del depurado escritor pudieron remontarse hasta Raimundo Lulio, cuyo crédito intelectual padecía aún bajo el agobio de las opiniones del padre Feijóo, y encontrar en aquellos ejemplos vivos un desquite de la intromisión purista y del valer innegable de Capmany, aunque no por innegable menos discutido.

El autor de la *Filosofía de la elocuencia* había dedicado sus mejores años al estudio profundo de la lengua castellana y de su gloriosa literatura; había puesto en él todos sus sentidos y potencias, como se verá más adelante al tratar con la debida amplitud de esta figura. Sin embargo, cuando llega la hora de la liquidación y se aprecia, tiempo después, el residuo de tantos esfuerzos, otro purista famoso, don Antonio Alcalá Galiano, recordando la polémica entre Quintana y Capmany, sostenida en Cádiz durante las Cortes de 1810, nos dirá que el opúsculo del insigne barcelonés era de «un tono vituperable a todas luces, y no tan bien escrito como debía exigirse a juez tan severo, pues si no pecaba de galicista tampoco podía blasonar de natural y fluido; vicio éste de todos los escritos de un hombre cuyo idioma verdadero era el catalán, y en cuyas obras aparecía el castellano puro como traído con violencia».

He aquí, pues, todo lo que se había conseguido adelantar desde Boscán, después de tres siglos de conversión, de asimilación, de estudio paciente. Habían surgido dos o tres escritores de relativa nombradía, pero ningún artista digno de este nombre, ninguna obra decisiva. Se había consumado el espectáculo luctuoso a que se refiere Ticknor: la muerte de una literatura, la desaparición de todo un continente de la inteligencia humana. Pero aunque Boscán hubiese sido en castellano un poeta más fuerte que Ausias March en su lengua nativa; aunque Capmany consiguiera dejar muy atrás a fray Luis de Granada y Hurtado de Mendoza, nada supondrían contra dicha tesis semejantes excepciones. No se niega que pueda aparecer en lengua adoptiva un gran escritor, un poeta legítimo, un delicado artífice, por el estilo de Heredia en francés. Más poeta que Boscán, que Sentantí, que el padre Gual y que todos los versificadores catalanes en castellano fue el Cariteo escribiendo en lengua italiana, aunque catalán como ellos. No se trata de la imposibilidad de uno, dos o diez poetas; se trata de la imposibilidad de una literatura y del fenómeno orgánico de toda una producción, cuando el alma de los pueblos se escinde y bifurca en un idioma para la vida y otro para el pensamiento. Es un caso trágico y doloroso, cuya doble solución, bien en sentido asimilista, bien en sentido autónomo, está preñada de peligros y desventajas espirituales de todo género.

IV

La acción implacablemente corrosiva del tiempo ha ido mermando la reputación de Capmany, por caer fuera del espíritu de nuestros días gran parte de las preocupaciones y entusiasmos de aquel singular personaje. A medida que pasan los años se consolida su prestigio como investigador de la historia catalana y como iniciador de nuestro renacimiento económico, al cual dio conciencia y estímulo presentándole el ejemplo de los pasados esplendores, descubriendo el nervio de su antigua vitalidad, señalando lo que constituye la aptitud específica y el genio de esta raza entre los demás pueblos españoles. Al mismo tiempo, se hace anacrónica y pierde interés aquella otra parte de su producción consagrada al *purismo* y defensa del castellano contra la invasión galicista que desataron de un modo principal los traductores *jornaleros,* objeto de la constante ojeriza de nuestro escritor.

Las *Memorias históricas* y el *Consulado de mar* han resultado, al fin y a la postre, los más firmes sostenes de su nombradía. La solidez y actualidad de estos trabajos se acrecientan con la duración y con las nuevas investigaciones a que sucesivamente han servido de acicate o punto de partida, mientras pasan a último término sus elucubraciones de tendencia más ampliamente «nacional» según el concepto del siglo XVIII y sus vindicaciones de la antigua literatura castellana, a las cuales no es posible otorgar ahora más que un valor histórico y un interés retrospectivo, como documentos de época. Después de la guerra de Sucesión, el genio castellano, ya deprimido por íntima decadencia desde el reinado de los últimos reyes austríacos, añade a ese propio abatimiento la «desnacionalización». La influencia francesa corrompe el carácter nacional de las letras españolas y subvierte el mismo idioma.

La nitidez, la transparencia, el orden y la regularidad de los escritores franceses, acaban por llevárselo todo de calle. El pensamiento español y la sintaxis castellana naufragan de la misma manera, arrastrados por esta corriente. El estilo ligado, discursivo y lógico; la sucesión de «ideas contiguas»; el arte de los enlaces y la distribución ordenada y arquitectural de los asuntos, todo eso que constituye la característica del talento francés, deslumbró a los literatos castellanos que se entregaron a la imitación, casi siempre con el frenesí y la falta de tino que distingue a los neófitos, arriesgando en el empeño las aptitudes propias sin adquirir ni aclimatar definitivameente las ajenas. Acaso no puede registrarse otra tentativa afortunada que la de Feijóo. En Feijóo aparece el estilo periodístico a la moderna; y si bien cayó con demasía en el neologismo, supo adaptar, con flexibilidad innegable, a todo género de asuntos, la índole del castellano, comunicándole un movimiento rápido y cierta lucidez que no excluyen en algún momento la animación calurosa y pintoresca, digan cuanto quieran sus detractores en cuanto a modelo de lenguaje.

Lo que no puede negarse tampoco es que el siglo XVIII no produjo en Castilla un solo libro ni un solo autor *genial*, siguiendo la vena irregular, desordenada y tumultuosa de la antigua literatura. El libro más español de aquella centuria tuvo que ser el *Gil Blas*, obra de un extrajero. ¿Cómo no había de padecer el idioma si había sucumbido en gran parte la originalidad espiritual de la raza? Contra los innovadores desatentados, en materia lingüística, se levantó Capmany, que era, en otro sentido, un neófito o converso del castellano y que estaba respecto de él en la misma posición de deslumbramiento y entusiasmo que sus satirizados mantenían respecto de la cultura francesa. Capmany saliendo de la postrada Cataluña se entrega al estudio de la literatura castellana y se deja arrastrar por una invencible fascinación, de la misma suerte que los castellanos, reconociendo su propia decadencia, buscan la curación en las transfusiones del espíritu francés. Capmany considera perdido para siempre el pleito de la nacionalidad literaria en Cataluña. No cabe, a su juicio, más que aceptar el hecho consumado, y aceptarlo con plena decisión y buena fe. Hay que asimilarse a la cultura de Castilla, a la cual pertenece el triunfo sobre las demás variedades peninsulares. Y a este aspecto de su personalidad y sus aficiones dedicó la primera y mayor parte de su laboriosa existencia.

La filosofía de la elocuencia, el *Teatro histórico-crítico de la elocuencia española*, el *Arte de traducir*, el *Comentario jocoserio* a la traducción castellana del *Telémaco* por Covarrubias, son, por este orden, las principales manifestaciones de su espíritu crítico. Leídas, ahora hemos de encontrar sobrado indulgente todavía el concepto expresado por Guillermo Forteza en 1856. Capmany es un preceptista más que un filósofo, un conocedor del lenguaje más que un artista puro. Su filosofía de la elocuencia puede llamarse con más propiedad «filosofía de la elocución». Sus puntos de vista son retóricos antes que estéticos, y gramaticales más todavía que retóricos. Como escritor pone a fray Luis de Granada por encima de fray Luis de León, y Cervantes sale mal parado por sus defectos de estilo. Que se escriba con pureza es la primera y casi única de sus exigencias. El lenguaje le interesa en sí mismo y como una categoría independiente. Al apreciar la Constitución de Cádiz dirá, según cuentan sus amigos: «Está bien; y estaría mejor si hubiese quedado escrita en castellano.» Escribir en castellano: he aquí todo su ideal artístico. La superioridad del castellano sobre los demás idiomas latinos y especialmente sobre el francés: he aquí su tesis constante. Hay en ella una exacerbación de su españolismo que llegó a revestir caracteres de manía y que, aun antes de la invasión napoleónica y del *Centinela contra franceses,* le había llevado a pedir al Príncipe de la Paz el incremento de las corridas de toros para intensificar las costumbres nacionales y oponerse a la conquista de España por el espíritu extranjero.

El crítico ya citado, Guillermo Forteza, en el estudio que le premió la Academía de Buenas Letras, hace de las «cualidades exclusivamente literarias» que caracterizan a Capmany, la siguiente apreciación que merece ser recordada: «La que más descuella es cierta energía que alguna vez raya en aspereza. La expresión nervuda de sus conceptos participa en gran manera de la franqueza brusca que constituye la base del castizo carácter catalán. Tan briosa robustez se armoniza muchas veces con aquella gallarda soltura que tan bien sienta a la frase castellana. Entonces la de Capmany puede servir de modelo.

»Distínguese también nuestro autor —continúa

diciendo— por la transparencia de los conceptos límpidamente reflejados en su estilo. La falta de tan preciosa cualidad arguye por lo común una concepción incompleta. En efecto: a muchos se les antoja lumbre clara y distinta cierta luz crepuscular que asoma en el espíritu y anuncia el nacimiento de una idea. Por esto la huella nebulosa que imprimen en su estilo corresponde a la oscuridad de su mente. El lenguaje de Capmany se recomienda por la pureza y la propiedad: dotes ambas esenciales a todo buen hablista. Encuéntrase desnudo de provincialismos, de calificativos inútiles, y los epítetos, suelen ser excogitados con sumo acierto. Su clausulado puede servir, en general, de turquesa para modelar el que hoy día cuadra a los escritores castellanos. Tan distante de aquella vana pompa y numerosidad (indicio no pocas veces de una concepción macilenta y de un juicio flojo e inseguro) como de una exagerada sequedad, Capmany concilia la holgura del idioma con lo pronunciado y vigoroso del pensamiento.»

Con este juicio, en conjunto muy cariñoso, contrasta el de Alcalá Galiano en sus *Recuerdos*, que ya di a conocer, y más todavía ese otro del mismo autor en su *Historia* de la literatura europea del siglo XVIII: «Capmany dio en presumir de purista, y aun se arrepintió de haberlo sido poco en sus primeras obras, dedicándose en sus últimos días con particular empeño a combatir la corrupción introducida en el idioma castellano. Para esta empresa tenía no pocos conocimientos; pero carecía de disposición natural paar poner en práctica lo que recomendaba. Siendo catalán, y habiendo aprendido a hablar y aun a pensar en su dialecto lemosino (era la época *lemosinista*, de cuya impropiedad extravagante se curó Alcalá Galiano en obras sucesivas) manejaba en cierto modo como extranjero el lenguaje castellano, de lo cual se seguía ser escabroso en su estilo y nada fácil en su dicción.»

V

Nadie puede negar, en efecto, al estilo de Capmany la escabrosidad de que le reprende Alcalá Galiano, como que no le estuvo concedido el don de la eufonía o de la grata fluidez. Escribiendo con la mayor propiedad y conocimiento de los modelos del idioma, careció de oído. Su manera de construir resiéntese de falta de ondulación, musicalidad y cadencia. Es dura, angulosa y con no pocos baches; y sólo cuando lo inflama su natural iracundia, invadiendo el campo de la diatriba y del denuesto, alcanza un tono vivo y natural y aquella secreta y acordada ilación de ideas y de frases inherentes a todo transporte del ánimo. Sus mejores páginas debiólas a su genio avinagrado y en no pocos momentos intemperante, que llegó a infundir en la prosa castellana como un eco de la fiereza almogávar, no conocido antes ni después de Capmany. Sus más briosos instantes de estilista consiguiólos el *pamphletaire* que le urgaba constantemente dentro del pecho; no el escritor reposado y de gabinete. Debiólos a la invectiva y a la polémica personal o patriótica; y más bien hay que buscarlos, por lo mismo, en sus obras menudas, en sus réplicas virulentas, en sus liberos, en su *Centinela contra franceses*, en sus explosiones de españolismo político y literario.

Entre toda la producción que desencadenó el 2 de mayo, este *Centinela contra franceses*, representa la nota sobreaguda en sentido de reacción nacionalista, aun sin caer en la intransigencia estrechamente tradicional y escolástica del *Filósofo rancio*, o sea el padre Alvarado. Napoleón era para Capmany algo más que un nuevo Atila, algo más que el tirano del mundo y el invasor y verdugo de su patria: era un enemigo personal, a quien llena de improperios con la senil violencia de su ancianidad exasperada. Sus apóstrofes se levantan a menudo hasta el furor de la poesía y llegan a rozar la sublimidad de aquel momento histórico, pero decaen muy pronto por el mismo afán de sostenerlos, prolongarlos y amplificarlos de mil maneras y en todos sentidos, pasando de la indignación sincera al *flatus vocis,* del arranque noble a la patraña y de la ira patriótica a la monomanía de un verdadero poseído; todo lo cual acaba por hacer desagradable la lectura en fuerza del estrago doloroso que adivinamos en el autor.

Ello, no obstante, abundan los rasgos felices, así de intuición como de forma, y hasta alguna vez queda sorprendido el lector de hallar, claramente formulados, puntos de crítica histórica que constituyen verdaderas anticipaciones o que bajo el envoltorio de las ideas contemporáneas nos advierten en Capmany la incubación profunda y latente del viejo patriotismo. Véase, si no, estos párrafos a propósito de la unificación francesa y de la democracia amorfa y jacobina: «A esto llama él [Napoleón] regenerar, es decir, civilizar a su manera las naciones hasta que pierdan su antiguo carácter y la memoria de su libertad. Igualarlo todo, unificalo, simplificarlo, son palabras muy lisonjeras para los teóricos y aun más para los tiranos. Cuando ello está raso y sólido y todas las partes se confunden en una masa homogénea, es más expedito el gobierno porque es más expedita la obediencia...» «En la Francia organizada, que quiere decir aherrojada, no hay más que una ley, un pastor, un rebaño, destinado por constitución al matadero...» «En Francia, pues, no hay provincias ni naciones; no hay Provenza ni provenzales; no hay Normandía ni normandos: se borraron del mapa sus territorios y hasta sus nombres. Como a ovejas que no tienen nombre individual, sino la marca común del dueño les tiene señalados unos terrenos... con el nombre de departamentos, como si dijéramos dehesas, y éstos divididos en distritos, como si dijéramos majadas... Todos se llaman franceses, al montón, como quien dice carneros, bajo la porra del gran rabadán imperial.»

Para volver a encontrar este lenguaje en Cataluña será preciso que pasen muchos años, que haya fructificado el libro de Tocqueville y que surjan los jurisconsultos de la escuela histórica en defensa del derecho regional amenazado por la codificación. Aquello fue un relámpago, una iluminación súbita y discordante con todo el sistema de ideas que imperaba en tiempo del autor y aun con su propio aforismo, superficialmente conciliador y ecléctico, de que no puede amar a su nación quien no ama a su provincia o patria natural. Sobre los restos de la antigua cultura indígena, cada día más corrompidos y vulgares, se había levantado una cultura nueva, artificial si se quiere y de importación; una cultura de Estado oficialista y sin raíces en el país, pero que, así y todo, se sobrepuso fácilmente a las viejas manifestaciones y acabó por ahogarlas. Los últimos descendientes de Pere Serafí y del Rector de Vallfogona eran harto débiles y chapuceros para oponerse a semejante invasión y contrarrestarla. El espíritu de la época podía más que ellos; y el pensamiento político de Macanaz, ninfa Egeria de la reforma de Cataluña después de la catástrofe de 1714, prosperó en definitiva consolidando en plazo relativamente breve la obra de las armas.

De un lado la Chancillería o Audiencia con su Real Acuerdo y sus togados ardientemente borbónicos, hechuras sucesivas del mismo Macanaz, de Roda, de Campomanes, e imbuidos en el espíritu del *Memorial* y de la *Regalía de amortización;* de otro lado los romanistas de la Universidad de Cervera, con su fervor de nófitos combinándose con la tendencia del derecho imperial a la unidad y el cesarismo; de otro lado todavía, los próceres de la Academia de los Desconfiados y más tarde los Amigos del País y la Real Junta de Comercio; todas estas fundaciones o refundiciones debidas a la nueva dinastía fueron otros tantos focos de adoración entusiasta para los reyes filósofos y otros tantos instrumentos de su labor asimilista. Los beneficios materiales de la paz, la protección dispensada a la industria, al comercio, a las obras públicas, a la navegación, y el auge observado en Cataluña por lo que concierne a la riqueza y al número de habitantes, hubieron de producir muy pronto una innegable reacción en sentido filipista y una correlativa depresión del patriotismo histórico y de sus manifestaciones en la esfera del pensamiento, de la literatura y del lenguaje.

Así como para los intelectuales del catalanismo, en la segunda mitad del siglo pasado, Felipe V y su época constituyeron un tópico de aversión y blasfemia rimada, para los intelectuales del siglo XVII constituyeron un ídolo y una fecha de oro. Finestres se conmueve al recordarlos; el cancelario don Ramón Lázaro de Dou proclama a Felipe de Anjou el «Solón de Cataluña» a causa, precisamente, de su tan aborrecido y execrado decreto de Nueva Planta, que abatió derechos feudales, servidumbres góticas y depresivas preeminencias señoriales odiosas. La Real Academia de Buenas Letras, refundida y patrocinada por el monarca, en medio de los más efusivos transportes anuncia que reviven en Fernando VI, «conde de Barcelona», los gloriosos Berengueres, y en doña Bárbara de Braganza, las pías y fuertes Almodis. El mismo Capmany en sus *Memorias* (t. III, pág. 366) escribe: «¿Qué era, en fin, la España toda, antes de de que entrase a ocupar el trono la augusta casa de Borbón? Un cuerpo cadavérico, sin espíritu ni fuerzas para sentir su misma debilidad.» Y añade en otro lugar de dicha obra, comentando el inverosímil crecimiento de la población barcelonesa en los últimos tercios de aquella centuria: «Tal ha sido el impulso que recibió en el benéfico reinado del señor Felipe V, feliz época de la resurrección de la prosperidad nacional de estos reinos, para ser hoy la ciudad más populosa y activa de la corona.»

Fue entonces, al calor de estos beneficios, cuando, entre los elementos ilustrados de Cataluña, empezó a tomar cuerpo la ficción o *postliminium* histórico de considerarse, no ya sus agregados actuales, sino descendientes efectivos y directos continuadores, en lo político y en lo intelectual, de la civilización netamente castellana. Se habla de «nuestros clásicos», de «nuestro idioma», de «nuestro siglo de oro», refiriéndose a épocas de absoluta autonomía lingüística y mental, y aun de completa separación entre las dos coronas. La misma diferenciación peninsular que, por feliz inconsecuencia, hallaba Capmany en la aptitud de los catalanes para la vida económica, dejaba de reconocerla en la esfera puramente especulativa o literaria. Al traducir la arenga del rey Martín en elogio de Cataluña, dirigida a las Cortes de Pirpiñán, justifica esta versión en la necesidad de no dejar aquel documento en «un idioma antiguo provincial muerto hoy para la república de las letras y desconocido del resto de Europa».

Por la misma razón publicaba traducido el libro del Consulado del Mar, ofreciendo el texto auténtico sólo a guisa de justificación diplomática. Algo por el estilo pensaba Torres Amat, no obstante sus tareas de rebuscador y biógrafo de los escritores catalanes antiguos, afirmando también, con endeble crítica, que Cataluña desde que se unió con Aragón había considerado como lengua nacional la castellana. Y, en fin, con la misma velada displicencia o con franco enojo, trataban este asunto del lenguaje nativo, mirado casi siempre de través y como obstáculo y causa de inferioridad, todos los eruditos e investigadores de la época en las tierras de lengua catalana, fuesen valencianos, mallorquines o del Principado propiamente dicho, desde Capmany a Lampillas, desde Mayans, Salvá y D. Buenaventura Serra hasta Sempere y Guarinos. El cual llevó su horror contra el «provincialismo» y todos sus atributos al extremo de execrar, en uno de sus prólogos, la costumbre de ofrecer en las biografías el lugar de nacimiento de los personajes como abonada al incremento de la vanidad local y a las mutuas querellas de región contra región, acabando por suprimir este dato en los tomos sucesivos de su *Ensayo de una bibloteca española de los mejores escritores del reinado de Carlos III,* con un rasgo de jacobinismo literario que les quita no poca utilidad y los vuelve confusos y de incómoda consulta.

VI

El levantamiento de 1808 no hizo sino fortalecer el espíritu que alentaba a la generación de Capmany y esparcir, de un cabo al otro de la Península, el ardor político, la preocupación constituyente, la polémica. El puro cultivo de las letras puede decirse que se interrumpe desde aquella fecha hasta 1833, para no dejar sitio a otra cosa que la arenga, el manifiesto, la diatriba y el canto de batalla. Arengas elocuentísimas son las odas de Quintana y las elegías de Nicasio Gallego, que parecen a menudo simples versiones poéticas de los inflamados manifiestos de la Central. Alocuciones guerreras, los versos de Arriaza y las pastorales de los prelados. Todo es exhortación, apóstrofe, controversia. Bajo las formas en apariencia más severas, bajo los asuntos y temas al parecer más indiferentes o remotos palpita de continuo la pasión contemporánea y el pleito entre españoles rancios y españoles reformistas. Los ingenios de Cataluña, hasta Cabanyes, no dieron de sí más que opúsculos de discusión casi siempre virulentos y chabacanos; imitaciones entecas de Meléndez; calcos directos de Quintana, como en los versos infantiles de Aribau (1818); algún libro de combate como *La Inquisición sin máscara,* del hebraista don Antonio Puig y Blanch, publicada bajo el pseudónimo de *Natanael Jomtob,* y el rastro luminoso, pero fugaz, del periódico «El Europeo», en 1823, del que no vino a tenerse verdadera conciencia sino diez o doce años más tarde.

De 1808 a 1814, en suma, las letras quedan monopolizadas por el ardor constitucional y de 1814 a 1830, con la leve interrupción del trienio, España y más singularmente Cataluña, caen en profundo silencio y estupor, sobre los cuales destaca ahora el estro solitario del joven villanovés. «Pero después de Moratín —dice Menéndez y Pelayo, *Horacio en España*, vol. II, pág. 160 y siguientes— nadie acertó tan completamente con la poesía horaciana, como el insigne lírico catalán don Manuel de Cabanyes, muerto en la flor de sus años, el de 1833. Extraño y nuevo parecerá este nombre a muchos de nuestros lectores, ya que raros caprichos de la suerte han querido que permaneciese olvidado, a la par que han alcanzado no poco renombre ingenios de las primeras décadas de este siglo [el XIX], muy inferiores a él en todo. Cabanyes tenía lo que faltó a Moratín: ideas, sentimientos y vida poética propia. Imitaba los modelos antiguos con la liebrtad del verdadero genio lírico. Su educación literaria fue rica, fecunda y para aquel tiempo muy variada. Conocía y admiraba las obras de los corifeos del romanticismo, especialmente a Byron, de quien, por lo menos desde 1823, había en Barcelona noticia; pero eligió por modelos a Horacio, Luis de León, Alfieri, Francisco Manuel, o sea *Filinto*... y quizá Hugo Fóscolo, al cual en muchas cosas se parece.»

Desde luego puede afirmarse que la reducida producción de Cabanyes es el tributo poético más legítimo, puro y elevado que ha podido aportar Cataluña a la lengua castellana, incluyendo el del mismo Boscán. En Cabanyes se ofrece el mayor grado de intensidad artística que un catalán de nacimiento y de residencia haya obtenido jamás versificando en el idioma de Garcilaso. Su importancia no es meramente formal ni se funda tan sólo en innovaciones métricas, sino que radica antes que todo en la substancia, en la inspiración, en el fluido impalpable de la verdadera poesía. Su nombre y la divulgación de sus obras han padecido de la contrariedad inherente en España al género que valientemente trató de depurar y restaurar. El humanismo murió hace tiempo, y acaso para siempre, en este país. La superficialidad de nuestros estudios no ha permitido que resucitara, ni ha conseguido introducir en la corriente general del gusto y en el aprecio de los lectores habituales esas heroicas tentativas, relegadas aquí a la categoría de curiosidades de museo literario y hechas únicamente para iniciados, eruditos y filólogos de la mayor ranciedad.

Un Chénier con su *Idilios*, un Barbier con sus *Yambos*, se han incorporado por completo a la literatura viva y gustada del público propiamente dicho Han suscitado imitaciones y escuelas; han tenido gloriosa descendencia y no son mirados como cosa aparte, sino como porción vitalísima de la poesía francesa que les debe sucesores tales como Leconte de Lisle y Heredia, y la mitad de las formas y el contenido de los parnasianos. La Italia moderna ha hecho del neopaganismo poético la forma nacional por excelencia. Ha exaltado a Carducci como verbo y cantor de la patria; ha dado al traste con el patriotismo de barcarola y *tromba intrépida* de los libretistas garibaldinos y persigue con D'Annunzio el magnífico esplendor y la apoteosis de un *tercer renacimiento* que reivindique para los descendientes de Rea Silvia su papel de custodios del genio antiguo.

Algo habrá, sin duda, de teatral y artificioso en este supuesto de una tradición directa e interrumpida, como lo hay en el supuesto análogo que sostienen los modernos habitantes de Grecia; pero no es menos cierto que las formas y el sentido clásico han conseguido arraigar o rebrotar durante la centuria anterior en todas las literaturas europeas menos en la española, en la cual no llegaron a encontrar ni siquiera el calor de un cenáculo íntimo. Las vicisitudes por que ha pasado la memoria de Cabanyes coinciden con las diversas etapas o *reprises* del humanismo poético en la Península, herido de muerte por la ineptitud de los pseudoclásicos del siglo XVIII. Su espíritu prosaico, sus asuntos triviales y de tocador, el arrullo de sus palomas, los desdenes de sus Amarilis, las bajas funciones adulatorias a que condenaron la poesía poniéndola al servicio del chichisveo y del abate, su falta de elevación y dignidad, sus deplorables «reproducciones en yeso» de los modelos antiguos, acabaron por hastiar al público e invalidaron de antemano toda tentativa de redención, aunque fuese tal como la de Cabanyes.

Quiso éste volver a la originalidad primera, vertiendo en las páteras eternas de la oda de Horacio la prodigiosa intensidad de su espíritu. Apenas se concibiera que con tan desmedrado volumen como el de los *Preludios de mi lira* haya podido revelarse una tan fuerte personalidad, si la historia de las letras no nos enseñara la preeminencia de los intensos o concentrados sobre los fecundos. De Cabanyes puede decirse lo que se ha dicho de Mérimée, en esfera muy distinta: no ocupa una gran superficie; no es extenso, pero es sumamente alto. Parece imposible que un estudiante muerto a los veinte y cuatro años y que legó por toda herencia un cuaderno de doce composiciones cortas y unas pocas más no coleccionadas, haya dejado impresión tan profunda y duradera en el público, reducido y selecto, que es capaz de comprenderle. Los *Preludios* aparecieron, poco antes de su muerte, en 1833. Los dio anónimos a la estampa, recatándose de una prematura vanagloria. Su primer cuidado fue vindicar el verso de la abyección juglaresca en que le tenían sumido los rimadores áulicos, los pedantes, los indignos. Su oda primera, a *La independencia de la poesía*, es al mismo tiempo una profesión de fe literaria y un grito de dignidad civil:

Como una casta ruborosa virgen
se alza mi Musa y, tímida las cuerdas
pulsando de su arpa solitaria,
suelta la voz del canto.

¡Lejos, profanas gentes! No su acento
del placer muelle corruptor del alma
en ritmo cadencioso hará suave
la funesta ponzoña.

¡Lejos, esclavos, lejos! No sus gracias
cual vuestro honor traficanse y se venden;
no sangrisalpicados techos de oro
resonarán sus versos.

. . . .

Fiera como los montes de su patria
galas desecha que maldad cobijan;
las cumbres vaga en desnudez honesta,
mas ¡guay de quien la ultraje!

Sobre sus cantos la expresión del alma
vuela sin arte; números sonoros
desdeña y rima acorde; son sus versos
cual su espíritu libres.

No se distinguió Cabanyes en su renovación de las formas antiguas mediante un espíritu moderno, por aquel hechizo de armonía y dulzura láctea que caracteriza a Chénier, fuera de algún momento excepcional de arrebato tribunicio como la oda *A Carlota Corday*, por ejemplo. De los atributos del arte clásico nuestro poeta perseguía el furor, la rapidez, la expresión concentrada y elíptica, la lúcida incoherencia de las transiciones, el salto pindárico, en suma. Pródigo de sentido y avaro de palabras, su inspiración obra con la plenitud de efecto de una fuerza contenida. Lo que se reserva el poeta, lo que adivina el lector entre verso y verso y de estrofa a estrofa, es mucho más que lo que nos da. En esta avaricia está el secreto de la eficacia de su arte, de la eficacia imperecedera del canon antiguo que aliaba el vigor con la sobriedad y la fuerza con «la desnudez del atleta», nunca confundible con la del mendigo.

VII

Cabanyes adoptó las combinaciones más acreditadas hasta entonces para sugerir en castellano la impresión de la métrica griega y latina. Hizo uso de la estrofa llamada de Francisco de la Torre, del asclepiadeo moratiniano introduciendo en él un hemistiquio aconsonantado en el tercer verso y de alguna sucesión de endecasílabos y heptasílabos tomada de Herrera. Claro está que todas estas formas, así como las que se han ido inventando después, son meras aproximaciones o recursos de los idiomas modernos para remedar la versificación antigua, fundada en un sistema prosódico tan diferente, o sea en la distinción de sílabas largas y breves. Pero la tentativa de Cabanyes, sin desatender dichos recursos de la métrica, se fundaba principalmente en la asimilación interior, en el giro de las ideas, en la templanza, en la sobriedad, en el movimiento rápido de los afectos. No pecará de atrevido quien afirme que, desde Luis de León, nadie había penetrado tan hondo en los secretos del genio antiguo ni los había hecho valer en lengua castellana con tanta plenitud.

Los asuntos que escogió para esa docena de composiciones no desentonan del programa estético contenido en su *Independencia de la poesía.* Así *El oro,* así *La Misa nueva* que un crítico eminente califica de verdadero himno sacro, no inferior a los de Manzoni, aunque en forma clásica; así también los versos sueltos a *Cintio* y la inefable composición amorosa que lleva el número XI. La insignificancia de algún título o la trivialidad de alguna ocasión que ha dictado tales versos, no son obstáculo para que asciendan con rapidez a la altura de lo grande, de lo majestuoso y de lo noble, alcanzando una elevación que unas veces recuerda a Fóscolo, como en el fragmento dedicado a Colón, pariente muy cercano de *Los sepulcros,* y otras, por su patética amargura destilada en los endecasílabos sueltos de sus epístolas, presentan al autor como un verdadero émulo y contemporáneo de los Shelley y Leopardi. Todo le proclama como una de las personalidades más intensas y más desgraciadamente frustradas que produjo la península en la primera mitad del pasado siglo; y bastaría a demostrarlo la pertinacia de su recuerdo a través de cuatro generaciones distintas.

En extremo curioso es el estudio de las vicisitudes de esta gloria de Cabanyes, a la cual no ha correspondido la *nombradía.* Como queda dicho, publicó anónimos, en 1833, los *Preludios de mi lira;* y del primer efecto que causaron en el círculo íntimo de la amistad y en el más lejano y exigente de los escritores madrileños de aquellos días, queda rastro muy interesante. En primer término, un artículo aparecido en el «Diario de Barcelona» del 13 de mayo de 1833, bajo la rúbrica de «Literatura» y firmado por Cintio, o sea don Juan Cortada, amigo predilecto del joven poeta. Cortada respeta el anónimo del autor:

«Hemos trazado sin querer —dice después de un párrafo introductorio— el carácter de unas poesías que bajo el título de *Preludios de mi lira* acaban de ver la luz pública... Desearíamos, sí, que quien no las penetre se abstenga de criticarlas. Si las consideramos con relación al estado de la sensibilidad poética de la multitud, convendremos en que sus bellezas son en su mayor parte imperceptibles y más propias para una academia que para un público; pero esto no impide que las recomendemos por sí mismas a los pocos capaces de percibir su no común perfección. Son, además, unos preludios nacidos en nuestra patria y que no sería decoroso mirasen con desdén las musas del Betis y del Henares. El autor es un joven cuya modesta timidez no le permite aventurar con su nombre sus primeros ensayos, y cuyo estilo característico le haría traición por poco que fuese conocido. No aspira a lauro alguno, conoce la escabrosa senda a que le guía su genio y sólo espera, dócil y respetuoso, el aprecio y aprobación de los inteligentes.»

Como se ve, Cortada comprendía perfectamente cual era el grado de preparación de los lectores de su época para una empresa tan audaz y no se engañó respecto a la falta de popularidad en que caerían los áureos versos de su amigo, ni aun acerca del linaje de reparos que habían de promover. Cabanyes había enviado su cuaderno de poesías a los dos representantes entonces más visibles de la literatura española: Quintana y Gómez Hermosilla. No hay que decir que a Quintana le causaron viva emoción. Hombre eminente era, al fin y al cabo; y sus prejuicios de escuela no debían impedir que descubriese en el vate de Vilanova, aun inclinado a la tendencia de Moratín, la inmensa superioridad que le distinguía y elevaba por encima del nivel acostumbrado en aquellas fechas. Así se lo comunicó por carta de 1 de mayo de 1833, reforzada con otra del joven Sinibaldo de Mas, también catalán, compañero del autor de los *Preludios,* y que, hallándose entonces en Madrid, había tenido ocasión de hablar con el venerado patriarca de la poesía castellana. Tuvo un gran placer en oír de su boca que aquellas composiciones «le habían gustado sobremanera, y que entre todos los que escriben en el día no había visto tan robustos pensamientos, laconismo, sublimidad y acierto en la distribución»; que Cabanyes era, en suma, un joven de grandes disposiciones y que al momento había conocido, no obstante el anónimo y la carencia de noticias personales, que pertenecía a la *moderna escuela catalana.*

Los reparos de Quintana, así en su carta como en la conversación referida por Sinibaldo de Mas, contraíanse al abandono del consonante, del cual entendía que no puede prescindir la versificación castellana, con todo y no figurar el opinante entre los *filorímicos* a macha martillo de que hablaba Cabanyes en una nota. El moratiniano Hermosilla, en cambio, no comprendió la novedad y pureza del intento clasicista de Cabanyes y le dirigió cinco pliegos menores de observaciones sobre los *Preludios,* contraídos a puntos de preceptiva y nimiedad gramatical. No obstante su largo comercio con Homero y su admiración por Inarco, no consiguió Hermosilla reconocerse jamás en presencia de un verdadero poeta, pudiéndose decir que para él no existían más que versificadores. Ocurrió aquel mismo año la prematura muerte de Cabanyes, muy llorada entre sus deudos y amigos, pero no vuelve a hablarse del escritor, todavía desconocido bajo su verdadero nombre, hasta el *Diccionario crítico* de Torres Amat (1836), en que se publicó su biografía.

Cosa de veinte años después se le ocurrió a don Manuel Milá y Fontanals reverdecer esta memoria, publicando en el mismo «Diario» dos artículos titulados *Una página de historia literaria* (25 y 29 de abril de 1854). Empieza observando que desde la aparición de los *Preludios* nada bastó para que el nombre del poeta saliese de la voluntaria obscuridad en que éste lo había dejado; pero lo curioso es que el mismo Milá renuncia a descorrer el velo, con una timidez y escrúpulo característicos de aquella generación. «Se preguntará acaso —dice en una nota— por qué mientras tratamos de dar celebridad a los *Preludios* callamos el nombre de su autor. Algo de antojo habrá por nuestra parte; pero nos parece mejor así y dejar que lo averigüe el curioso preguntándolo a los muchos que lo saben o revolviendo las páginas de la citada obra bibliográfica [Torres Amat].» El inolvidable maestro de los estudios literarios en Cataluña pasa a puntualizar después, con honda penetración, el valor de la obra de Cabanyes. Su juicio es definitivo y sintético y nada substancialmente se ha podido añadir desde entonces. Los artículos de Milá hubieron de producir cierta momentánea efervescencia; y gracias a su influjo, seguramente, podría prosperar la reimpresión de aquellos ensayos, (aumentados con algunas poesías y trabajos en prosa y con la traducción de la *Mirra* de Alfieri), que apareció bajo el título de *Producciones escogidas,* en 1858. Tal fue la segunda fase de esta accidentada y costosa rehabilitación.

Tercera fase: Menéndez y Pelayo y su *Horacio en España* (1878-1885). Al aparecer este estudio en la «Revista Europea», con el segundo título de *Solaces bibliográficos,* hallábase el autor en su más tierna juventud y en aquel período de fervor clasicista en cierto modo intransigente que produjo algún alboroto, una obra poética tan hermosa como la *Epístola a Horacio* y no pocos lances de polémica literaria sostenidos por el señor Menéndez con el estilo acometedor y garboso de sus años escolares. La vindicación de Cabanyes constituye uno de los fragmentos más explícitos de la obra, ratificando el juicio de Milá y trasladando sus sentenciosas y breves afirmaciones al tono de la elocuencia y el entusiasmo férvidos. «¡Qué dignidad y qué encantadora dulzura! ¡Qué hombre y qué poeta! ¡Y esto lo escribía un estudiante, muerto a los veinticinco años, que pasó olvidado y desconocido su corta y laboriosa vida, sin que ninguna voz viniese a alentarle, sin que sospechase nadie que en un cuaderno anónimo, publicado en Barcelona, se ocultaba el alma de un poeta capaz de rejuvenecer la antigüedad y de infundirle un aliento nuevo!...» Y añadía más adelante estas sentidísimas ponderaciones: «Su patria no se acuerda de este purísimo ingenio que Roma y Atenas hubieran adoptado por hijo suyo. Para él no ha llegado la posteridad todavía. Unos pocos admiradores y paisanos del poeta se han deleitado con sus delicadísimos versos: del Segre acá no le conoce nadie.»

VIII

El esfuerzo de Menéndez y Pelayo en favor de la memoria de Cabanyes no trascendió mucho más allá del círculo de admiradores y discípulos del maestro montañés ni consiguió muchos adeptos, incluso en Cataluña, donde, por otra parte, la poesía de gusto clásico no dejó de tener cultivadores tan acendrados como Pons y Gallarza, con sus conocidas odas en lengua materna. La cuarta y última fase de este proceso literario vino a plantearla otro poeta ilustre, el mallorquín Costa y Llobera, mediante la publicación (1906) de sus *Horacianes*. Este felicísimo ensayo puede considerarse como una reversión al catalán de la misma tentativa de Cabanyes en castellano, con más la perfección métrica alcanzada desde entonces en otras manifestaciones extranjeras de la misma índole, especialmente la ya indicada de Carducci. «En la época ya lejana de mi primera juventud —dice el vate de Pollensa— absorbiendo con delicia nueva la antigua poesía clásica, concebí el deseo de reproducir su belleza original, tan desconocida a causa de las copias en yeso del pseudo-clasicismo académico. Animado por el impulso del insigne Menéndez y Pelayo, por las muestras del nuevo helenismo italiano y *singularmente por el ejemplo doméstico que nos legó la tentativa de Cabanyes*, escribí entonces la *Oda a Horaci...*»

He aquí como a la vuelta de más de setenta años el grito solitario del cantor de *Misa nueva* había de repercutir en su nativo idoma catalán y encontrar en él su mayor resonancia y hasta el único conato de escuela que se haya levantado a su influjo. Nunca como en el tiempo en que compusiera sus *Prelu-*

dios se consideró más imposible la restauración literaria de aquel lenguaje. Nadie sospecha entonces que pudiera salir de su abyección plebeya y remontarse algún día a las supremas regiones de la inspiración y del arte. El mismo Cabanyes participaba sin duda de este estado general de opinión, a pesar de escribir en el prólogo de su cuaderno de poesías estas significativas palabras: «No encareceré por lo mismo las dificultades que un catalán ha de vencer para escribir en una lengua cuyo estudio le es tan costoso como el de cualquier idioma extranjero...» Esta confidencia es de sumo valor por proceder de una época y un hombre que no tenían el más leve prejuicio contra la adopción del castellano, que lo aceptaban y cultivaban con cariño filial, y que creían definitivamente ligada la suerte del pensamiento y de la literatura de su patria a la naturalización y dominio de tan magnífica lengua.

Pero Cabanyes era un caso único en el sentido de la probidad artística. No aparece, ni en su obra ni en su vida, el menor asomo de vanagloria o petulancia. Pertenecía a la vigorosa y selecta estirpe de los austeros e independientes que no se permiten ninguna transgresión de su ideal, ninguna concesión a los gustos burgueses ni a las depravaciones habituales. Era íntegro como hombre y como poeta, «hermano de David», irreconciliable con todo *filisteísmo.* No componía versos para satisfacción de su vanidad, que más debía sufrir que gozar con las discusiones, roces y asperezas, producto natural de su programa poético. Al darlo a luz anónimo hubo de recordar expresamente el primer volumen de Byron, la diatriba de la «Revista de Edimburgo» y la estrepitosa polémica sobre «los bardos de Inglaterra y los críticos de Escocia» que acaso temió ver reproducida a la inversa, en nuestro país, entre los críticos de Castilla y los poetas de Cataluña.

Esta probidad artística, este carácter ajeno a toda mistificación, llevóle a confesar y denunciar de antemano la inferioridad con que luchaba respecto al instrumento de expresión de sus afectos y concepciones poéticas. Como artista puro y con independencia de todo prejuicio político, antes bien dentro del más ardiente amor a España, advertía el conflicto trágico, a que me he referido otras veces, entre un idioma para la vida y otro para la cultura y el pensamiento. De aquí sus dudas y vacilaciones respecto a la eficacia o intensidad de sus ensayos poéticos, así como el temor de haber malogrado el tiempo en el empeño de verter su alma en aquellas composiciones, vacilando entre la ineptitud y el mutismo absoluto. ¿Qué extraño, pues, que Costa y Llobera, emprendiese en la lengua natural lo que Cabanyes intentó tan ardientemente en la adoptiva y le dedicase aquel magnífico ditirambo, aquel lamento o elegía de una vida frustrada por anticipación a su época y por no haber alcanzado los días de plenitud que iban a seguirla?

Sublim nasqueres; mes l'humana glòria
te fou negada, car l'edat caduca
del classicisme bord no comprenia
la clàssica noblesa.

I el manllevat idioma, resistint-se
a les audàcies de ton estre indòmit,
violències ne patí, que no tolera
son geni d'altra raça.

Ah! La llengua materna te calia
per abocar-hi el cor... Mes eixa parla
desdenyada, envilida, corrompuda,
ja l'art creia morta.

Oh cantor sense llengua! Així passares,
obscur i pensatiu, en curta vida...
Després, l'oblit d'immerescut silenci
cobrí la teva tomba.

. . . .

I romandrà ton buit... més buit encara
essent inadvertit; i mai ton poble
sabrà lo que perdé quan tu mories
abans d'ell recobrar-se.

Tu que, a la pàtria arravatat, pogueres
almenys deixar-hi ta mortal despulla,
de ton doble esperit l'hereu suscita
potent sobre ton poble.

I no manqui a ta raça la corona
que amb temps i millor sort cenyir devies
de Tarraco en l'Acròpolis sagrada,
Píndar de Catalunya!

Así vino a reintegrarse en el caudal de la restauración catalana esa noble corriente del neo-clasicismo, única que ha surgido en España en el transcurso de cien años y que no ha dejado otras muestras en lengua de Castilla que los propios versos de Cabanyes y las poesías juveniles de Méndez. Las *Horacianes,* de Costa, llegaron en el momento «parnasiano» y sonetista de la lírica de Cataluña. Una porción de la juventud literaria, si no por trato directo con las obras de la antigüedad —cosa más difícil cada día según resulta de ficticio el estudio de las lenguas muertas—, tuvo la intuición de lo clásico a través de los poetas franceses e italianos que han conservado y purificado este gusto durante el siglo XIX. Pero aquí estriba también el peligro de hacer demasiado cercana la imitación y de fundarla, no sobre el conocimiento personal, sino sobre la interpretación ajena. Ese clasicismo resultaría también falso, insincero y de segunda mano. Todo lo que no sea sacarlo de la impresión directa de los modelos y del dominio perfecto del griego y del latín, es obra de afectación y *pasticio.* Más que en los temas y en los asuntos, más que en rejuvenecer una mitología muerta en las costumbres y en la imaginación actual, la influencia de lo clásico debe buscarse en la sencillez y pureza de la forma, en la ligereza de la expresión, en la armonía y equilibrio de los componentes, en el canon imperecedero de sobriedad, rapidez y gracia que nos legaron los antiguos.

A eso tendía Cabanyes, de suerte que no trató de transportar su sensibilidad ni su imaginación a una época fenecida para darnos de ella una visión histórico-poética, sino que cantó los ideales, las pasiones y las tristezas de su tiempo dentro de la ley de sobriedad y elegancia que debemos a Grecia y Roma como fórmula de arte todavía insuperada por pueblo alguno. Trató de asimilarse el elemento interior y esencial de ese arte, no sus accidentes externos. Sintió hondamente y muy en serio la vida; y al imitar y rejuvenecer en un idioma moderno la oda de Horacio por su artística perfección, execró la molicie del venusino y las abyectas aplicaciones de su áureo ingenio, hecho para cantar a los altos varones y a los heroicos hechos: a Régulo, a Camilo, a Catón, no para entonar de un «triunviro inhumano la envilecida loa», en versos gratulatorios que le recordaban sus orígenes de esclavitud y su deserción en la batalla de Filipos.

IX

Muchas veces ha sido citado, en Cataluña y fuera de Cataluña, el periódico o revista «El Europeo», como punto de partida de una época literaria. Pero casi todas las alusiones tienen el mismo origen (Tubino y Menéndez Pelayo) y se repiten unas a otras, sin añadir cosa nueva. La misma rareza de la colección ha dificultado la consulta de tan interesante periódico, mucho más célebre que conocido en realidad. Trátase de una publicación semanal en 16.º de 32 páginas cada número, que empezó a salir el día 18 de octubre de 1823 y se despidió de sus lectores el 24 de abril siguiente, habiendo publicado, por lo tanto, dieciséis entregas. Antes de su aparición dio a conocer sus propósitos por medio de una hoja-prospecto, en la cual aparece por lema esta cita, tomada de la oda de Quintana *A Guttemberg*:

...¡Mente ambiciosa!
Vuélvete en fin a mejorar el hombre.

Este lema figuró también en la cabecera de todos los números sucesivos. El prospecto merece ser reproducido, en consideración al asunto, a las circunstancias históricas en medio de las cuales apareció y a las insinuaciones que ofrece sobre las personas que acometieron la empresa. «Cuando nuestro espíritu —dice— se halla dolorosamente conmovido en vista de las discordias que han dividido a los hijos de España y en medio del mismo teatro de una guerra desastrosa; cuando esperamos con zozobra el desenlace de esta gran tragedia que ha de tener sobre nuestra futura suerte una influencia decisiva, ¿nos sería vedado dar un desahogo a nuestro corazón, volver los ojos a las ciencias, a las artes, a la literatura que fueron las delicias de nuestra primera juventud, y, en tiempos de exterminio y devastación, tratar pacíficamente de luces, de mejoras y de prosperidad? Muchísimos se hallan en nuestro caso, muchísimos necesitarán de un momento de calma y tranquila ocupación para distraerse de más graves cuidados. Éstos son en cuyo favor publicamos el periódico que vamos a anunciar.

»Nacidos en diversos países —añade— y arrojados a esta ciudad por una serie de acontecimientos desagradables, nos conocimos, trabamos amistad, admiramos la armonía de nuestras ideas, y nos propusimos comunicarlas al público con la franqueza de hombres libres y amantes del género humano. De lo que cada cual de nosotros debía a su patria hicimos una masa común; y cualquiera que fuese el resplandor de los rayos que se reuniesen en este foco de conocimientos, procuramos que fuesen útiles y aplicables a todas las naciones y a todas las edades.» Manifiesta después que no se ocuparán de los problemas concretos, inmediatos y actuales de la política, pero que tratarán de la política como ciencia, impersonalmente y sobre ejemplos remotos, a fin de discurrir sin apasionamiento ni interés. Se adelanta a reconocer que acaso parecerá extensa y desmesurada la esfera del periódico, pues se propone extenderla a todas las ciencias metafísicas, morales, naturales y exactas, a todos los conocimientos sobre lo bueno, lo verdadero y lo bello y a cuanto, en fin, contribuye a mejorar el corazón, a rectificar el juicio y a cultivar el gusto.

Como resumen de su vasto programa y de sus juveniles entusiasmos, escriben lo siguiente: «De los sistemas particulares que nos han hecho formar nuestra observación, meditación y lectura, entresacamos lo más ameno, interesante y provechoso: de los abstractos principios de política pasaremos a la contemplación de la naturaleza; de la exactitud del cálculo algebraico descenderemos a los caprichosos raptos de la poesía; con las artes de Rossini, de Rafael y de Cánova descansaremos de las indagaciones ideológicas. Analizaremos, en cuanto las comunicaciones lo permitan, las obras nacionales y extranjeras que salgan a luz y daremos a conocer autores cuyas obras y mérito se ignoran, o no son harto comunes en este país. Extractaremos tal vez algún breve retazo, especialmente en verso, de su mismo original en las lenguas sabias, y en francés, italiano, portugués, inglés o alemán, pero siempre con su traducción, en favor de los que no posean tales lenguas. En fin, no omitiremos diligencia para hacer agradable la obra a nuestros lectores, en cuanto alcancen nuestras fuerzas.» Y como indicación de carácter económico, si bien renuncian de antemano a todo lucro, dedicando a las tareas de divulgar la ilustración las horas desocupadas, manifiestan que el periódico no empezará a salir sino después de haber reunido el corto número de suscriptores que baste para asegurar los gastos indispensables.

Firmaban este prospecto dos catalanes y tres extranjeros. Los catalanes eran Aribau y López Soler. Los extranjeros, Carlos Ernesto Cook, Luis Monteggia y Florencio Galli. Durante todo el pasado siglo la acción de progreso substancial, de cultura, de mejora positiva, tuvo aquí que luchar y aun simultanearse con la acción destructora y funesta de los trastornos políticos. Para no hablar más que de la tentativa de «El Europeo», veamos en qué momentos le cupo la suerte de germinar. Tocaba a su fin el Trienio Constitucional debido a la sublevación de Riego. Barcelona, Cataluña, que habían sufrido siete años continuos de devastación durante la Guerra de la Independencia y que salieron de ellas con su industria y comercio absoluta y materialmente aniquilados, comenzaron en 1815 su penoso trabajo de reconstrucción. Cuando empezaba a sonreír un poco la esperanza, sufre la terrible epidemia de 1821 y la desorganización y recaída consiguiente. El horizonte político se oscurecía también, aumentaban los síntomas de próxima reacción, se constituía la llamada Regencia de Urgel, se lanzaban al campo las primeras partidas de los *apostólicos*, formaban su alianza las potencias del Norte y campaban a su albedrío, en Cataluña, Montaner de Berga y Antón Misas, Romagosa y el Trapense, poniendo en jaque continuo al ejército regular y haciendo necesario el envío del general Mina para tener a raya a los facciosos.

Llegó, por fin, el momento de llevar a la práctica los acuerdos del congreso de Verona contra el régimen constitucional, de hacer en España lo que ya se había hecho en Nápoles y el Piamonte. El 9 de enero de 1823, las potencias aliadas dieron la orden de retirarse a sus embajadores en Madrid, el 28 del mismo mes se anunció la guerra en Francia y el 7 de abril siguiente los Cien Mil Hijos de San Luis, al mando del duque de Angulema, pasaban el Bidasoa. El ejército constitucional que luchaba en Cataluña contra los realistas tuvo que hacerlo desde este instante contra los franceses invasores, que muy pronto bloquearon a Barcelona. Las tropas de Mina debieron batirse en retirada desde distintos puntos que ocupaban en el Principado. Sufrieron descalabros las divisiones de Manso, Mier y del mismo Milans y no tardó a hablarse en la capital de rendición y convenio. Pues bien: en lo más apurado de estas circunstancias, cuando ninguna persona de juicio podía dudar acerca de los designios del rey y de la suerte que cabría a la segunda etapa del «sistema»; cuando las tropas francesas apretaban su asedio y la vida se hacía muy difícil en la ciudad y se temían en ellas explosiones del furor demagógico o del furor realista, entonces, cinco jóvenes de precoz ilustración, de sentimientos liberales templados, de intenciones generosas, lanzan el primer número de «El Europeo», que no era un periódico de combate ni un libelo revolucionario, sino una publicación noblemente artística e intelectual.

Trece días después, el 1 de noviembre, se ajustó la capitulación de Sarriá, por la cual el ejército aliado ocuparía Barcelona, Tarragona y Hostalrich, abandonándola las guarniciones españolas. Había fracasado de nuevo la tentativa constitucional; Fernando VII era restituido a la integridad de su poder absoluto y se disponía a ejercerlo, no en la forma ilustrada y benigna de un Luis XVIII, sino con aquel espíritu de persecución y venganza que no tardaría en hastiar al mismo duque de Angulema, el cual salió de España sin despedirse de su regio protegido. Tal era la atmósfera desfavorable que debía envolver a la naciente revista. ¿Cómo se conocieron sus redactores y qué azar los condujo a la simpatía, al compañerismo y a la obra común, no obstante su diferencia de nacionalidad? Aribau había abandonado la secretaría de la diputación de Lérida, que se le otorgó en los comienzos del trienio, buscando el refugio de Barcelona, su patria, ante el empuje que tomaba, fuera, la insurrección realista. Tenía veinticuatro años en 1823 y se puso en contacto con López Soler, joven manresano, que despuntaba en el cultivo de la poesía. Cook, Monteggia y Galli, habían venido a parar a Barcelona, arrojados de Italia por las revueltas políticas del tiempo; y no es aventurado presumir, y aún de ello hay claros indicios en algunas notas de «El Europeo», que se alistaron, como otros muchos de sus compatriotas, para defender en España la bandera de las libertades constitucionales.

En efecto: los refugiados piamonteses y polacos, que abundaban en Barcelona, y no pocos franceses que residían aquí, formaron una legión al servicio del gobierno liberal de España. Muchos de ellos habían servido en el ejército de Napoleón. El coronel Pachiavotti mandaba una columna de éstas, incorporada a la división de Milans, y otra el coronel Olini. El romanticismo naciente despertó un nuevo linaje de cruzados: los cruzados de la libertad y de las nacionalidades oprimidas. Un espíritu aventurero y altruista conmovió a la juventud de todos los países y, como ejemplo brillantísimo y glorioso de esta fiebre de redención, allí estaba lord Byron, tremolando en Misolonghi la bandera helénica y dispuesto a morir, lejos de su patria, para sacar a los suliotas de su trágica esclavitud. Así también, Armando Carrel, que en Barcelona, donde había residido, contaba con verdaderos idólatras, ofreció al mismo tiempo su espada y su pluma a los constitucionales españoles, abandonó su regimiento incorporado a la expedición de Angulema, se batió bravamente en la

Península y al regresar a Francia se vio condenado a muerte, aunque en definitiva fue casada la sentencia, sin lo cual el historiador Thierry no hubiera podido aprovecharle como ayudante y secretario, ni Thiers ni Mignet tenerle por su más decidido colaborador y compañero.

X

Uno de esos redactores no catalanes de «El Europeo», Florencio Galli, nos ha dejado noticias autobiográficas y pormenores muy interesantes acerca de la división extranjera. Escribió en francés, y fueron más tarde traducidas al castellano, unas *Memorias sobre la guerra en Cataluña en 1822 y 1823*, que Bergnes de las Casas editó en 1835. Por este libro sabemos que Galli pertenecía al Estado mayor y que fue edecán predilecto del general Espoz y Mina; que se encontró en trances muy apurados y novelescos; que se halló en la toma de Urgel; que estuvo a punto de caer acribillado por una descarga de las mismas tropas constitucionales hecha equivocadamente; que se hallaba también en la tristísima jornada de Nuria y que, después del tirenio, emigró a América como Van-Halen y tantos otros legionarios y caudillos —destinados a figurar entre los futuros *ayacuchos*—, habiendo residido por algún tiempo en Veracruz. De su relato pueden entresacarse noticias muy curiosas acerca de aquel puñado de napolitanos y milaneses que luchó con tanta bravura y desesperación. Muchos eran militares de carrera en su país y los restantes, personas de cierta categoría: abogados, médicos, estudiantes, artistas, poetas, enardecidos todos por la fiebre de la redención y por un romanticismo caballeresco y de innegable origen literario.

De los nombres que saltan en las *Memorias* de Galli es posible inducir cómo serían los cuerpos de Pacchierotti y Olini. Se habla del esforzado Costa, del caballero Brescia, del distinguidísimo Oreglia, de Sormani —que alcanzó el sable de honor ofrecido por la Diputación de Barcelona al extranjero que más se distinguiera en la campaña—; se habla del pundonoroso conde Bianco, jefe de los lanceros italianos; se habla de un francés arrojadísimo, M. Palliette; se habla, en fin, de los generales Regis y Ansaldi, a quienes los azares de la proscripción habían llevado a formar en las filas de los simples soldados de caballería. Muchos cayeron en los combates; otros sucumbieron víctimas de su temeridad y quedó mermadísima la legión en la terrible retirada de Nuria, para verse deshecha y rendida por las tropas de Moncey en Torrat, no sin que antes hubieran ocurrido escisiones inevitables en cuerpos de voluntarios y en época en que el ardor podía más que la disciplina.

«Los que hayan probado la emigración —dice Galli, pág. 83— y sepan cuán amarga se le hace la existencia al hombre sin patria, no se admirarán de que estallasen a veces pequeñas disensiones entre los italianos que se vieron precisados a huir de sus lares y que peleaban en Cataluña por la causa de los libres. En esta época [expedición a Vich, para apoderarse del obispo fray Raimundo Strauch] hubo entre ellos un vivísimo altercado. Enardecióle más que nunca a Pacchierotti la herida que había recibido; pero debía también a la proscripción algunos arranques de mal humor y, si en estos momentos llegaban a contradecirle, enfurecíase y usaba un lenguaje de jefe, abandonando el dulcísimo de compañero de infortunio. Como los señores Gambolo y Frascini no hubiesen en cierta ocasión cumplido exactamente sus disposiciones, reprendióles tan ásperamente que no pudieron menos de recordarle que, si bien eran soldados suyos, no ignoraba sin embargo que eran oficiales tan antiguos como él y que no sufrirían se les perdiese el miramiento que mutuamente se debían.

»Sobrado ardiente Pacchierotti, toma esta respuesta por un acto de insubordinación, y despídelos del cuerpo. Retíranse y preséntanse al general Milans, quien, juzgando el hecho a sangre fría, aprueba su conducta, dando orden al caballero Brescia, segundo comandante de los italianos, para que los recibiese en su compañía... Dócil Brescia y amante de la buena armonía entre sus compatriotas enséñale a Pacchierotti la orden que ha recibido, y muévele a una reconciliación con los dos voluntarios. Exaspérale esto más al fogoso caudillo, quien hace alinear a sus soldados, participales la orden del general, quéjase de que sea desconocida y atropellada su autoridad, y, en una palabra, persuade a sus tropas a que tomen por suyo el agravio hecho al jefe. Llega en este momento Brescia, e inflámanse al verle los parciales de Pacchierotti; amenázanle con sus miradas y con sus dicterios, y hasta quieren adelantarse a más. Acude el general, sin poder empero apaciguar el desorden. Comenzaba sin embargo a persuadir a la obcecada muchedumbre cuando, por uno de aquellos arranques que podrían llamarse característicos de la nación que baña el Po, exclama Pacchierotti: "¡Todo italiano, sígame!" Siguiéronle todos hasta Barcelona, excepto la compañía de Brescia.» El intrépido caudillo debía perder la vida en esta campaña.

Cuando la imprudente y desesperada expedición en socorro de Figueras, hallóse en la acción del Torrat, último combate librado con el ejército de Angulema. «Así sucumbió —añade Galli— la flor de los provinciales de Cataluña y la legión liberal extranjera, desgraciados restos de aquellos italianos a quienes perdonaron la peste, el hambre y la guerra civil. Estaba reservado este triunfo al general Damas y mostróse merecedor de él, puesto que fue la más noble su conducta para con los prisioneros... Recibió Pacchierotti nuevas heridas en la refriega; hubiera podido curar, pero despreció la compasión de sus enemigos, muriendo digno de sus proezas y de su patria», y haciendo presentir la leyenda garibaldina.

Valga esta digresión como recuerdo de una época harto olvidada, por no decir desconocida, y como precedente indispensable al estudio del renacimiento intelectual de Cataluña durante el siglo pasado. Porque fue en períodos tales cuando germiaron tentativas de tanta importancia como «El Europeo». Nadie diría que este papel hubiese aparecido entre el fragor de las discordias civiles, en medio del humo de las descargas, cuando Barcelona respiraba inquietud y, por imposición de la demagogía, Rotten acababa de ordenar el fusilamiento del obispo Strauch, indomable defensor de la monarquía absoluta. Nadie diría que Cook, Monteggia y Galli acabasen de trocar la espada por la pluma y, sin sacudir de sus ajados uniformes el polvo de la campaña, pudiesen tener serenidad para escribir tan reposada y tranquilamente de asuntos científicos, de temas morales, de novedades y controversias literarias. Este ejemplo explica también por qué suerte de avenidas y aluviones han ido penetrando en Barcelona las novedades extranjeras, hasta obtener nuestra ciudad la primacía de ellas en España.

La revolución literaria del romanticismo, el concepto y el nombre de *estética* aparecen expuestos, examinados y citados por primera vez en dicha revista. Ya en el segundo número (25 de octubre de 1823), bajo la rúbrica de «Literatura», se inserta un artículo titulado *Romanticismo.* El articulista no se propone intervenir en la polémica que apasiona a todo el mundo, sino decir algo sobre la significación y máximas fundamentales del nuevo sistema. «La lengua romance (que es la que se hablaba en Europa mientras se iba perdiendo el uso de la latina, y formándose las modernas) fue la que dio nombre a las poesías que se llamaron románticas. La esencia del romanticismo no consiste, sin embargo, en la tal lengua de que ha derivado el nombre, sino en los elementos poéticos que componen el *estilo*, en la elección de los *argumentos* y en el modo de tratarlos por lo que toca a la *marcha* (desarrollo).» Viene a indicar a continuación que la mitología, animada y viviente en la antigüedad, pasó a ser una cosa histórica y fósil con el predominio del cristianismo y la aparición de nuevas costumbres y nuevas formas imaginativas. Añádase a esto la invasión del mediodía de Europa por las hordas del Norte, «llevando consigo las lúgubres ideas de los países septentrionales y el gusto por las melancólicas canciones de los Bardos y de los Druidas, recreo de los hijos del terrible Odino, cuando descansaban de los combates». Otra influencia: las costumbres caballerescas de los árabes conquistadores.

Una cosa son los clásicos, dice en substancia, y otra los clasicistas. En efecto, todos autores clásico verdaderos dejan en sus obras el color de las épocas en que vivieron —que es lo que quieren ahora los románticos. Y en este sentido son románticos Homero, Píndaro, Virgilio, o son clásicos Dante, Shakespeare, Camoens, Calderón, Schiller y Byron. «El carácter principal del estilo de los románticos (que son los modernos después de la lengua romance) consiste en un colorido sencillo, melancólico, sentimental, que más interesa al ánimo que a la fantasía. Quien haya leído el *Corsario* y el *Peregrino* [*Chil-de Harold*, supongo] de lord Byron, la *Atala* y el *Renato* de Chateaubriand, el *Carmañola* de Manzoni, la *María Stuard* de Schiller, tendrá una idea más adecuada del estilo romántico que la que podamos dar nosotros hablando en abstracto.»

Antes de llevar más adelante este resumen, observemos, en las ideas expuestas, la influencia de Raynouard y los primeros provenzalistas, con la teoría de la lengua románica, desde hace tiempo abandonada y sustituida por la del nacimiento simultáneo de los modernos idiomas latinos, sin intermedio de otro idioma general derivado de la lengua madre.

Nótese la universal resonancia que habían obtenido la mixtificación de Macpherson y sus bardos gaélicos, de que no se salvó ni el mismo Goethe, quien, por el contrario, contribuyó a divulgar la habilidosa supercherería en los capítulos de *Werther*. Los pretendidos cantos de Ossían y las *Noches* de Young, fueron la doble raíz del romanticismo de primera hora y es imposible no reconocer su filtración y estragos aun a través de los espíritus de mayor superioridad y en las obras más eminentes y duraderas de aquella generación.

XI

Pasando a tratar del argumento, el articulista de «El Europeo» indica que el objeto principal de los románticos es interesar a los lectores por medio de cuadros, pasiones y costumbres que tengan analogía con las de nuestros tiempos. «Los argumentos antiguos —añade— y en particular los griegos y los romanos, no tienen para nosotros un interés tan inmediato como los de las cruzadas, el descubrimiento del nuevo mundo y las revoluciones modernas. A más de que tanto han escrito ya los poetas sobre los asuntos griegos y romanos, que el interés que inspiran semejantes obras es más de convención que de naturaleza, como es el que excitan los lances de la verdadera poesía, cuando no es dictada por las solas reglas de la imitación, sino por el genio y el sentimiento. La historia de la Edad baja [media] y la moderna ofrecen una infinidad de argumentos que todavía no fueron tratados, y que tienen mucha más relación con las costumbres de la edad presente; y a tales argumentos se acomoda muy bien el estilo de los poetas románticos.»

Dice también que los clasicistas no conocen de los caracteres antiguos sino lo que trae la historia. No pueden pintarlos cómo fueron, sino cómo se los figuran a través de mil y mil deformaciones y copias de copias. Para darles mayor realce pónenlos «más allá de los sentimientos modernos». No quiere decir que tales temas no puedan servir a la inspiración actual. Insiste otra vez en que no son los clásicos, sino los clasicistas quienes adulteran el arte. «El *Edipo* de Sófocles no se avergüenza de confesar que le duele abandonar la existencia», y nos interesa entonces más que otros héroes a quienes la muerte no arranca un solo lamento, como en general acontece con los personajes de las tragedias francesas. En cuanto a los modernos que han tratado asuntos antiguos, «pondremos por ejemplo la sola tragedia de Shakespeare titulada *La muerte del César*, que basta para persuadir de la inmensa distancia que media entre los poetas hijos de las escuelas, que todo lo han aprendido por la reglas aristotélicas, y *los inmortales hijos del genio, que todo lo sacan de la naturaleza y el corazón*».

Al tratar de la marcha, o distribución y desarrollo de los asuntos, sostiene que la diferencia entre clasicistas y románticos sólo consiste en que los últimos son más libres en la expresión de sus ideas y en la aplicación de la métrica, para conseguir que la forma de los poemas nazca de la misma índole de las pasiones y episodios, en vez de sujetarlas a una regularidad artificiosa. Habla de las reglas de la epopeya y de la famosa cuestión de las *unidades* dramáticas, las cuales, persiguiendo una ilusión perfecta y una absoluta verosimilitud, llegan muy a menudo a un extremo radicalmente opuesto. El hecho es que «los espectadores ven pasar a *Otelo* de Venecia a Chipre, y no dejan por eso de interesarse en sus amores y en la muerte de la desdichada Desdémona; y por el mismo principio verían al padre Las Casas abogar por la causa de la humanidad en la corte, y después pasar como ángel de consolación a las Américas, y sus ánimos quedarían conmovidos sin reparar en el esfuerzo de imaginación... ni quedar disgustados de una libertad del poeta que les habría proporcionado sensaciones deliciosas. El hecho es que los clásicos de todos los tiempos y de todas las naciones escriben lo que les dicta el genio, y después vienen los eruditos y sacan reglas de estas obras, pretendiendo que todos deban conformarse a ellas».

Por último, expone el concepto de la «unidad de interés», que es la más descuidada por los clasicistas y la que con mayor ahínco procuran seguir los románticos, puesto que se trata de algo verdaderamente filosófico y espiritual. «Y para los que quieran profundizar las ideas románticas —termina— más de lo que hemos podido hacer en este artículo, concluiremos aconsejando la lectura de las obras de Schlegel, Sismondi, Manzoni, y de lo que han dejado escrito sobre este particular los redactores del «Conciliatore», de Milán, en Lombardía.» He debido extenderme en la exposición de este largo estudio, no tanto por su valor actual como por su importancia histórica y por su doble interés: el que afecta, en general, a los orígenes del romanticismo en España, y el que atañe especialmente al renacimiento literario de Cataluña. Al pie de dicho trabajo, según costumbre del periódico, figuran únicamente las iniciales L. M., que corresponden al milanés Luis Monteggia, hijo del ilustre cirujano y profesor del mismo apellido. Así se plantea por primera vez en Barcelona y, desde Barcelona, en toda la Península, el programa de una nueva escuela literaria y el advenimiento de un nuevo estado de sensibilidad que tan profundas consecuencias y repercusiones habían de tener en los demás órdenes de la vida colectiva.

Hasta 1833 no volvieron de la emigración los expatriados de 1824, trayendo a Madrid esa revolución del romanticismo, ya por completo triunfante en el extranjero. Con diez años de anterioridad había penetrado en Cataluña, removiendo y divulgando un tropel de ideas, de libros, de doctrinas, de nombres gloriosos, de futuras vocaciones. A través de las páginas de «El Europeo» es posible rastrear las influencias y elementos exteriores que se combinaron para reproducir la llamada «escuela catalana» en la primera mitad del siglo pasado, a saber: el espiritualismo estético-cristino de los Schlegel; el sentimiento arqueológico y la rehabilitación literaria de la Edad Media encarnados en Walter Scott; la gravedad sentenciosa y meditabunda de la escuela lombarda, desde Fóscolo, y casi desde Monti y Parini, hasta Manzoni y Tomás Grossi, cuya legenaria amistad —la de los dos últimos— no menos que sus tendencias y predilecciones, tuvieron, en Cataluña y en Mallorca, el eco de Piferrer y Milá, de Quadrado y don Tomás Aguiló.

Propagador principal de esta escuela fue el joven Monteggia, milanés, como se ha dicho. Su intervención en «El Europeo» y más adelante en otras manifestaciones de nuestra cultura, explica la especial devoción y popularidad que aquí alcanzaron los más gloriosos representantes de aquel grupo, hasta venir ligado uno de ellos, Grossi, al renacimiento catalán, con la traducción de *La noya fugitiva,* hecha por Cortada en 1834, además de haber servido todos de contrapeso al absorbente influjo escocés y gótico-florido del autor de *Ivanhoe,* con su amable austeridad y su sentido amplio y armonizador de la perfección antigua y el sentimiento moderno. En «El Europeo» trató de las principales creaciones de Manzoni, de la *Ildegonda,* de Grossi, de las comedias del abogado Nota; y, con patriótico ardor esparció por España el renombre de su patria lombarda. Dedicóle también frecuentes suspiros de desterrado, en poesías de ocasión y en noches de beneficio o solemnidad musical, como la despedida de la famosa cantante Rosalinda Eckerlin en el teatro de la Santa Cruz, fundiendo en un solo sentimiento la pasión melódica de su época y el soñado resurgir de aquella Italia despedazada y doliente, musa oculta y fascinadora de todos los maestros románticos, desde Bellini a Verdi:

D'un esule cantore
non rifiutare il done
emaggio a te d'onore
é questa mia canzon.

Ricordo siati un giorno
di candida amistá,
quando farai ritorno
alla natia città.

Vorrei la offrirti il canto,
la coronarti il crin:
linda gentile, oh! quanto
invidio il tuo destin.

. . . .

Madre, fratello e suora
lasciai nel patrio suol:
Ahi! da quel giorno ognora
per me le oppresse li duol.

Quanti fra quelle mura
di me ti chiederan,
di lor, che la sventura
non mi percosse in van.

. . . .

Ma in mezzo alla licenza
tra le perfidie, ognor
seguii della prudenza
le leggi e dell'onor.

Per me non a d'un figlio
la patria ad arrossir:
mai non potrà l'esiglio
quest'alma pervertir.

Más adelante volvió a insistir «El Europeo» en este tema del romanticismo, por la pluma de López Soler, que procuró resumir en forma de conciliación los términos de la candente disputa; y, poco tiempo después, iniciaba a sus lectores en el conocimiento de una nueva disciplina, de origen germánico, cuyo nombre reproducía por primera vez la imprenta española. Bajo la rúbrica de *Estética* ofreció Aribau la primera noción de esta ciencia que haya sido expuesta en lengua castellana, tanto que al escribir aquella denominación, creyóse obligado a ponerle la llamada de un asterisco y continuar, a pie de página, la siguiente nota explicativa: «Éste es el nombre que dan los alemanes a la ciencia que tiene por objeto la parte filosófica de las artes de la imaginación.»

«La poca noticia —dice— que se tiene en España de las más importantes producciones filosóficas alemanas, especialmente de las fundadas en las doctrinas de Kant, nos anima a dar un breve conocimiento de la teoría del gran poeta trágico Schiller, sobre un punto que ha dado lugar a tantas disputas entre los literatos.» Inmediatamente pasa a extractar las razones opuestas por Schiller a quienes niegan que el *placer* sea el fin de las artes de imaginación. Los placeres que éstas producen —añade— son los únicos que no exigen trabajos y sacrificios, ni dejan arrepentimiento alguno, al paso que los de las ciencias sólo se adquieren con estudios asiduos, los de la virtud con dolorosos desprendimientos, y los de los sentidos, o con privaciones o con largas penalidades. El error nace de pretender que las artes se proponen la *moral* como objeto exclusivo o como objeto primario. Su maravillosa influencia sobre las costumbres ha venido a favorecer esta errónea opinión. Ciertamente, las artes ennoblecen y moralizan, pero de una manera indirecta y más elevada: porque el *placer* artístico fortalece la moralidad, y se entiende por placer artístico todo aquel que tiene un origen desinteresado.

Después de esta indicación de carácter preliminar entra en el asunto concreto, que es tratar de lo patético y lo sublime. Lo sublime oscila entre dos sentimientos: el de nuestra debilidad y limitación de facultades, y el de nuestra superioridad que no se espanta de los obstáculos y los supera. A la emoción de lo patético y de lo sublime contribuyen dos elementos: placer y dolor; en ambos el orden está fundado sobre el desorden, pero es preciso que el primero venza al segundo. «En general es contra el orden de la naturaleza que el hombre padezca; pero los sufrimientos del virtuoso nos impresionan más vivamente que los del malvado, porque contrarían al mismo tiempo el orden de la naturaleza y el orden moral. Al contrario: la felicidad de un malvado nos hace más dolorsa impresión que la desgracia de un virtuoso, porque hay un doble desorden moral en la existencia del vicio y en su recompensa. La regla que sirve en lo patético para determinar la proporción del placer y de la pena, es la importancia comparativa del orden guardado y del orden infringido.»

Ningún orden es más interesante que el moral, porque ningún placer es comparable al placer que nos proporciona. El orden físico, es ciego, fatal, exterior y oscuro casi siempre para nosotros; el moral tiene su base en nuestra propia existencia, sus principios y leyes están reconocidos por un sentido íntimo, común a todos los hombres; es la expresión y la garantía de nuestra libertad. «Este orden moral resalta mucho más, cuando se halla en conflicto con otros intereses, y triunfa de ellos, y despliega todo su poder; cuando combate contra todas las fuerzas naturales, comprendiendo bajo esta denominación no sólo la necesidad física y la fatalidad de los acontecimientos, sino también las sensaciones, simpatías, pasiones y afectos. Sólo la resistencia da conocimiento de la fuerza, por lo que, sólo en una situación violenta experimentamos una sensación viva de nuestra naturaleza moral; y el placer más sensible de esta especie va siempre acompañado de dolor.» Tal es, según Schiller, el camino que debe seguir la poesía para agradarnos en grado superior y éste el objeto propio de la tragedia, cuyo dominio abraza el campo inmenso del interés sacrificado al deber, o de un deber sacrificado a otro deber de orden más elevado.

Nada más sublime, por ejemplo, que la heroica desesperación que desprecia todos los bienes, y la vida misma, ante la voz del juez íntimo e inapelable. Ya sacrifique el hombre virtuoso su existencia para cumplir un deber, ya el culpable se inflija la muerte por haber violado el suyo, nuestro respeto de la ley moral se exalta de la misma manera. Hay también otros casos en que el placer moral se consigue al precio de un dolor moral, y esto sucede cuando se sacrifica un estímulo honesto a otro estímulo honesto superior y más elevado en la jerarquía de las pasiones... Muy lejos de esta doctrina discurre la nueva dramaturgia. En las opiniones de Schiller y en los comentarios de Aribau vibra el eco próximo de los *imperativos* kantianos. Toda la teoría, como todo el arte del autor de *Wallenstein*, se funda en la victoria de la libertad humana, en el principio de responsabilidad afirmándose contra todas las asechanzas de la naturaleza. Schiller ha sido el poeta de esa libertad y de esa responsabilidad, que no conoce esoterismos tenebrosos, ni fuerzas atávicas, ni fatalidades deterministas; que se apoya en el testimonio eterno y universal de la conciencia y no se complace en la región ambigua de las anormalidades, de los sonambulismos y de las degeneraciones fisiológicas. El libre albedrío constituye el verdadero centro de la poesía superior y generosa de Schiller, que clava la flecha de Tell en el corazón de Gessler y sublima todas las abnegaciones y triunfos de la elevación moral en el monumento imperecedero de sus leyendas, desde *El guante* y *Fridolín* a *El dragón de Rodas.*

Pero más todavía que la influencia lombarda y el espiritualismo germánico de la naciente estética, se destaca en las páginas de «El Europeo» aquella doble sugestión o dictadura intelectual que Escocia ejerció sobre Cataluña, por medio de Walter Scott en lo literario y por medio de los pensadores de la «Revista de Edimburgo» en lo filosófico. Walter Scott fue más que un modelo, más que un iniciador: fue un ídolo. Aribau, López Soler, Bergnes de las Casas y todos los jóvenes de aquella generación fueron sus discípulos y secuaces, sus traductores e imitadores. De sus novelas histórica procede la dirección tradicionalista de la primera época del renacimiento catalán; de sus baladas nuestras baladas; de sus evocaciones de la Edad Media el espíritu arqueológico que presidió a los *Recuerdos y bellezas de España.* Como novelista representó una modalidad pasajera, pero alcanzó una influencia profunda y trascendió más allá de sus ficciones. Tuvo la intuición de la nueva historia y enseñó a escribirla, compartiendo con Manzoni el honor de restituirle su artística dignidad y de despertar a los Thierry y los Barante, a los Herculano, a los Quadrado.

Fenómeno en extremo interesante es la fascinación producida en nuestros abuelos por el escritor escocés y por la misma Escocia. Nadie abrigaba en Cataluña designos expresos, ni siquiera esperanzas remotas, de promover una reacción nacionalista, en sentido de la antigua patria. Era el momento culminante de la asimilación intelectual, literaria, política. Despedíase todo el mundo, o con franco desdén, o con resignada tristeza, de los dialectos moribundos y corrompidos. El «provincialismo» era condenado y execrado en todos los tonos. Una nación, una ley, una lengua, un gobierno, constituían la fórmula del nuevo ideal, recibido de Francia según costumbre. Y, no obstante, la vieja Escocia de Walter Scott, que venía a ampliar y prolongar la visión misteriosa e informe de los cantos pseudo-osiánicos, se presentó a los ojos de la juventud de Cataluña como un inesperado desdoblamiento histórico, como un símbolo de la misma causa perdida, como un espejismo extraño de sus propias nostalgias inconscientes y de su misma desventura, dejándolos absortos y sumidos en no sé qué dolorosa perplejidad sentimental.

XIII

Por fuerza hubieron de ver aquellos jóvenes un vago paralelismo poético entre la historia y leyendas de su patria y las de la brumosa Caledonia; como si sus fieros *highlanders* correspondiesen a la rudeza almogávar, su feudalismo a nuestro feudalismo, su poesía popular a nuestra poesía popular y hasta la pérdida de su libertad y su derrota de Culloden a nuestro 14 de septiembre. Tratábase también de una nacionalidad frustrada en la historia, de una lengua vencida por la del dominador, de un espíritu vacilante entre la absorción y la resurrección definitiva. ¿Qué extraño, pues, que se hallase en la obra de Walter Scott la expresión, latente y refleja, de los propios destinos de Cataluña? Inclinó los ánimos en el sentido de una rehabilitación artística de la Edad Media: de su arquitectura, de sus costumbres, de su espíritu caballeresco, de sus trovadores, de sus manuscritos. Tanto como en el siglo XVIII la palabra «gótico» había sido sinónima de barbarie y fealdad, llegó a expresar ahora lo poético por excelencia. Y esa corriente general del gusto y de las ideas, al pasar por Cataluña, vino a levantar y remover todo un mundo sepultado.

La Edad Media, el goticismo, el romanticismo histórico, en suma, habían constituido nuestro período nacional. Y al estudiarlos de nuevo, cariñosamente y de una manera desinteresada y objetiva, se halló dentro de ellos ese otro contenido, que no era precisamente el que buscaban los investigadores y poetas. Se halló una personalidad espiritual, artística, literaria, por completo autónoma, dotada de un órgano de expresión, esto es, de un lenguaje igualmente autónomo. A buen seguro, los primeros románticos de Cataluña no se propusieron casi ninguno de los objetivos patrióticos que, indirectamente, dejaron planteados o conseguidos después. Seguían un impulso universal; obraban movidos por la misma fuerza que arrastraba a las inteligencias de Europa y del mundo entero. Mas la realidad pasada que tenían ante los ojos, les deparó la sorpresa de un interés patriótico, nacional y de raza combinado con el simple interés de la erudición, del arte y de la filología. De suerte que la revolución romántica fue la causa ocasional y próxima de nuestro renacimiento; se resolvió aquí en reacción nacionalista, y hasta se puede afirmar, como tengo expuesto en otra ocasión, que ese regionalismo de la primera época no fue más que la forma local del romanticismo en Cataluña. *

Bien claro se desprende todo esto de las páginas de «El Europeo» y, más todavía, de las de «El Vapor» que debía sucederle, cosa de diez años después, sacado a luz por los mismos elementos. Mas no es posible despedirse de las primeras sin hacer referencia a un trabajo muy interesante, publicado en los últimos números del año 1823, o sea una revista y ojeada general sobre las manifestaciones de cultura en Barcelona durante aquellos años, precedidos por la total devastación de la guerra de la Independencia. La población había descendido bruscamente con aquel motivo y a consecuencia de las emigraciones en masa determinadas por el domi-

* Véase *La cuestión regional,* Palma 1899. (G. M.)

nio francés y por la parálisis económica, en la ciudad y en todo el Principado. «No necesitamos —dice— presentar datos numéricos para dar a conocer el lamentable estado a que han llegado las fuentes de la producción en estos últimos años. La pérdida de las Américas, el escandaloso contrabando, la epidemia [1821], el estado de inquietud en que se ha vivido, la guerra de que ha sido teatro, las contribuciones inmensas que se le han exigido, son otros tantos golpes mortales para el comercio y las artes que formaban antes el esplendor y el poderío de esta capital. La mayor parte de las fábricas se han cerrado; los talleres están cubiertos de polvo; los artesanos pordioseando por las calles; los labradores quejándose del ínfimo precio a que ha reducido sus trigos la concurrencia de los extranjeros; el comercio activo en inacción, y el pasivo reducido a lo absolutamente preciso.» Sobre este cuadro general de abatimiento, de destrucciones y contrariedades, destaca el esfuerzo del país, para hacerles frente y proseguir su obra de restauración y progreso.

Apenas salida Barcelona del terrible azote de la fiebre amarilla, organizóse en los comienzos de 1822 en los salones de la casa Lonja «una exposición de manufacturas de la provincia, que verdaderamente pasmó; y se vio el alto grado a que, a pesar de tantas desgracias, había llegado nuestro genio laborioso». Esta iniciativa fue «el primer ensayo de esta clase» en Cataluña, e inauguró la serie de certámenes y exhibiciones que tuvieron memorable remate en 1888. Entrando en el círculo de la cultura propiamente dicha, se ocupa la expresada reseña en la vida de las escasas entidades a aquélla consagradas. Por lo que respecta a la Academia de Buenas Letras dice que «en mayo de 1820 introdujo novedades esenciales en su organización interior, y se propuso reconstituirse sobre bases diferentes de las que habían regido hasta entonces». Ocupóse, en efecto, de discutir los nuevos estatutos hasta mediados de 1821.

Fijaba en ellos, como objetivo propio de la institución, un persistente trabajo para preparar y formar la historia de Cataluña, y parece que en la reforma hubieron de intervenir muy directamente Aribau y sus compañeros en sentido innovador.

La epidemia y los disturbios políticos paralizaron la tentativa que vino a cortar de raíz la reacción de 1824. Apenas se pueden citar de 1822 otros trabajos que «una indagación sobre el escudo de armas de Barcelona, y el fragmento de un poema didáctico de la Economía política, que se acordó imprimir en mejor ocasión». Tampoco fue más fecundo el año siguiente, durante el cual no se celebró acaso más que una sesión en la cual «el señor Bofarull [don Próspero], como vicepresidente pronunció un breve discurso inaugural, y el señor Mariezcurrena leyó una hermosa oda: *A la Historia*». La falta de fondos ha sido otra de las causas de no haber podido levantar a esta sociedad de su decadencia. Con ellos, añade, pudiera dársele un interés que no tiene, pues podría formar una pequeña biblioteca, proponer programas y ofrecer recompensas a los frutos sobresalientes del ingenio catalán.

En cuanto a la Academia de Ciencias Naturales y Artes, ofrece dicha revista pormenores algo más concretos y satisfactorios. Recuerda que se rige por unos estautos de 1770, que posee una reducida biblioteca, una colección de objetos de historia natural y un edificio propio que le proporciona recursos para dotar dos cátedras: una de matemáticas y otra de cosmografía. «Como los demás establecimientos, se ha resentido de circunstancias tan poco favorables al sosiego y la meditación. Sin embargo, se han leído memorias dignas de todo aprecio.» Por ejemplo, una del señor Armet sobre el modo de hallar de golpe el resultado de las potencias de los polinomios, mandada imprimir y publicada. Otra del mismo autor sobre la medida de la elasticidad en los cuerpos, registrada por ciertas máquinas de su invención; otra del señor Magriñá sobre un nuevo compás de graduación general del círculo; varias del señor Montiu sobre importantes modificaciones y mejoras por él introducidas en diferentes instrumentos agrícolas; otra del señor Janer sobre el magnetismo animal, y otra de Yáñez sobre los indicios que ofrece el terreno de Cataluña de haber estado algún día cubierto de agua.

Por lo que concierne a cátedras y estudios superiores, recuerda la refundición en la Universidad de Cervera de las demás de Cataluña, no habiendo quedado por de pronto en Barcelona más que las enseñanzas de medicina, y las clases de gramática y retórica encomendadas a los jesuitas. Estos religiosos —dice «El Europeo»— conservaron un cierto grado de ilustración en esta ciudad, y desde cualquier punto de vista que se considere su extinción verificada en 1867, no se puede negar que aquí fue un golpe fatal para las letras, que la juventud cultivaba con el aprovechamiento en el seminario de nobles de Cordelles. Basta leer, añade el autor de la reseña que vengo extractando, las producciones que dieron a luz sus preceptores y discípulos, en la mayor parte de las cuales apenas se observa el contagio universal del mal gusto que afeaba entonces todos los ramos de la literatura hispana. Basta citar los nombres, dignos de veneración, de Cerdá, Aimerich, Masdeu y Lampillas. De todos estos beneficios, los únicos que en Barcelona podía encontrar, estuvo por mucho tiempo privada la juventud.

Una porción de cátedras de suma importancia, tanto para el comercio y la industria como para *la ilustración en general*, florecieron bajo la protección de la nunca bastante ensalzada Junta de Comercio. Tal fue la de náutica, que produjo excelentes marinos y fue regida por el padre Agustín Cañellas, «contado entre los astrónomos de mayor fama de nuestro siglo». En 1805 se instaló la escuela de taquigrafía; poco después una cátedra de química, y luego otra de estática e hidrostática. Las calamidades de la guerra interrumpieron la brillante carrera que se había emprendido, hasta que en 1814 se restablecieron las antiguas cátedras y se añadieron la de economía política y la de física experimental, en 1815 las de cálculo mercantil y botánica, y en 1816 se adoptó en la de estática el método gráfico de la Escuela Politécnica de París. La Academia de Ciencias Naturales, mantenía a su vez dos cátedras, de matemática pura y de cosmografía. Todas ellas, excepto la de estática, que cesó en 1821 por fallecimiento del ilustre doctor Sanpons, se conservaron hasta aquella fecha y funcionaban entonces.

XIV

A principios de 1822, según la interesante reseña de «El Europeo» que voy extractando, el Ayuntamiento de Barcelona con la voluntaria y gratuita colaboración de un grupo de personas ilustradas y competentes, estableció las cátedras que faltaban para completar la Universidad de «segunda y tercera enseñanza» que el reglamento entonces vigente señalaba para esta ciudad. Huérfana de ella, en virtud de la acumulación en Cervera de todos los antiguos Estudios Generales del Principado, decretada por Felipe V, se apresuró a secundar las reformas del trienio constitucional que le devolvían su capitalidad científica, aunque de una manera harto precaria y fugaz, como que no estaba lejos la nueva reacción que diese al traste con el proyecto. De todas maneras se formó el llamado Establecimiento gratuito, compuesto de las cátedras siguientes: geografía y cronología, literatura e historia, física, química, botánica y agricultura, lógica y gramática general, economía política y estadística, moral y derecho natural, derecho público, principios de legislación universal, historia y elementos de derecho civil romano, historia e instituciones de derecho civil español, historia y elementos de derecho público eclesiástico, historia eclesiástica y suma de concilios, y lengua griega.

A este establecimiento y como demostrando las ansias de ilustración y cultura que dominaban a la juventud aun en medio de tan graves turbulencias, acudieron desde el primer instante unos 46 discípulos. Posteriormente, la Dirección de estudios dispuso la creación de la Universidad Literaria, la cual fue instalada con gran pompa en octubre del mismo año 1822, y consiguió reunir unos 900 cursantes. A ella se incorporaron las cátedras referidas y se añadieron otra de literatura, dos de matemáticas puras, y otras de mineralogía y geología, zoología, fundamentos de religión, historia de la teología y lugares teológicos, instituciones dogmático morales, sagrada escritura, práctica forense y bibliografía. «Sin duda —dice «El Europeo»—, que si se conservasen todos estos institutos dirigidos por profesores doctos, y cual conviene a la sólida y verdadera ilustración, Barcelona y las ciencias en general recibirían un poderoso estímulo y esplendor»; mas, todo ello no pasó de ser un fuego fatuo, muy pronto desvanecido en la infausta lobreguez del *decenio* terrible.

En cuanto a la primera educación nos proporciona también curiosos pormenores. En 1822 existían en Barcelona 8 escuelas de primeras letras en que se enseñaba, a la moderna entonces, por el sistema mutuo o lancasteriano, y 33 en que se seguía el método antiguo más o menos modificado a discreción de los preceptores. A los establecimientos particulares concurrían más de 2.000 alumnos y unos 1.200 a las escuelas eventuales. Respecto de los libros de texto, observa la novedad introducida aquel año en algunas escuelas con la adopción de la obra *Simón de Nantua,* escrita en francés por Jussieu y que en 1818 había obtenido el premio de la Sociedad de Instrucción Elemental de París como el mejor libro destinado a la enseñanza del pueblo en las ciudades y en las aldeas, si bien el articulista cree preferible las anécdotas de Berquin. Menciona también el Colegio de las Escuelas Pías, establecido en 1815, cuya matrícula en 1822, ascendía a 736 alumnos, y la titulada Academia Cívica, dirigida, en sentido moderno, por el trinitario calzado padre Catalá, cuyo «plan verdaderamente filantrópico quedó frustrado por la muerte de aquel celoso eclesiástico durante la epidemia». Se practicaba también en esta escuela el sistema lancasteriano y tenía enseñanza para ciegos y sordomudos. Respecto de la enseñanza de niñas los datos son desfavorables en absoluto.

En cuanto a la situación de las bibliotecas y colecciones de libros o documentos, da como la más importante de las primeras, en aquellos años, la del Seminario episcopal que contenía unos 16.000 volúmenes. Se había ido formando lentamente de las bibliotecas particulares de distintos obispos, y lo más precioso de ella se debía a los señores Climent y Valladares. En sala aparte acababa de reunirse una «Biblioteca Catalana», que patrocinó en 1817 el obispo Sichar y que en 1821 reunía obras de 1.500 autores naturales del Principado. No tan escogida era la biblioteca del convento de Santa Catalina, a pesar de contener 20.000 volúmenes y una sección de manuscritos y cartas geográficas. La del convento de San Francisco de Asís custodiaba 9.600 volúmenes y la de los Carmelitas descalzos 8.100 y diversos códices preciosos. Parece que todas ellas, y acaso alguna más que no recuerda el autor de la reseña, fueron conducidas a San Agustín, donde permanecían entonces cerradas al público. Cita también los gabinetes de casa Salvador, de los Colegios de Medicina y Farmacia, de la Academia de Ciencias Naturales y de la Junta de Comercio, sin movimiento de adquisiciones en aquel período, y registra la novedad de un centro de suscripción a lectura de libros, o biblioteca circulante, establecido por don Tomás Gorchs, quien disponía de un regular acopio de obras escogidas en castellano, italiano y francés.

Por lo que atañe a movimiento artístico, menciona que las escuelas de dibujo, pintura, escultura y arquitectura sostenidas por la ilustre Junta de Comercio y reorganizadas después de la dispersión de la Guerra de la Independencia, han seguido dando sus frutos y distribuyendo sus anuales recompensas. «Sin embargo, las causas generales de abatimiento y la falta de arbitrios en que se vio aquella corporación protectora, fueron sumamente desfavorables a la juventud que se dedica a tales conocimientos.» En la Exposición general de 1822 el famoso Mayol presentó un cuadro representando la *Degollación de los Inocentes*. Las bellas artes han sufrido desde hace poco en Cataluña pérdidas irreparables. Tales son, dice «El Europeo», la muerte del joven Ramón Planella, pensionado en Roma; la de Salvador Gurri, estatuario de nota, «que, sin haber visitado los grandes modelos de la antigüedad, había llegado *por sí mismo* a una perfección admirable»; la de Juan Carlos Anglés, que, de simple aficionado, se había hecho excelente y profundo profesor, y la del malogrado joven Joaquín Rigal, fallecido a los dieciocho años y cuyas dotes parecían anunciar un célebre arquitecto.

En este orden de progreso, o sea el arquitectónico, anota la «Revista» en cuestión los edificios más importantes que se han construido en aquella fecha, citando, en primer término, la capilla fúnebre del recién implantado cementerio rural, y después la casa de Kennet en la calle del barón de Viure, una y otra obra del arquitecto florentino Ginesi, y el zaguán de la casa de Dou, en la calle Baja de San Pedro, debido al arquitecto ilerdense señor Celles. Restauróse además el antiguo salón de San Jorge bajo la dirección del señor Soler y todas las demás mejoras, dice, se han obtenido derribando mejor que construyendo. «A esto debe Barcelona algunas plazas, pero también tiene que llorar la pérdida de uno de sus más bellos monumentos. Tal es el pórtico de la iglesia de San Jaime. formado de cinco arcos de frente y dos laterales de elegantísima *arquitectura gótica* [es ésta una de las primeras apariciones de semejante denominación, después tan prodigada e invocada] en que competía la excelencia de las formas totales con los ornatos perfectamente acabados. Los despojos yacen semi rotos sin que puedan volver a servir...» De haberse numerado las piedras, añade, hubiera sido fácil montarlo en otro sitio y esto nos hubiera resarcido, en parte, del derribo de la bóveda cuya pintura bastaba para inmortalizar a Francisco Tramullas.

Respecto a publicaciones de carácter artístico señala la de un cuaderno, de 70 páginas en folio, con buenas láminas de Estruch, conteniendo el *Arte de juzgar en las Bellas Artes,* de Milizia, traducción póstuma de don Ignacio March; y un *Tratado de sombras* y otro *De la distribución de casetones en arcos y bóvedas,* por Ginesi —supongo que el mismo arquitecto florentino citado más arriba, y residente en Barcelona—, traducidas ambas por don Pedro Serra, y como formando todas una colección didáctica de la cual «nos excusa hablar el ya conocido mérito de sus autores y traductores». Refiérese también al movimiento filarmónico, en sentido de la producción-activa, esto es, de la composición de obras musicales por maestros del país. Sostiene, como opinión ya común o muy generalizada entonces, que Barcelona es la ciudad más filarmónica de España. De las obras compuestas en todos los géneros dice que son «muchísimas y apreciables», pero desgraciadamente no las puntualiza, limitándose a citar dos óperas del maestro Carnicer tituladas, una de ellas, *Elena y Constantino,* y la otra *Don Juan Tenorio,* y «de las cuales la primera hizo furor, y la segunda, a pesar de su mayor profundidad, debió a la extravagancia del asunto la frialdad con que fue recibida». También menciona, por lo excepcional de las circunstancias que en este caso concurren, las composiciones de la joven señorita Dolores Vedruna, que figura ya entre los niños célebres, al decir del articulista. «Desde 1815 —afirma— este arte encantador ha hecho entre nosotros grandes progresos. Jóvenes de uno y otro sexo lo cultivan con ardor; y ya el fuerte piano es una alhaja poco menos que necesaria en una casa de medianas comodidades.»

XV

Para terminar con esta larga pero imprescindible digresión acerca del estado de la cultura catalana en las dos primeras décadas de la anterior centuria, veamos las noticias que nos ha conservado la revista de «El Europeo» por lo que se refiere a teatros, publicación de obras y periodismo. El teatro, dice, «del mismo modo que puede ser la escuela de las costumbres, puede ser la de la corrupción. En tiempos de efervescencia, por ejemplo, el teatro suele prostituirse a las pasiones del momento; se reciben con entusiasmo cosas que miradas en calma no podríamos sufrir; escenas de barbarie se toman a risa, y se aplauden expresiones que nos horrorizan después. No examinaremos el teatro de Barcelona por lo que puede haber influido en la moralidad de sus habitantes...; lo examinaremos, sí, como termómetro del buen gusto y de la civilización». Después de estas y otras consideraciones preliminares, entra en materia afirmando que el público barcelonés observa en el teatro un silencio decoroso que le hace sumo honor. Pocas veces es inconsiderado con los actores, y cuando los partidos suscitados por la rivalidad de alguno de ellos le ha puesto al borde de parecer fanático, la sensatez no ha tardado en triunfar e imponerse.

Asegura también que este público es aficionadísimo a los espectáculos teatrales como ninguno en

España, si bien considera imposible que pudiera sostenerse entonces (1832) un teatro nuevo, es decir, otro teatro que no fuera el de la Santa Cruz. «Una empresa de esta especie tentada en 1820 tuvo el éxito más infeliz... Las grandes compañías de baile formaban sus delicias hasta 1808, desde cuya época carecemos de ellas. Entonces se suspendieron, igualmente que las óperas italianas, las cuales se recobraron en 1815 y fueron recibidas con el más ardiente entusiasmo. La afición a la música de Rossini creció progresivamente y pasó por todos los grados que median entre *La italiana* y la *Elisabeta.*» Varios actores merecieron un favor poco distante de la idolatría y entre ellos menciona al señor Felipe Galli, hermano o muy próximo pariente del redactor de «El Europeo», que llevaba este mismo apellido. «Actualmente puede considerarse como un artículo de necesidad la ópera italiana, y no sería tal vez ningún desacierto el decir absolutamente que ella sostiene el teatro,» a pesar de los grandes gastos que origina y del lucimiento innegable con que el actor Prieto mantiene los fueros de la escena española.

No obstante las hondas preocupaciones que aquel año turbaban los espíritus, fue muy numerosa la concurrencia a los espectáculos líricos. Representáronse: *Elisa e Claudio,* de Mercadante, gran éxito en la Scala de Milán, que aquí no pasó de mediano; *La donna del lago,* de Rossini, que elevó hasta el frenesí el espasmo melódico de los aficionados; *Paolo e Virginia,* de Guiglielmi; *La gazza ladra, La scala di seta* y *Ricciardo e Zoraide,* del mismo Rossini; *La schiava di Bagdad* e *Il carnavale de Milano,* de Pacini, con más *I pretendenti delusi,* de Mosca. Respecto a la compañía española, los pormenores no son tan completos. Entre las obras estrenadas, o sean las nuevas en Barcelona, cita: *La muerte de César,* del teatro francés, según traducción, que califica de excelente; el *Lanuza,* tragedia de Ramírez de Baquerano, de la cual no disgustaron algunas escenas interesantes, «pero fue silbada su catástrofe»; *El marido ambicioso,* una de tantas traducciones de Carnerero, que gustó muchísimo, lo mismo que el *El filósofo soltero,* del milanés Alberto Nota, dado a conocer extensamente por su compatriota Monteggia en las mismas páginas de «El Europeo» en una apología de los escritores lombardos a que ya he debido referirme y que explica el origen de la benéfica influencia de aquella escuela en los primeros románticos catalanes. No entra el articulista en otras apreciaciones, si bien hace presente que aquí como en todas partes existen dos públicos: el que acude al *El sí de las niñas* y el que se atropella para ver *El convidado de piedra* o *El mágico de Astracán.* Menciona, por último, que aquel año se introdujo en el reglamento la modificación de que pudiesen concurrir al patio y a la cazuela personas de distinto sexo, lo cual no había sido tolerado hasta entonces.

Las obras dadas a luz por la imprenta de Barcelona apenas pueden interesarnos desde el punto de vista literario, y sólo a título de curiosidad voy a mencionarlas. Cita la reseña, en primer término, las *Lecciones de Historia natural* explicadas en el colegio de Farmacia por don Agustín Yáñez, que «puede tener la gloria de haber sido el primero que ha publicado en España unas lecciones de esta naturaleza, al nivel de los adelantos que han hecho las ciencias naturales». Registra después la *Ideología o tratado de sus signos,* por don Miguel García de la Madrid, de la cual dice que suscitó una viva polémica entre el autor y algunos jóvenes que se habían dedicado a este estudio; una traducción de la *Historia del proceso de la reina de Inglaterra,* que tanto apasionó a la opinión pública por lo insólito del caso de que un monarca, como un ciudadano cualquiera, se presentase ante los tribunales pidiendo el castigo de su esposa, a la cual acusa de adulterio; y las *Obras póstumas,* de don Nicolás Fernández de Moratín, sin duda el más importante acontecimiento editorial de Barcelona en aquellos años.

En esta colección entraban diferentes sonetos, silvas, epigramas, odas, romances y canciones, el canto en octavas titulado *Las naves de Cortés,* y algunos fragmentos del poema didascálico *Diana* y de las tragedias *Lucrecia, Hormesinda y Guzmán.* «Baste decir —añade el autor de la reseña— que este esclarecido escritor se ha atrevido a hablarnos en el mismo castellano de los poetas de nuestro siglo de oro... Estas poesías van precedidas de un discurso del editor [que parece ser Moratín el hijo, tan conocido y celebrado en Europa por sus comedias], el cual está escrito con una casticidad, crítica y maestría que tiene pocos ejemplares.» En él refiere la vida de su progenitor ilustre, formando una curiosísima memoria para el estudio de las letras durante la efímera restauración del reinado de Carlos III. Menciona, por último, el *Tratado de física elemental,* de Libes, traducido por el doctor don Pedro Vieta, Mentor universal de la juventud barcelonesa que le aclamó su guía y le dedicó odas tan llenas de entusiasmo quintanesco, como una bastante conocida de Aribau; los *Ensayos poéticos,* de don Juan Larios de Medrano, y la *Exposición del sistema del Dr. Gall,* por Mayer, arreglada y aumentada por don Carlos Ernesto Cook, otro de los fundadores de «El Europeo» con el cual empieza la fortuna de unos estudios que debían suscitar la aparición de nuestro Cubí y que siempre han tenido, ignoro por qué, terreno adecuado en Barcelona y un grupo de entusiastas prosélitos, como todas las pseudo-ciencias, esoterismos y doctrinas ocultas o mesiánicas.

El último estreno de la reseña corresponde a los periódicos. Recuerda la fundación del «Diario de Barcelona», en 1792, por don Pedro Huson y las vicisitudes por que pasó con motivo de la dominación francesa, durante la cual apareció otro periódico titulado, «La Abeja», que duró pocos meses. Después de la entrada de las tropas españolas el «Diario» continuó en la imprenta de Brusi y aparecieron la «Estafeta de Barcelona» y «El Periódico Mercantil» de existencia muy efímera. En julio de 1815 la Junta de Comercio, a lo que parece por iniciativa del barón de Castellet, emprendió la publicación de un periódico mensual, de seis pliegos en 4.°, bajo el nombre de «Memorias de Agricultura y Artes». Los redactores fueron el doctor Bahí, catedrático de botánica, el doctor Carbonell, notable químico, y el doctor Sampons, catedrático de mecánica en los estudios que protegía y sostenía dicha Junta. Suspendió su publicación en 1821. Las ocurrencias del año anterior a éste, produjeron una multitud de periódicos políticos y de combate: «El Diario Constitucional», «El Indicador Catalán», «El Eco de la Ley», «El Redactor Universal», el «Semanario Político», «El Semanario Popular», «La Miscelánea», «El Apuntador», «La Revista Nacional y Patriótica», y otros más. El torbellino político «apenas dejaba espacio para ocuparse en otras tareas más pacíficas». Sin embargo, salieron dos periódicos religiosos: «El Amigo de la Religión» y «El Verdadero Amigo», y comenzó a publicarse un «Periódico Universal de Ciencias, Literatura y Artes», que prestaba especial atención a la historia y antigüedades de Aragón y Cataluña, habiendo publicado, entre otras cosas de interés, la carta de Caresmar al barón de la Linde, sobre la antigua población de esta comarca.

La reseña termina con un párrafo dedicado a la propia aparición de «El Europeo». «Creímos siempre que renunciando a toda esperanza de grangería, haciendo una empresa patriótica de lo que para otros sería una operación mercantil, y sacrificando en beneficio público... las horas que nos dejasen libres nuestras particulares ocupaciones, podríamos adquirir algún título a la gratitud de nuestros compatriotas; y con estos sentimientos nos hemos sostenido desde el 18 de octubre, habiendo correspondido el resultado a las modestas esperanzas que concebimos.» Por este extracto y por las indicaciones que contiene, el lector más desprovisto de imaginación histórica, puede evocar el cuadro general de nuestra cultura, al aparecer «El Europeo» dentro de las limitaciones de una vida todavía provinciana y semicasera. En este momento empieza el siglo XIX, puede decirse, porque los siglos, diferenciados por un espíritu y un carácter, no se inauguran matemáticamente y según el cronómetro, y los veinte primeros años de la pasada centuria, no obstante la revolución y la Guerra de la Independencia, literaria y filosóficamente considerados correspondieron todavía al más puro XVIII. *

* Artículos publicados en «La Vanguardia» de Barcelona, del 4 de diciembre de 1909 al 9 de abril de 1910.

ÍNDICE

Introducción 7

La literatura del desastre 59

A través de unos libros 133

Escritores catalanes en castellano 215

EDICIONES DE BOLSILLO

Ocho de los editores más atentos a los aspectos vivos de la cultura ofrecen, en esta colección común, una selección de los títulos que mejor representan las inquietudes contemporáneas.

1. ESPERANDO A GODOT. FIN DE PARTIDA, Samuel Beckett (BARRAL EDITORES)
2. TEORIA DE LAS IDEOLOGIAS, Eugenio Trías (EDICIONES PENÍNSULA)
3. LOS CACHORROS, Mario Vargas Llosa (EDITORIAL LUMEN)
4. ARTE Y SOCIEDAD, Herbert Read (EDICIONES PENÍNSULA)
5. LOS ASESINATOS DE LA RUE MORGUE. EL MISTERIO DE MARIE ROGET, Edgar Allan Poe (EDICIONES PENÍNSULA)
6. EXILADOS, James Joyce (BARRAL EDITORES)
7. HISTORIA SOCIAL DEL MOVIMIENTO OBRERO EUROPEO, Wolfgang Abendroth (EDITORIAL ESTELA)
8. REALISMO Y UTOPIA EN LA REVOLUCION FRANCESA, Babeuf (EDICIONES PENÍNSULA)
9. GUERRA DEL TIEMPO, Alejo Carpentier (BARRAL EDITORES)
10. VIDA Y OBRA DE SIGMUND FREUD I, Ernest Jones (EDITORIAL ANAGRAMA)
11. PARABOLAS PARA UNA PEDAGOGIA POPULAR, Célestin Freinet (EDITORIAL ESTELA)
12. LAS AVENTURAS DE SHERLOCK HOLMES, A. Conan Doyle (BARRAL EDITORES)
13. DE LOS ESPARTAQUISTAS AL NAZISMO: REPUBLICA DE WEIMAR, Claude Klein (EDICIONES PENÍNSULA)
14. AUTOPISTA, Jaume Perich (EDITORIAL ESTELA)
15. EL GOLEM, Gustav Meyrink (TUSQUETS EDITOR)
16. LA FRANCIA BURGUESA, Charles Morazé (EDITORIAL LUMEN)
17. LA CANCION DE RACHEL, Miguel Barnet (EDITORIAL ESTELA)
18. UN ASESINO SIN SUERTE, René Réouven (BARRAL EDITORES)
19. DICCIONARIO PARA OCIOSOS, Joan Fuster (EDICIONES PENÍNSULA)
20. VERSION CELESTE, Juan Larrea (BARRAL EDITORES)
21. MUNDO QUINO, Quino (EDITORIAL LUMEN)
22. LOS ORIGENES DE LA EUROPA MODERNA: EL MERCANTILISMO, Pierre Deyon (EDICIONES PENÍNSULA)
23. POETAS INGLESES METAFISICOS DEL S. XVII, Maurice y Blanca Molho (BARRAL EDITORES)
24. CONTRA LA MEDICINA LIBERAL, Comités d'Action et Santé (EDITORIAL ESTELA)
25. SOBRE LITERATURA RUSA, Angelo Maria Ripellino (BARRAL EDITORES)
26. LOS VAGABUNDOS EFICACES, Fernand Deligny (EDITORIAL ESTELA)
27. FERDINAND, Louis Zukofsky (BARRAL EDITORES)
28. HISTORIA DEL PRIMERO DE MAYO, Maurice Dommanget (EDITORIAL ESTELA)
29. MARXISMO Y PSICOANALISIS, Reuben Osborn (EDICIONES PENÍNSULA)
30. VIDA Y OBRA DE SIGMUND FREUD II, Ernest Jones (EDITORIAL ANAGRAMA)
31. LOS PIRATAS, Gilles Lapouge (EDITORIAL ESTELA)
32. BESOS DE MADRE, Bruce Jay Friedman (EDITORIAL LUMEN)

33. UN CONFLICTO DE INTERESES, Brad Williams, J. W. Ehrlich (Editorial Lumen) (Barral Editores)
34. LOS QUE NUNCA OPINAN, Francisco Candel (Editorial Estela)
35. AL SERVICIO DE QUIEN ME QUIERA, Giorgio Scerbanenco (Barral Editores)
36. DIALECTICA DE LA PERSONA, DIALECTICA DE LA SITUACION, Carlos Castilla del Pino (Ediciones Península)
37. ME GUSTA ESTAR AQUI, Kingsley Amis (Editorial Lumen)
39. PSICOANALISIS Y POLITICA, Herbert Marcuse (Ediciones Península)
40. LA CENTENA, Octavio Paz (Barral Editores)
41. LA CELOSIA, Alain Robbe-Grillet (Barral Editores)
42. ENTRE EL AUTORITARISMO Y LA EXPLOTACION, seguido de UNA CANDELA BAJO EL VIENTO, A. I. Solzhenitsyn (Ediciones Península)
43. LA NUEVA LEY SINDICAL, J. N. García-Nieto, A. Busquets, S. Marimó (Editorial Estela)
44. LA CONTRARREVOLUCION EN AFRICA, Jean Ziégler (Editorial Lumen)
45. LOS CHUETAS MALLORQUINES — SIETE SIGLOS DE RACISMO, Baltasar Porcel (Barral Editores)
46. HISTORIA DE LA COMUNA I, H. P. O. Lissagaray (Editorial Estela)
47. HISTORIA DE LA COMUNA II, H. P. O. Lissagaray (Editorial Estela)
48. COMO SE VENDE UN PRESIDENTE, Joe McGuinnis (Ediciones Península)
49. EL SEÑOR DE BEMBIBRE, Enrique Gil y Carrasco (Barral Editores)
50. VIDA Y OBRA DE SIGMUND FREUD III, Ernest Jones (Editorial Anagrama)
51. LA INCOMUNICACION, Carlos Castilla del Pino (Ediciones Península)
52. EL SIGLO DE LAS LUCES, Alejo Carpentier (Barral Editores)
53. INICIACION AL ARTE ESPAÑOL DE LA POSTGUERRA, Vicente Aguilera Cerni (Ediciones Península)
54. INICIACION AL ESCANDALO, Gabriel Veraldi (Barral Editores)
55. LUBIMOV, Andrei Siniavski (Editorial Lumen)
56. EL SUEÑO ETERNO, Raymond Chandler (Barral Editores)
57. LAS MEMORIAS DE SHERLOCK HOLMES, A. Conan Doyle (Barral Editores)
58. LA CASA DE MATRIONA, seguido de TODO SEA POR LA CAUSA, A. I. Solzhenitsyn (Ediciones Península)
59. LECTURAS DE MARX POR ALTHUSSER, Albert Roies (Editorial Estela)
60. EL PADRE BLANCO, Julian Mitchell (Editorial Lumen)
61. LA CASA DE CITAS, Alain Robbe-Grillet (Barral Editores)
62. CRITICA DEL MARXISMO LIBERAL, Cesare Cases (Ediciones Península)
63. LA ESTETICA MUSICAL DEL SILO XVIII A NUESTROS DIAS, Enrico Fubini (Barral Editores)
64. LAS CLASES SOCALES EN LA SOCIEDAD CAPITALISTA AVANZADA, N. Birnbaum, M. Fotia, M. Kolinsky, H. Volpe, R. Stavenhagen (Ediciones Península)
65. SEIS ESTUDIOS DE PSICOLOGIA, Jean Piaget (Barral Editores)
66. CHINA: REVOLUCION EN LA LITERATURA, Joachim Schickel (Barral Editores)
67. EL CASTILLO DE OTRANTO Horace Walpole (Tusquets Editor)
68. LOS JEFES, Mario Vargas Llosa (Barral Editores)
69. ESTUDIO EN ESCARLATA, A. Conan Doyle (Barral Editores)
70. IDEOLOGOS E IDEOLOGIAS DE LA NUEVA IZQUIERDA, Bernard Oelgart (Editorial Anagrama)
71. EL CASO LEROUGE, Émile Gaboriau (Ediciones Península)

72. LAS CONFESIONES NO CATOLICAS EN ESPAÑA, Robert Saladrigas (EDICIONES PENÍNSULA)
73. SOBRE LA TEORIA DE LAS CIENCIAS SOCIALES, Max Weber (EDICIONES PENÍNSULA)
74. EL SURREALISMO: PUNTOS DE VISTA Y MANIFESTACIONES, André Breton (BARRAL EDITORES)
75. EL MODO DE PRODUCCION ASIATICO, Gianni Sofri (EDICIONES PENÍNSULA)
76. POESIA Y REVOLUCION, Vladimir Maiakovsky (EDICIONES PENÍNSULA)
77. ENSEÑANZAS DE LA EDAD: POESIA 1945-1970, José María Valverde (BARRAL EDITORES)
78. EL ANTISEMITISMO ALEMAN, Pierre Sorlin (EDICIONES PENÍNSULA)
79. OPINIONES DE UN PAYASO, Heinrich Böll (BARRAL EDITORES)
80. EL MARXISMO DESPUES DE MARX, Pierre Souyri (EDICIONES PENÍNSULA)
81. HISTORIA DEL CINE I, Román Gubern (EDITORIAL LUMEN)
82. HISTORIA DEL CINE II, Román Gubern (EDITORIAL LUMEN)
83. CUATRO CUARTETOS, T. S. Eliot (BARRAL EDITORES)
84. LA ORGANIZACION CIENTIFICA DEL TRABAJO, ¿CIENCIA O IDEOLOGIA?, José María Vegara (EDITORIAL FONTANELLA)
85. CIEN POEMAS DE AMOR, Amaru (BARRAL EDITORES)
86. LA MUÑECA SANGRIENTA, Gaston Leroux (TUSQUETS EDITOR)
87. LOS PASOS PERDIDOS, Alejo Carpentier (BARRAL EDITORES)
88. JUEGO SUCIO, Manuel de Pedrolo (EDICIONES PENÍNSULA)
89. Y MAÑANA, PARRICIDAS, André Coutin (EDITORIAL ESTELA)
90. WALTER BENJAMIN; BERTOLT BRECHT; HERMANN BROCH; ROSA LUXEMBURG, Hannah Arendt (EDITORIAL ANAGRAMA)
91. EL MONASTERIO ENCANTADO, Robert van Gulik (BARRAL EDITORES)
92. CONSEJOS OBREROS, Adolf Sturmthal (EDITORIAL FONTANELLA)
93. LOS TELEADICTOS, José M. Rodríguez Méndez (EDITORIAL ESTELA)
94. EL CRISTIANISMO NO ES UN HUMANISMO, José M. González Ruiz (EDICIONES PENÍNSULA)
95. LITERATURA Y ARTE NUEVO EN CUBA, Barnet, Benedetti, Carpentier, Cortázar y otros (EDITORIAL ESTELA)
96. UN ESTUDIO SOBRE LA DEPRESION, Carlos Castilla del Pino (EDICIONES PENÍNSULA)
97. EL ARTE IMPUGNADO, Vicente Aguilera Cerni (CUADERNOS PARA EL DIÁLOGO)
98. CARTAS DE CONDENADOS A MUERTE, Editor: Thomas Mann (EDITORIAL LAIA)
99. EICHMANN EN JERUSALEN, Hannah Arendt (EDITORIAL LUMEN)
100. FUNDAMENTOS DE PEDAGOGIA SOCIALISTA, Bogdan Suchodolski (EDITORIAL ESTELA)
101. TREINTA AÑOS DE TEATRO DE LA DERECHA, José Monleón (TUSQUETS EDITOR)
102. CONTRA NATURA, Rodolfo Hinostroza (BARRAL EDITORES)
103. ENSAYO SOBRE EL MACHISMO ESPAÑOL, José M. Rodríguez Méndez (EDICIONES PENÍNSULA)
104. LA MAQUINA DE ASESINAR Gaston Leroux (TUSQUETS EDITOR)
105. LOS COMUNEROS, Luis López Alvarez (CUADERNOS PARA EL DIÁLOGO)
106. FUNCIONES DE LA PINTURA, Fernand Léger (CUADERNOS PARA EL DIÁLOGO)
107. ENCUESTA, Milton K. Ozaki (EDICIONES PENÍNSULA)
108. LA HUELGA: HISTORIA Y PRESENTE, Georges Lefranc (EDITORIAL LAIA)
109. LA HERMANA PEQUEÑA, Raymond Chandler (BARRAL EDITORES)
110. EL ESTUDIO, John Gregory Dunne (EDITORIAL ANAGRAMA)

111. LA C. G. T. UN ANALISIS CRITICO DEL SINDICALISMO FRANCES, André Barjonet (Editorial Fontanella)
112. LOS ESPAÑOLES, Luis Carandell (Editorial Estela)
113. BANQUETE PARA VEINTISIETE CADAVERES, Gilbert Prouteau (Barral Editores)
114. LAS PRINCESAS DE ACAPULCO, Giorgio Scerbanenco (Barral Editores)
115. ¡CONTAMOS CONTIGO! Víctor Canicio (Editorial Laia)
116. NACIONAL II, Jaume Perich (Editorial Laia)
117. UN ASUNTO TENEBROSO, Honoré de Balzac (Ediciones Península)
118. LA CONTRARREVOLUCION MUNDIAL DE LOS U.S.A., Richard J. Barnet (Editorial Estela)
119. LA CONDESA DE CAGLIOSTRO, Maurice Leblanc (Tusquets Editor)
120. LOS ANARQUISTAS ESPAÑOLES, Gilles Lapouge y Jean Bécarud (E. Anagrama - E. Laia)
121. ¡ECHATE UN PULSO, HEMINGWAY!, Francisco Candel (Editorial Laia)
122. POR UNA ESCUELA DEL PUEBLO, Célestin Freinet (Editorial Fontanella)
123. CARTAS A THEO, Vincent van Gogh (Barral Editores)
124. INFORME SOBRE LA INFORMACION, Manuel Vázquez Montalbán (Editorial Fontanella)
125. DIGNO DE TODA SOSPECHA: UN DIAGNOSTICO DEL ERROR JUDICIAL, F. Pottecher, P. Boyer, D. Sarne, B. Clavel (E. Fontanella - E. Laia)
126. EL CONDICIONAMIENTO, Jean-François Le Ny (Ediciones Península)
127. EL CASO DE CHARLES DEXTER WARD, H. P. Lovecraft (Barral Editores)
128. SOCIOLOGIA, Salvador Giner (Ediciones Península)
129. LOS REINOS ORIGINARIOS, Carlos Fuentes (Barral Editores)
130. CONVERSACIONES CON JOSEPH LOSEY, Tom Milne (Editorial Anagrama)
131. EL ESTRUCTURALISMO COMO METODO, L. Miller y M. Varin d'Ainville (Cuadernos para el Diálogo)
132. LA IZQUIERDA ALEMANA, Gérard Sandoz (Ediciones Península)
133. CRITICA DE LA CRITICA, Peter Hamm (Barral Editores)
134. TEORIA DE LAS CLASES SOCIALES, Georges Gurvitch (Cuadernos para el Diálogo)
135. TEORIA MARXISTA DE LAS SOCIEDADES PRECAPITALISTAS, Maurice Godelier (Editorial Estela)
136. EL MUNDO MITICO DE GABRIEL GARCIA MARQUEZ, Carmen Arnau (Ediciones Península)
137. PIRATAS DE AMERICA, Alexandre O. Exquemelin (Barral Editores)
138. TEORIA DE LA EVOLUCION, Carles Darwin (Ediciones Península)
139. IZAS, RABIZAS Y COLIPOTERRAS, Camilo José Cela (Editorial Lumen)
140. PERICH MATCH, Jaume Perich (Ediciones Península)
141. JOEL BRAND: RECUERDOS DE DEMIDOWO, Heinar Kipphardt (Cuadernos para el Diálogo)
142. MAX Y LOS CHATARREROS, Claude Néron (Barral Editores)
143. POESIA SUPERREALISTA, Vicente Aleixandre (Barral Editores)
144. OCIO Y SOCIEDAD DE CLASES, Varios (Editorial Fontanella)
145. VALS Y SU INVENCION, Vladimir Nabokov (Barral Editores)
146. LAS REVOLUCIONES DEL TERCER MUNDO, Roberto Mesa (Cuadernos para el Diálogo)
147. CABALLERIA ROJA, Isaak Babel (Barral Editores)
148. SOCIOLOGIA Y LENGUA EN LA LITERATURA CATALANA, Francesc Vallverdú (Cuadernos para el Diálogo)
149. I CHING, Ed. Mirko Lauer (Barral Editores)

150. CONVERSACIONES CON PIER PAOLO PASOLINI, Jean Duflot (EDITORIAL ANAGRAMA)
151. LIDA MANTOVANI Y OTRAS HISTORIAS DE FERRARA, Giorgio Bassani (BARRAL EDITORES)
152. LOS ORIGENES DEL FASCISMO, Robert Paris (EDICIONES PENÍNSULA)
153. PUNTO Y LINEA SOBRE EL PLANO, Kandinsky (BARRAL EDITORES)
154. GALILEO GALILEI, Ludovico Geymonat (EDICIONES PENÍNSULA)
155. LOCAS POR HARRY, Henry Miller (BARRAL EDITORES)
156. INTRODUCCION A LA ESTETICA, G. W. F. Hegel (EDICIONES PENÍNSULA)
157. RETRATO DEL COLONIZADO, Albert Memmi (CUADERNOS PARA EL DIÁLOGO)
158. ALGUNOS TRATADOS EN LA HABANA, José Lezama Lima (EDITORIAL ANAGRAMA)
159. MANIFIESTO ROMANTICO, Victor Hugo (EDICIONES PENÍNSULA)
160. LOS CATOLICOS Y LA CONTESTACION, Aldo d'Alfonso (EDITORIAL FONTANELLA)
161. FREUD Y LA PSICOLOGIA DEL ARTE, E. H. Gombrich (BARRAL EDITORES)
162. LA POLITICA Y EL ESTADO MODERNO, Antonio Gramsci (EDICIONES PENÍNSULA)
163. LA ESTRUCTURA DEL MEDIO-AMBIENTE, Christopher Alexander (TUSQUETS EDITOR)
164. TICS DEL PAIS, Cesc (EDICIONES PENÍNSULA)
165. PANORAMA DEL SINDICALISMO EUROPEO I, Jesús Salvador y Fernando Almendros (EDITORIAL FONTANELLA)
166. RIMBAUD Y LA COMUNA, Pierre Gascar (CUADERNOS PARA EL DIÁLOGO)
167. POEMAS PROFETICOS Y PROSAS, William Blake (BARRAL EDITORES)
168. RETRATOS LITERARIOS FEMENINOS, Sainte-Beuve (EDICIONES PENÍNSULA)
169. POESIAS PARA LOS QUE NO LEEN POESIAS, H. M. Enzensberger (BARRAL EDITORES)
170. HOLLYWOOD, LA CASA ENCANTADA, Paul Mayersberg (EDITORIAL ANAGRAMA)
171. LOS ANTEOJOS DE ORO, Giorgio Bassani (BARRAL EDITORES)
172. CINE Y LENGUAJE, Viktor Sklovski (EDITORIAL ANAGRAMA)
173. LA DIALECTICA DEL OBJETO ECONOMICO, Fernand Dumont (EDICIONES PENÍNSULA)
174. EL RETRATO DE DORIAN GRAY, Oscar Wilde (BARRAL EDITORES)
175. TENDENCIAS DE LA NOVELA ESPAÑOLA ACTUAL, Santos Sanz Villanueva (CUADERNOS PARA EL DIÁLOGO)
176. LA TRAGEDIA DEL REY CHRISTOPHE, Aimé Cesaire (BARRAL EDITORES)
177. LA SEXUALIDAD DE LA MUJER, Marie Bonaparte (EDICIONES PENÍNSULA)
178. EL HOMBRE Y EL NIÑO, Arthur Adamov (CUADERNOS PARA EL DIÁLOGO)
179. MARXISMO Y ALIENACION, H. Apthecker, S. Finkelstein, H. D. Langford, G. C. Le Roy, H. L. Parsons (EDICIONES PENÍNSULA)
180. LAS PALABRAS Y LOS HOMBRES, J. Ferrater Mora (EDICIONES PENÍNSULA)
181. DESTRUIR, DICE — ABAHN SABANA DAVID, Marguerite Duras (BARRAL EDITORES)
182. EL LENGUAJE INFANTIL, Giuseppe Francescato (EDICIONES PENÍNSULA)
183. LOS SEMIDIOSES: CUATRO HOMBRES Y SUS PUEBLOS Jean Lacouture (CUADERNOS PARA EL DIÁLOGO)
184. LO OTROS CATALANES, Francisco Candel (EDICIONES PENÍNSULA)
185. PANORAMA DEL SINDICALISMO EUROPEO II, Jesús Salvador y Fernando Almendros (EDITORIAL FONTANELLA)
186. TOREO DE SALON, Camilo José Cela (EDITORIAL LUMEN)
187. EL LENGUAJE DE LA MUSICA MODERNA, Donald Mitchell (EDITORIAL LUMEN)
188. GROUCHO Y YO, Groucho Marx (TUSQUETS EDITOR)

189. LOS TARAHUMARA, Antonin Artaud (BARRAL EDITORES)
190. ENSAYOS DE CRITICA LITERARIA, Benito Pérez Galdós (EDICIONES PENÍNSULA)
191. MAIAKOVSKI, Viktor Sklovski (EDITORIAL ANAGRAMA)
192. EL TAROT O LA MAQUINA DE IMAGINAR, Alberto Cousté (BARRAL EDITORES)
194. DOSTOIEVSKI, Augusto Vidal (BARRAL EDITORES)
195. EL LENGUAJE DE LOS COMICS Román Gubern (EDICIONES PENÍNSULA)
196. YO... ELLOS, Arthur Adamov (CUADERNOS PARA EL DIÁLOGO)
197. ADOLESCENCIA, SEXO Y CULTURA EN SAMOA, Margaret Mead (EDITORIAL LAIA)
198. SEXO Y TEMPERAMENTO EN LAS SOCIEDADES PRIMITIVAS, Margaret Mead (EDITORIAL LAIA)
199. COMENTARIOS IMPERTINENTES SOBRE EL TEATRO ESPAÑOL, José M. Rodríguez Méndez (EDICIONES PENÍNSULA)
200. UN EMPEÑO CABALLERESCO, Tennessee Williams (EDITORIAL LUMEN)
201. LA INTELIGENCIA: MITOS Y REALIDADES, Henri Salvat (EDICIONES PENÍNSULA)
202. VIDAS IMAGINARIAS, Marcel Schwob (BARRAL EDITORES)
203. POBRECITOS PERO NO HONRADOS, José M. Rodríguez Méndez (EDITORIAL LAIA)
204. EL MUNDO DE LA MUSICA POP, Rolf-Ulrich Kaiser (BARRAL EDITORES)
205. REPORTAJE SOBRE CHINA, Olof Legercrantz (EDITORIAL ANAGRAMA)
206. CANCIONERO GENERAL (1939-1971), M. Vázquez Montalbán (EDITORIAL LUMEN)
207. AUTOGESTION, Daniel Chauvey (EDITORIAL FONTANELLA)
208. GORKI SEGUN GORKI, Nina Gourfinkel (EDITORIAL LAIA)
209. EL TROTSKISMO, Jean Jacques Marie (EDICIONES PENÍNSULA)
210. EL GATO Y EL RATON, Günter Grass (BARRAL EDITORES)
211. HISTORIA DEL L S D, Sidney Cohen (CUADERNOS PARA EL DIÁLOGO)
212. LUMPENBURGUESIA: LUPEMDESARROLLO, André Gunder-Frank (EDITORIAL LAIA)
213. CATALOGO DE NECEDADES QUE LOS EUROPEOS SE APLICAN MUTUAMENTE, Jean Plumyène y Raymond Lasierra (BARRAL EDITORES)
214. REFLEJOS CONDICIONADOS E INHIBICIONES, Pavlov (EDICIONES PENÍNSULA)
215. IMAGINACION Y VIOLENCIA EN AMERICA, Ariel Dorfman (EDITORIAL ANAGRAMA)
216. LA REFORMA INTELECTUAL Y MORAL, Ernest Renan (EDICIONES PENÍNSULA)
217. CHEJOV SEGUN CHEJOV, Sophie Laffitte (EDITORIAL LAIA)
218. LAS PASIONES DEL ALMA, René Descartes (EDICIONES PENÍNSULA)
219. ENSAYO SOBRE LA INTELIGENCIA ESPAÑOLA, J. M. Rodríguez Méndez (EDICIONES PENÍNSULA)
220. TAO TE KING, Lao Tse (BARRAL EDITORES)
221. LEOPOLDO ALAS: TEORIA Y CRITICA DE LA NOVELA ESPAÑOLA, Sergio Beser (EDITORIAL LAIA)
222. LA TAPIA DEL MANICOMIO, Roger Gentis (EDITORIAL LAIA)
223. SECUESTRO DE EMBAJADORES, Ramón Comas (EDITORIAL LAIA)
224. LA INVESTIGACION SOCIOLOGICA, Theodore Caplow (EDITORIAL LAIA)
225. SIMBOLO, COMUNICACION Y CONSUMO, Gillo Dorfles (EDITORIAL LUMEN)
226. SOCIOLOGIA DE SAINT-SIMON, Pierre Ansart (EDICIONES PENÍNSULA)
227. LA VOZ DE LOS NIÑOS, Gabriel Celaya (EDITORIAL LAIA)
228. HEGEL SEGUN HEGEL, François Châtelet (EDITORIAL LAIA)
229. ANALISIS INSTITUCIONAL Y PEDAGOGIA, Ginette Michaud (EDITORIAL LAIA)
230. INTRODUCCION AL BUDISMO ZEN: ENSEÑANZAS Y TEXTOS, Mariano Antolín y Alfredo Embid (BARRAL EDITORES)

231. TEOLOGIA FRENTE A SOCIEDAD HISTORICA, J. M. Díez Alegría (EDITORIAL LAIA)
232. CANCIONERO GENERAL II, M. Vázquez Montalbán (EDITORIAL LUMEN)
233. DIDEROT SEGUN DIDEROT, Diderot (EDITORIAL LAIA)
234. LA MONJA ALFEREZ, Thomas De Quincey (BARRAL EDITORES)
235. LA ESPAÑA NEGRA, José Gutiérrez Solana (BARRAL EDITORES)
236. CONTAMOS CON LOS DEDOS, Enrique Olivan «Oli» (EDICIONES PENÍNSULA)
237. EL SISTEMA ASTROLOGICO, Rodolfo Hinostroza (BARRAL EDITORES)
238. SEMANA SANTA, Salvador Espriu (EDICIONES PENÍNSULA)
239. HUMOR LIBRE, JA (Jorge Amorós) (EDITORIAL LAIA)
240. IN, OUT, OFF... ¡UF!, Pablo de la Higuera (EDICIONES PENÍNSULA)
241. EL NATURALISMO, Emile Zola (EDICIONES PENÍNSULA)
242. INTRODUCCION A EZRA POUND. ANTOLOGIA GENERAL DE TEXTOS (BARRAL EDITORES)
243. INTRODUCCION A LA FILOSOFIA DE LA PRAXIS, Antonio Gramsci (EDICIONES PENÍNSULA)
244. ENSAYOS SOBRE EL SIGLO XX ESPAÑOL, Juan Antonio Lacomba (CUADERNOS PARA EL DIÁLOGO)
245. APUNTES PARA UNA SOCIOLOGIA DEL BARRIO, Francisco Candel (EDICIONES PENÍNSULA)
246. EL ASTRAGALO, Albertine Sarrazin (EDITORIAL LUMEN)
247. VIDA DE PEDRO SAPUTO, Braulio Foz (EDITORIAL LAIA)
248. NUEVA POESIA CUBANA, José Agustín Goytisolo (EDICIONES PENÍNSULA)
249. NUESTRO CAPITALISMO DE CADA DIA, Gabriel Alvarez (EDITORIAL LAIA)
250. EL ESPACIO VACIO: ARTE Y TECNICA DEL TEATRO, Peter Brook (EDICIONES PENÍNSULA)
251. 24 X 24 (ENTREVISTAS), Ana María Moix (EDICIONES PENÍNSULA)
252. CRONICA DE ATOLONDRADOS NAVEGANTES, Baltasar Porcel (EDICIONES PENÍNSULA)
253. DISCURSO SOBRE LOS ORIGENES Y FUNDAMENTOS DE LA DESIGUALDAD ENTRE LOS HOMBRES, J. J. Rousseau (EDICIONES PENÍNSULA)
254. MI INFANCIA, Máximo Gorki (EDITORIAL LAIA)
255. LA NECESIDAD DEL ARTE, Ernst Fischer (EDICIONES PENÍNSULA)
256. ELEMENTOS DE SOCIOLOGIA, Henri Mendras (EDITORIAL LAIA)
257. EL MARXISMO DE NUESTRO TIEMPO, Gilles Martinet (EDICIONES PENÍNSULA)
258. ESTRUCTURA Y ORGANIZACION. ECONOMIA INTERNACIONAL. I INICIACION A LA ECONOMIA MARXISTA, José María Vidal (EDITORIAL LAIA)
259. MITOS DE LA REVOLUCION FRANCESA, Alice Gérard (EDICIONES PENÍNSULA)
260. ALQUIMIA Y OCULTISMO, selección de textos: Víctor Zalbidea, Victoria Paniagua, Elena Fernández de Cerro y Casto del Amo (BARRAL EDITORES)
261. ESTUDIOS SOBRE ESTRATIFICACION SOCIAL, José Cazorla Pérez (CUADERNOS PARA EL DIÁLOGO)
262. SOBRE LA SEXUALIDAD, J. Kahn Nathan - G. Tordjman (EDITORIAL LAIA)
263. 1789, Georges Lefèvre (EDITORIAL LAIA)
264. LA TORRE VIGIA, Ana María Matute (EDITORIAL LUMEN)
265. LOS TRES PIES DEL GATO, Jaume Perich (EDICIONES PENÍNSULA)
267. LA PERLA DEL EMPERADOR, Robert van Gulik (BARRAL EDITORES)
275. PERSECUCION, Richard Unekis (EDICIONES PENÍNSULA)
276. LA MANSION MISTERIOSA, Maurice Leblanc (TUSQUETS EDITOR)

60 0001235 9
TELEPEN